Mémoires d'un quartier

• TOME 9 •

Antoine

la suite

Du même auteur chez le même éditeur:

Mémoires d'un quartier, tome 8: *Laura, la suite*, 2011

Mémoires d'un quartier, tome 7: *Marcel*, 2010

Mémoires d'un quartier, tome 6: *Francine*, 2010

Mémoires d'un quartier, tome 5: *Adrien*, 2010

Mémoires d'un quartier, tome 4: *Bernadette*, 2009

Mémoires d'un quartier, tome 3: *Évangéline*, 2009

Mémoires d'un quartier, tome 2: *Antoine*, 2008

Mémoires d'un quartier, tome 1: *Laura*, 2008

La dernière saison, tome 1: *Jeanne*, 2006

La dernière saison, tome 2: *Thomas*, 2007

Les sœurs Deblois, tome 1: *Charlotte*, 2003

Les sœurs Deblois, tome 2: *Émilie*, 2004

Les sœurs Deblois, tome 3: *Anne*, 2005

Les sœurs Deblois, tome 4: *Le demi-frère*, 2005

Les années du silence, tome 1: *La Tourmente*, 1995

Les années du silence, tome 2: *La Délivrance*, 1995

Les années du silence, tome 3: *La Sérénité*, 1998

Les années du silence, tome 4: *La Destinée*, 2000

Les années du silence, tome 5: *Les Bourrasques*, 2001

Les années du silence, tome 6: *L'Oasis*, 2002

Les demoiselles du quartier, nouvelles, 2003

De l'autre côté du mur, récit-témoignage, 2001

Au-delà des mots, roman autobiographique, 1999

Boomerang, roman en collaboration avec Loui Sansfaçon, 1998

« Queen Size », 1997

L'infiltrateur, roman basé sur des faits vécus, 1996

La fille de Joseph, roman, 1994, 2006 (réédition du *Tournesol*, 1984)

Entre l'eau douce et la mer, 1994

Visitez le site Web de l'auteure:
www.louisetremblaydessiambre.com

LOUISE TREMBLAY-D'ESSIAMBRE

Mémoires d'un quartier

· T O M E 9 ·

Antoine
la suite

1968 – 1969

Guy Saint-Jean
ÉDITEUR

Catalogage avant publication de Bibliothèque et Archives nationales du Québec et Bibliothèque et Archives Canada

Tremblay-D'Essiambre, Louise, 1953-
Mémoires d'un quartier
Comprend des réf. bibliogr.
Sommaire: t. 9. Antoine, la suite, 1968-1969.
ISBN 978-2-89455-409-8 (v. 9)
I. Titre. II. Titre: Antoine, la suite, 1968-1969.
PS8589.R476M45 2008   C843'.54   C2008-940607-9
PS9589.R476M45 2008

Nous reconnaissons l'aide financière du gouvernement du Canada par l'entremise du Fonds du livre du Canada (FLC) ainsi que celle de la SODEC pour nos activités d'édition. Nous remercions le Conseil des Arts du Canada de l'aide accordée à notre programme de publication.

Gouvernement du Québec — Programme de crédit d'impôt pour l'édition de livres — Gestion SODEC

© Guy Saint-Jean Éditeur inc. 2011
Conception graphique: Christiane Séguin
Révision: Lysanne Audy
Page couverture: Toile de Louise Tremblay-D'Essiambre, « L'univers d'Antoine ».

Dépôt légal — Bibliothèque et Archives nationales du Québec, Bibliothèque et Archives Canada, 2011
ISBN: 978-2-89455-409-8
ISBN ePub: 978-2-89455-410-4
ISBN PDF: 978-2-89455-464-7

Distribution et diffusion
Amérique: Prologue
France: De Borée/Distribution du Nouveau Monde (pour la littérature)
Belgique: La Caravelle S.A.
Suisse: Transat S.A.

Guy Saint-Jean Éditeur inc. 3440, boul. Industriel, Laval (Québec) Canada. H7L 4R9.
450 663-1777 • Courriel: info@saint-jeanediteur.com • Web: www.saint-jeanediteur.com

Guy Saint-Jean Éditeur France 30-32, rue de Lappe, 75011, Paris, France.
(1) 43.38.46.42 • Courriel: gsj.editeur@free.fr

Imprimé et relié au Canada

À Éliot et Hubert, mes deux petits-fils tout neufs!

NOTE DE L'AUTEUR

Ce merveilleux Antoine !

Êtes-vous comme moi ? Le voyez-vous courir à perdre haleine vers la maison de madame Anne ? Tellement il fait froid aujourd'hui, quand il a traversé la rue en diagonale, il y a deux secondes à peine, la buée de son souffle s'effilochait derrière lui, laissant une trace visible de sa hâte et de son inquiétude.

Antoine ne s'est pas fait prier quand Laura s'est présentée à l'appartement qui lui sert d'atelier, lui demandant de la suivre pour aller voir ce qui se passait chez leur voisine. Lui aussi, il avait été alerté par la sirène de l'ambulance quand celle-ci avait tourné le coin de la rue. La curiosité l'avait aussitôt propulsé vers la fenêtre, tout comme Évangéline l'avait fait dans le logement du haut. Seule la gêne maladive d'Antoine l'avait retenu, l'avait empêché de se précipiter dehors pour aller aux renseignements. Quand Laura était entrée en trombe dans le salon, il était encore devant la fenêtre, hésitant, maugréant contre son habituelle timidité.

À la vue de sa sœur, le soulagement d'Antoine avait été immédiat.

Avec Laura, tout devenait plus facile, moins intimidant, moins menaçant, et en quelques secondes à peine, Antoine était déjà habillé, prêt à partir.

Antoine…

C'est bien lui, ça, d'être empêtré dans des émotions contradictoires, mais en même temps, je ne connais pas plus attachant, plus généreux, plus fascinant que ce jeune homme pétri de bonnes intentions et bourré de talent. Il m'arrive parfois d'envier Bernadette de l'avoir comme fils.

Antoine...

Nous savons, nous, pourquoi il est aussi compliqué, à la fois timide et décidé, craintif et violent, complexé et catégorique. Nous savons tous, n'est-ce pas, qu'un certain Jules Romain a croisé son chemin alors qu'il n'était encore qu'un gamin ? Cet homme a volé son enfance et le peu de confiance qu'Antoine avait alors en lui. Ce qu'il est devenu aujourd'hui, c'est au prix d'efforts constants qu'Antoine a réussi à le bâtir.

Saura-t-il, un jour, se soustraire complètement à l'ombre que son ancien professeur a fait naître au-dessus et tout autour de lui ? Malgré les années qui passent, la peur de l'autre, de tous les autres, reste bien présente dans le cœur d'Antoine. Le dégoût de tout contact physique aussi. Comment, dans de telles conditions, peut-on arriver à vivre normalement, à être à l'aise dans sa peau ? Je l'ignore. Si vous saviez à quel point j'aimerais avoir une solution magique au bout du crayon. Malheureusement, la magie n'existe que dans les contes de fées et tout ce que je peux offrir à Antoine, c'est la peinture. À moins que la peinture soit une sorte de magie, je ne vois rien d'autre.

Voilà que j'écris ces mots et je sens un sourire bien involontaire se dessiner sur mes lèvres.

Dans le fond, pourquoi pas ? Pourquoi est-ce que la peinture ne serait pas magique ? Quand il peint, Antoine oublie vraiment tout le reste. Comme moi quand j'écris.

Dans le cas d'Antoine, est-ce que ce sera suffisant pour combler une vie entière ? J'ose l'espérer, car, à moins qu'il ne rencontre quelqu'un qui puisse l'aider, je ne vois pas d'autre façon pour lui d'approcher quelque chose qui ressemble au bonheur. Dommage, car il aurait tant à donner.

Pour Laura non plus, l'accès au bonheur ne semble pas facile à trouver. Les études, l'épicerie de son père et maintenant, un certain Roberto reparti vers son Italie natale...

Et que dire de Francine, d'Alicia, de Charlotte, d'Anne?

Avouons-le, le bonheur n'est jamais quelque chose de facile à trouver. Il faut d'abord savoir le reconnaître et, ensuite, apprendre à l'accueillir. Parfois à bras ouverts pour ne pas en perdre une miette, mais parfois, aussi, du bout des doigts pour ne pas l'effaroucher. C'est tout un contrat. En fait, c'est le contrat qui occupe une grande partie de notre vie et malheureusement, au bout de la route, ce n'est pas tout le monde qui arrive à dire qu'il a été ou qu'il est heureux.

La famille Lacaille ne diffère pas des autres.

Évangéline s'en fait pour la petite Michelle qu'elle a trouvée moins épanouie qu'à trois ans. Bernadette est bouleversée d'avoir revu Adrien. Quant à Marcel, il s'inquiète encore. et toujours pour son épicerie. S'il fallait que les grandes chaînes comme Steinberg et Dominion viennent chambarder sa vie et ses projets!

Que laisserait-il en héritage à son petit Charles si son épicerie ne valait plus rien?

Je vais donc plonger encore une fois dans leur univers, l'oreille à l'affût du moindre mot, de la moindre confidence, et la main tendue vers tous ces personnages que j'aime comme s'ils faisaient partie de ma famille.

CHAPITRE 1

Comme d'habitude, toute la journée
Je vais jouer à faire semblant
Comme d'habitude, je vais sourire
Puis comme d'habitude, je vais même rire
Comme d'habitude, enfin je vais vivre
Comme d'habitude

Comme d'habitude
CLAUDE FRANÇOIS
(THIBAULT / FRANÇOIS / REVAUX)

Montréal, jeudi 18 janvier 1968

Quatre heures et quelques, un soir de janvier.

Le soleil effleurait l'horizon, brodant un ourlet lumineux autour des nuages violacés, et les ombres étaient longues, hachurant la chaussée. À bout de souffle pour avoir couru trop vite dans l'air glacial de cette fin de journée d'hiver, Antoine s'arrêta un moment, au bas de l'escalier qui mène chez les Canuel. Une main sur la rampe et le front appuyé contre son bras, il s'appliqua à respirer calmement pour soulager la sensation de brûlure qu'il éprouvait au niveau de la poitrine. Au bout de ses bottes, dans la neige piétinée, les gyrophares de l'ambulance dessinaient une spirale rouge qui semblait ne jamais vouloir s'arrêter.

Laura avait accéléré le pas, elle aussi, et elle rejoignit son frère en quelques minutes à peine.

— Alors, on y va ? demanda-t-elle nerveusement et sans attendre, le souffle court.

De toute évidence, la jeune fille n'était pas à l'aise, car, tout en interrogeant son frère, elle avait porté les yeux sur l'ambulance en attente avant de détourner fébrilement la tête vers la rue. Il n'y avait âme qui vive, ni aucun regard curieux aux fenêtres. À croire que personne n'avait remarqué la lueur rouge qui allait d'une demeure à l'autre, inlassablement, dans un silencieux, un inquiétant manège.

Un long frisson secoua les épaules de Laura. Puis, elle revint sur la maison à lucarnes qui se dressait devant elle.

La demeure des Canuel.

Laura n'y était jamais venue et cette réalité ajoutait à son habituelle réserve. Ça ne lui ressemblait pas tellement de venir frapper ainsi à la porte des gens sans y avoir été invitée, sans être attendue. Mais comme elle avait promis à sa grand-mère Évangéline d'aller aux renseignements…

— Alors, Antoine ? On y va ? répéta-t-elle, impatiente, devant le silence persistant de son jeune frère.

Ce dernier leva la tête à son tour. Visiblement, au-delà de l'inquiétude que Laura pouvait lire sur les traits de son visage, Antoine n'en menait guère plus large qu'elle.

— OK, on y va, acquiesça-t-il après avoir poussé un léger soupir de contrariété tout en soutenant le regard de sa sœur. Mais tu passes en premier.

— Comment ça, c'est moi qui passe en premier ? Pas question ! Après tout, c'est toi qui connais madame Anne, pas moi.

— Ouais, petête, mais y a rien qui nous dit que c'est elle qui va nous répondre. C'est petête son mari qui va venir ouvrir la porte, pis dans c'te cas-là, je le connais pas plus que toé.

Antoine n'osa ajouter que si monsieur Canuel venait leur répondre, cela signifierait que son épouse était malade. Et si tel était le cas, lui, Antoine Lacaille, serait probablement tétanisé. Il n'avait surtout pas envie que sa sœur en soit le témoin privilégié.

À des lieues de cette réflexion, Laura hocha la tête.

— Bon point pour toi, opina-t-elle en réponse à l'objection émise par Antoine. Mais la possibilité que monsieur Canuel nous ouvre la porte ne change rien au fait que tu passes devant moi. Envoye, Antoine ! Vas-y !

Le ton de Laura était sans réplique.

Antoine posa de nouveau son regard sur la porte. Il remarqua que la peinture blanche s'écaillait, défraîchie par les rigueurs de l'hiver. Le jeune homme poussa un second soupir, beaucoup plus long, cette fois-ci. Puis, comme il n'avait pas le choix, il attaqua l'escalier d'un pas lourd.

Bien sûr, il y avait de la gêne dans ce geste qu'il allait poser. Lui non plus, il n'aimait pas vraiment frapper à la porte des gens sans y avoir été invité et le fait de connaître madame Anne depuis de nombreuses années n'y changeait pas grand-chose. Chez les Lacaille, on avait tous été élevés de la même façon: dans la vie, il fallait apprendre à se mêler de ses affaires.

— Ce qui se passe chez les voisins, ça vous regarde pas, les enfants. Un point, c'est toute ! Pis que j'aye pas à le répéter.

Ceci étant dit, cette consigne n'empêchait pas leur grand-mère Évangéline de surveiller de près une rue qu'elle considérait comme étant son fief personnel. Depuis la fenêtre de son salon, elle émettait ses commentaires sur tout ce qu'elle pouvait constater de beau, de bon, de surprenant, de choquant, d'anormal ou de différent.

— On viendra toujours pas m'empêcher de dire ce que je pense, viarge. Icitte, c'est chez nous depuis quasiment un demi-siècle. Dans le quartier, y a pas grand-monde qui peut se vanter de ça. Comme on pourrait dire, ça donne des droits. Mais entre se faire une opinion sur ce qu'on voit pis aller se mêler des affaires des autres, y a toute un monde de différences. Tu penses pas, toé, Bernadette ?

— C'est sûr, ça, la belle-mère. On pourra jamais empêcher le monde de penser comme il l'entend. Quand vous parlez de même, j'ai pas vraiment le choix de dire comme vous. Entécas, c'est sûr que je peux pas vous donner tort.

Sur quoi, Évangéline, rassurée, revenait à la fenêtre et à ses potins, tandis que Bernadette, amusée, en profitait pour échanger un regard malicieux avec ses enfants.

C'était un peu pour toutes ces raisons qu'en ce moment, Antoine n'était pas vraiment à l'aise. Ajoutez à cela qu'il avait toujours été d'un naturel plutôt réservé, pour ne pas dire effacé, et l'image du drame auquel il était mêlé bien malgré lui se faisait de plus en plus précise.

En ce moment, le cœur d'Antoine battait donc la chamade.

Mais il y avait autre chose que la timidité pour lui faire débattre le cœur ainsi.

Était-ce un sentiment, une émotion ? Antoine n'aurait su le dire. Ce n'était peut-être qu'une simple impression, allez donc savoir ! Mais il n'en restait pas moins que cette curieuse sensation l'envahissait parfois devant sa voisine la musicienne. Elle était déconcertante et troublante, dérangeante et embarrassante. Elle était même insupportable, par moments, cette fichue sensation qui accélérait le rythme de son cœur. Heureusement, personne ne pouvait s'en douter, et lui-même se refusait d'admettre, la plupart du temps, qu'il était tout autre quand il se retrouvait devant Anne Deblois.

Alors, malgré les battements intempestifs de son cœur, Antoine leva enfin le bras pour frapper à la porte au moment précis où celle-ci s'ouvrit d'elle-même à la volée. Le jeune homme se retrouva aussitôt devant un inconnu qui, sans ménagement, le bouscula de l'épaule pour l'écarter de son chemin.

— Tassez-vous, jeune homme, c'est une urgence. Pis vous, en bas, la p'tite dame, faites donc un peu plusse de place pour qu'on puisse passer.

Le cœur d'Antoine se mit à tambouriner de plus en plus fort, cognant à ses tempes et résonnant à ses oreilles. C'est à peine s'il entendit la voix de l'ambulancier. Ce fut donc beaucoup plus par réflexe que par obéissance qu'il fit un pas vers l'arrière, s'efforçant de trouver en lui la parcelle de courage qui l'aiderait à baisser les yeux pour identifier celui ou celle qui était étendu sur la civière.

Par chance, Antoine n'eut pas à se torturer longtemps. Il eut à peine le temps d'avaler sa salive qu'Anne Deblois paraissait à son tour, sans foulard ni chapeau, le manteau entrouvert et l'air hagard. Elle ne parut aucunement surprise de voir Antoine et elle ne se posa nulle question en apercevant son jeune voisin. Le pourquoi de sa présence chez elle n'avait pas la moindre importance à ses yeux. Elle connaissait bien Antoine Lacaille et il était là. Le simple fait de le savoir à ses côtés suffit à la rassurer. Elle n'était plus seule en ces tragiques instants où elle avait l'impression bien tangible que toute sa vie était en train de s'effondrer.

Anne se jeta alors dans les bras d'Antoine, le visage inondé de larmes.

Tandis que les ambulanciers descendaient l'escalier avec précaution et qu'Anne était pendue au cou d'Antoine, personne ne put apercevoir l'éclat de panique fulgurant qui s'alluma dans le regard du jeune homme à l'instant où Anne s'agrippa à lui.

Non, personne n'avait la tête à surveiller Antoine, sauf Laura qui levait justement les yeux vers le balcon à ce moment-là.

Elle non plus, elle ne prit pas le temps d'analyser la situation. La raison qui semblait rendre Antoine aussi misérable n'avait aucune espèce d'importance. Le visage tourmenté de son frère, ses deux bras ballants qu'il n'arrivait pas à refermer amicalement, chaleureusement autour des épaules de madame Anne exprimaient une véritable douleur, un désarroi à l'état pur.

Pour Laura, ce fut suffisant.

Dès que les ambulanciers portant la civière se furent engagés sur le trottoir, la jeune femme grimpa l'escalier deux marches à la fois et sans hésiter, elle prit fermement les bras de madame Anne, comme l'appelait affectueusement sa grand-mère, et elle les retira avec assurance d'autour du cou de son frère. Le geste, s'il était inflexible, était empreint cependant d'une infinie douceur. Libéré de son fardeau, Antoine recula avec précipitation jusqu'à buter contre la rampe ceinturant le balcon tandis qu'Anne, interdite, tournait les yeux vers Laura. Celle-ci intensifia la pression de sa main sur le bras de sa voisine.

— Allez, madame Anne, ordonna-t-elle, l'interpellant du seul nom qu'elle lui connaissait, dépêchez-vous. Les ambulanciers vous attendent pour partir.

— Je… Oui, je dois y aller.

Anne regarda l'ambulance avec une terreur qui ressemblait étrangement à celle qui avait traversé le regard d'Antoine quelques instants auparavant. Malgré cela, la jeune femme rassembla tout son courage et fit un pas en avant pour rejoindre l'escalier. À la seconde marche, cependant, elle s'arrêta brusquement et tourna la tête vers Laura.

— Non, je n'y vais pas.

Anne parlait difficilement, la voix étranglée par l'émotion, tristesse et désespoir entremêlés.

— J'ai trop peur. Je déteste les hôpitaux depuis toujours. Je ne veux surtout pas être seule si jamais…

Sur ce, Anne fit mine de vouloir remonter sur la galerie.

— Allez, vous n'avez pas le choix, interrompit Laura.

La voix de la jeune femme résonnait d'une assurance qui la surprenait elle-même.

— Vous n'avez pas le droit de laisser votre mari tout seul, précisa Laura d'un même souffle. Lui aussi, il doit avoir terriblement peur. Mais n'ayez crainte, je vais vous suivre. Donnez-moi le nom de l'hôpital où vous allez et dites-moi où sont vos clés, improvisa-t-elle en apercevant, garé contre la maison, le camion de la procure, marqué au nom de Robert Canuel, le mari de madame Anne.

Soulagée de voir que quelqu'un pouvait prendre les décisions à sa place, Anne obtempéra sans difficulté.

— D'accord, oui. Je… Vous avez raison, je dois y aller. Tout à l'heure, ils ont parlé de l'hôpital Notre-Dame et les clés sont sur la petite table dans l'entrée.

— Alors, je vous suis. Je n'irai pas très vite parce que je ne suis pas habituée de conduire un aussi gros véhicule, mais ça va aller… Je connais le chemin, c'est là que j'ai fait mon stage. J'arrive le plus vite possible.

Anne était déjà près de l'ambulance. Elle se retourna une dernière fois.

— Vous allez venir, n'est-ce pas ? Ce n'est pas juste une…

— Promis. Je vous rejoins à l'urgence de l'hôpital le plus rapidement possible. Allez, dépêchez-vous ! Chaque seconde compte.

Quelques instants plus tard, l'ambulance tournait déjà le coin de la rue, toutes sirènes hurlantes.

— J'haïs ça, c'te bruit-là, grommela alors Antoine tout en fixant le véhicule d'urgence jusqu'à ce qu'il disparaisse.

— C'est désagréable, c'est vrai, approuva Laura. Mais au moins, c'est un bruit rassurant.

— Comment ça ?

— Quand la sirène hurle, ça veut dire que le patient est toujours vivant... J'ai appris ça quand j'ai commencé mes stages... Maintenant, aide-moi à trouver les clés.

— C'est vrai, t'as dit que tu irais rejoindre madame Anne à l'hôpital...

Antoine regarda tout autour de lui et son regard s'arrêta sur le vieux camion, qui lui parut énorme.

— T'es sûre, Laura, que tu vas être capable de chauffer ça, un camion gros de même ?

Dans l'entrée jouxtant la maison, on apercevait l'arrière du camion blanc, un peu poussif, qui servait à la fois de véhicule domestique et de camion de livraison pour la procure.

Laura y jeta un regard inquiet avant de revenir à son frère.

Curieusement, en quelques secondes à peine, Antoine semblait avoir récupéré tous ses moyens. Il y avait même une lueur de moquerie dans son regard et une petite pointe de sarcasme dans la voix qui venait de questionner Laura. Pourtant, malgré la curiosité qui la dévorait, cette dernière décida de ne pas en tenir compte, de ne pas interroger davantage son frère. Pour l'instant, c'est leur voisine qui avait besoin d'elle et chaque seconde comptait.

— Je le sais pas, si je vais être capable de conduire ça, un camion gros de même, rétorqua-t-elle avec humeur, mais si je ne m'abuse, t'as pas plus d'expérience que moi en la matière. Ça fait que tes sarcasmes, tu peux ben les garder pour toi. Envoye, grouille-toi, on rentre. Moi, j'ai des clés à trouver, pis toi, tu pourrais faire le tour de la maison pour éteindre un peu partout. On dirait que les lumières sont allumées dans toutes les pièces, comme pour une réception. Après, tu iras rassurer grand-moman. Dis-y que je vais l'appeler dès que j'en saurai un peu plus long sur l'état de santé de monsieur Canuel... Tiens, voilà les clés !

La petite table dont avait parlé Anne Deblois était en fait une tablette fixée au mur, coincée entre la première fenêtre du salon et la porte d'entrée. Tel que dit, un trousseau de clés avait été déposé dans une soucoupe ébréchée qui, de toute évidence, avait changé de vocation depuis des lustres. Laura saisit les clés d'un geste vif et les fit tinter en direction d'Antoine.

— Bon, je m'en vais... Souhaite-moi bonne chance, Antoine.

Occupé à retirer ses bottes, celui-ci leva la tête.

— Ouais, bonne chance. J'ai beau faire mon faraud, je serais pas plus à l'aise que toé pour conduire c'te gros camion-là, tu sauras. T'es ben sûre que ça va aller ?

Laura haussa les épaules dans une attitude de grande désinvolture qu'elle était loin de ressentir.

— J'ai pas le choix, j'ai promis que je serais là.

— On pourrait petête demander à popa de nous passer son char ?

Laura ne se donna même pas le temps d'analyser la proposition d'Antoine. Elle répliqua du tac au tac.

— Es-tu malade, Antoine Lacaille ? Le temps d'écouter

toutes ses recommandations, pis la soirée va être passée ! Tu connais notre père, non ? Pis moman, elle, c'est pas mieux, elle prête jamais son char ! Non, non… En roulant doucement, par les petites rues, je devrais y arriver sans problème. Je suis faite comme ça : quand j'ai pas le choix, je finis toujours par m'arranger pour que ça aille… Bon, je m'en vais. J'appelle à la maison le plus vite possible.

Mais Laura avait à peine fait le pas qui la séparait de la porte qu'elle s'arrêta brusquement. Elle tourna la tête vers Antoine. Son regard buta sur la nuque de son frère, qui délaçait sa seconde botte à gestes méticuleux. C'était bien son frère Antoine, celui de tous les jours, calme et pondéré. Il replia soigneusement les lacets pour les glisser dans la chaussure avant de la ranger tout contre l'autre.

Laura baissa les paupières une fraction de seconde.

Avait-elle rêvé tout à l'heure ? Le jeune homme entr'aperçu, paniqué et bouleversé, avait-il vraiment existé ?

Spontanément, Laura eut envie de demander à Antoine si tout allait bien. Elle eut envie de poser la main sur son épaule en gage de solidarité, d'affection, en espérant que cela suffirait à provoquer les confidences. Après tout, il était son petit frère et elle l'aimait bien. Pourtant, elle n'osait pas. Incapable de définir correctement ce qu'elle ressentait, Laura se contenta de mots.

— Ça va aller, Antoine ?

Le jeune homme leva les yeux.

— Ouais. Pourquoi ? Tu penses-tu que chus pas capable de fermer des lumières ?

Laura haussa les épaules sans répondre. Peut-être avait-elle rêvé, après tout !

Quelques instants plus tard, Antoine entendit le moteur du

camion qui toussotait et en moins de deux, ce même ron-
ronnement un tantinet rocailleux, comme une vieille voix
enrouée, s'estompa peu à peu avant de se mêler aux bruits
habituels provenant de l'avenue principale, tout à côté.

De toute évidence, Laura avait la situation bien en mains.

Antoine en fut soulagé. Rassuré, il se tourna alors vers le
salon de madame Anne.

C'était la première fois qu'il s'y retrouvait seul. Il en prit
brusquement conscience, et, troublé comme quelqu'un qui
force l'intimité d'un autre par inadvertance, il y entra comme
on entre dans une église, sur la pointe des pieds.

Antoine avait toujours aimé les couleurs vibrantes de cette
pièce qui se déclinaient dans les orangers et les tons de pêche
bien mûre, le tout soutenu par un vert lumineux qui souli-
gnait les boiseries. Même si cette maison était celle de Robert
et Anne Canuel, il reconnaissait ici la touche de son professeur
de peinture, qui était aussi la sœur de madame Anne. C'était
elle qui avait guidé cette dernière dans le choix des couleurs de
sa maison, c'était indéniable.

Antoine regarda tout autour de lui avec un œil critique.
C'était bien la première fois qu'il osait le faire aussi ouverte-
ment, mais puisqu'il était seul…

À l'exception de deux toiles qu'il avait toujours reconnues
comme étant l'œuvre de madame Émilie, sur le mur du fond,
la pièce était plutôt dépouillée. Le divan recouvert de velours
avait connu des jours meilleurs et le fauteuil assorti aussi. Quelques tables d'appoint, aux coins arrondis à force d'avoir été
peintes et repeintes, se disputaient le peu d'espace qui restait.
Finalement, contre le mur donnant à l'est, il y avait le piano.

En fait, dans ce salon un peu quelconque, il n'y avait que ce
piano qui attirait le regard. Verni, sans la moindre égratignure

ni le moindre grain de poussière, on comprenait sans hésiter qu'il appartenait à quelqu'un qui le vénérait. Madame Anne, dans un moment de confidence, lui avait déjà précisé qu'elle l'avait reçu en cadeau, de la part de son père, alors qu'elle n'était encore qu'une toute petite fille.

— Ce piano m'a sauvé la vie, avait-elle mystérieusement avoué, songeuse.

Puis, devant la visible curiosité d'Antoine, elle avait éclaté de rire.

— Un jour, je te raconterai peut-être cette histoire.

Et sans plus, madame Anne avait changé de sujet de conversation, enfilant les anecdotes et les histoires drôles comme si elle cherchait à camoufler quelque chose.

Depuis, Antoine avait souvent repensé à ce moment précis où il avait eu la curieuse conviction que madame Anne cachait un secret. Comme lui avait le sien. C'était peut-être de là que lui venait cette sensation particulière qu'il éprouvait devant la musicienne, cette sensation déroutante qui lui faisait débattre le cœur, parfois.

À cette pensée, Antoine secoua vigoureusement la tête. Il n'était pas resté ici pour inventer la vie de sa voisine ni faire l'inventaire de la sienne.

Il regarda alors vers le fond de la pièce. Par la porte qui donnait à l'arrière de la maison, il comprit tout de suite que la cuisine était plongée dans la noirceur et comme il n'y avait ici, dans le salon, qu'un plafonnier à éteindre quand il partirait, Antoine monta tout de suite à l'étage supérieur.

S'il avait eu l'impression d'être un intrus lorsqu'il détaillait le salon, que dire de l'émotion qui l'étreignit quand il entra dans la chambre principale, illuminée comme une salle de bal, où les détails sautaient aux yeux, indécents.

Un tiroir ouvert sur de la lingerie, une porte mal fermée sur des vêtements d'homme et de femme entremêlés…

Les couvertures et les draps du lit pendaient, avachis, jusque sur le plancher recouvert d'un prélart défraîchi, fleuri rose et vert.

Antoine détourna aussitôt les yeux, effroyablement gêné. Il préférait ne pas s'attarder à l'intimité que suggérait un tel tableau. Même si madame Anne était mariée, à ses yeux, ce n'était qu'un mot, qu'une formalité. En fait, pas plus Robert Canuel qu'un autre n'avait le droit de la toucher. Du bout d'un doigt tremblant, il poussa vivement l'interrupteur et regagna le couloir.

Dans la pièce suivante, remplie d'une multitude d'instruments de musique qu'Antoine aurait eu bien de la difficulté à identifier, une débauche de papiers couverts de notes et de portées jonchait le sol recouvert du même prélart fatigué que celui de la chambre.

Comme si un ouragan s'était abattu sur la pièce. Ou une grande colère…

Cette fois-ci, Antoine entra sans la moindre hésitation. La pièce, tout comme le salon et la chambre, était éclairée par un large plafonnier.

Durant un moment, il se plut à imaginer madame Anne assise ici, devant la table, écrivant de la musique ou essayant de déchiffrer celle qu'on avait écrite à son intention. Elle lançait les papiers par-dessus son épaule quand elle n'était pas satisfaite, d'où ce désordre inconcevable.

Puis, la créativité étant ce qu'elle est, l'instant d'après, Antoine s'imagina assis à son chevalet devant la fenêtre, s'affairant aux côtés de la jeune musicienne. Dans l'imagerie de ses pensées, on était en été et la brillance du soleil se posait sur les gens et les choses. Dans la pièce, la lumière était quasiment incandescente, auréolant le mobilier, faisant briller une averse de poussière qui flottait dans l'air. Antoine aimait bien rendre la lumière sur ses toiles, comme madame Émilie le lui avait appris. Par la fenêtre entrouverte, Antoine pouvait même entendre le chant des oiseaux.

C'était une matinée parfaite.

Même s'il était plutôt silencieux et farouche, Antoine aimait bien travailler en compagnie de quelqu'un. Alors, de s'imaginer ici, en train de peindre en compagnie de madame Anne, tenait du ravissement.

En effet, depuis que son professeur avait eu sa deuxième petite fille, elle n'arrivait pas à reprendre le dessus, comme elle le disait elle-même, et Antoine devait travailler en solitaire dans le petit logement que sa grand-mère avait mis à sa disposition. C'était peut-être ingrat de le dire, mais, parfois, cette solitude lui pesait.

Secouant la tête pour faire mourir l'image idyllique d'une pianiste et d'un peintre travaillant côte à côte, Antoine regarda tout autour de lui pour revenir à la réalité du moment.

Mais l'image s'entêtait comme un beau rêve entretenu, même si on le sait irréalisable, et Antoine fut incapable d'y résister.

De son œil d'artiste, il détailla la pièce.

Oui, il aurait bien aimé s'installer ici pour peindre. Le matin, la lumière devait être idéale et la pièce était suffisamment grande pour accommoder deux personnes.

Antoine esquissa même un sourire.

D'où il était présentement, il voyait de l'intérieur une des lucarnes qu'il avait peintes maintes et maintes fois à partir de l'extérieur. Ça serait bien de changer de perspective, non ?

Antoine savait bien qu'il aurait suffi de le dire, de le proposer. Peut-être bien, après tout, que madame Anne aimerait, elle aussi, avoir de la compagnie pour travailler. Peut-être bien qu'elle aussi se sentait seule, par moments.

Pourquoi pas ?

Mais Antoine savait qu'il ne dirait rien, qu'il ne proposerait rien. Et le fait que monsieur Canuel soit malade n'y était pour rien. S'il possédait tout le vocabulaire et la verve pour défendre son art et tout ce qui s'y rattachait, pour le reste, Antoine avait appris à se taire.

On lui avait appris à se taire.

Ce silence si lourd à porter, mais qu'il entretenait avec acharnement, faisait partie des ambivalences d'Antoine. Il en était conscient, mais ne savait comment y remédier. Il se répétait donc qu'il était ainsi fait, d'ombre et de lumière, de silence et de paroles, depuis toujours peut-être, et que rien ni personne ne pourrait y changer quoi que ce soit.

C'est pourquoi il se contenterait de peindre la lucarne vue de l'extérieur, comme il l'avait toujours fait et, à moins que madame Anne ne le propose elle-même, Antoine Lacaille le ferait ainsi jusqu'à la fin de sa vie.

Porté par un long soupir, Antoine éteignit le plafonnier sur l'indescriptible désordre qui régnait dans la pièce et il descendit rapidement au rez-de-chaussée. À l'autre bout de la rue, sa grand-mère devait se morfondre.

Antoine se dépêcha de remettre ses bottes, de les lacer. Sur un ultime regard vers le salon, le jeune homme poussa le dernier interrupteur qui plongea la maison dans la noirceur. Puis, il referma la porte derrière lui.

L'instant d'après, Antoine Lacaille remontait la rue au pas de course pour rejoindre sa grand-mère. L'image des draps avachis sur le sol et celle du désordre de la salle de musique, envahissantes et embarrassantes comme certains battements de cœur trop impétueux, le poursuivaient, emmêlées à la buée de son haleine.

* * *

Finalement, Laura ne revint chez elle qu'au beau milieu de la nuit, après que le médecin eut affirmé à madame Anne que son mari allait s'en tirer.

— Je ne peux en dire plus pour l'instant. La seule chose qui est certaine, c'est que le cœur a repris du service. Pour le moment, il tient bon et il est très régulier. C'est de bon augure. Pour ce qui est des conséquences possibles suite à cette attaque, on ne peut se prononcer pour l'instant. On avisera au jour le jour, avec le temps. Rentrez chez vous, madame, et faites comme votre mari: allez dormir un peu. La journée qui s'annonce déjà risque d'être longue.

Pour Laura, la soirée qui avait trompeusement étiré ses heures jusque très loin dans la nuit avait été épuisante d'écoute, de réconfort.

En effet, Anne Deblois se sentait responsable de tout.

— C'est de ma faute, tout ça. Si j'avais accepté ce que Robert espère et me propose depuis des mois, on n'en serait pas là, j'en suis certaine. Mon mari ne serait pas malade. C'est moi qui l'ai blessé. De plus, ce soir, j'ai piqué une crise parce qu'il voulait se reposer au lieu de faire de la musique avec moi. Dire que par colère, durant la journée, j'avais même déchiré certaines feuilles de musique qu'il avait écrites pour moi. C'est en voyant cela qu'il s'est effondré.

Son désespoir était sans fin et il avait fallu des heures de patience pour que Laura ait le sentiment d'être enfin venue à bout de l'atterrement de la jeune femme, sans comprendre complètement ce que cachaient ses mots parfois un peu vagues.

N'empêche qu'au bout de quelques heures, madame Anne semblait moins tendue.

Dès que le médecin les eut quittées, Anne Deblois avait tenu à prendre le volant elle-même, un droit que Laura lui avait concédé sans la moindre objection. Jamais route ne lui avait semblé aussi longue que ce bout de chemin parcouru, en début de soirée, entre la rue où elle habitait et l'hôpital Notre-Dame. Le simple fait de garer le long et large camion entre deux autos lui avait paru tenir de la haute voltige ! À ce moment-là, les mains soudées au volant, le cœur voulant lui sortir de la poitrine et une sueur glacée perlant à son front, Laura aurait donné un an de sa vie pour voir apparaître son ami Bébert à ses côtés !

Quand elle avait enfin rejoint sa voisine, visiblement anéantie, qui faisait les cent pas dans la petite salle d'attente de l'urgence, Laura était encore toute tremblante. Un peu plus et c'est Anne elle-même, aussi dévastée soit-elle, qui aurait dû réconforter Laura !

L'appellation « madame Anne » ne s'était pas prolongée au-delà des quinze premières minutes d'un dialogue un peu empesé. Aussi surprises l'une que l'autre, Laura et Anne avaient compris qu'en âge, à peine cinq ans les séparaient. Pourtant, avec un mariage célébré plus de dix ans auparavant, des concerts donnés un peu partout sur le continent et de nombreuses émissions de télévision à son actif, Laura avait toujours eu l'impression qu'Anne Deblois était nettement plus vieille qu'elle.

Depuis toujours, Laura pensait bien naïvement que la musicienne, dont sa grand-mère parlait abondamment, avait déjà plusieurs vies derrière elle, alors qu'elle-même n'avait toujours pas commencé la sienne.

Ce soir, pourtant, c'était Laura qui avait pris le contrôle de la situation. Après un bref appel fait à sa grand-mère pour la rassurer, Laura avait réussi à faire abstraction de tout ce qui n'était pas Anne Deblois, une jeune femme en détresse devant une situation qu'elle était persuadée d'avoir déclenchée.

Laura avait écouté, suggéré, écouté à nouveau, approuvé, réconforté, tant et si bien qu'au moment où le médecin était venu leur parler, Anne semblait avoir retrouvé un certain calme.

Ce ne fut qu'au moment où elle proposa à Anne de l'accompagner le lendemain, si jamais celle-ci en sentait le besoin, que Laura fit le lien.

— Merci, Laura, avait alors dit Anne. C'est bien gentil, mais je ne voudrais pas abuser. Je vais plutôt demander à ma sœur Charlotte de venir avec moi. Si jamais elle ne pouvait pas se libérer, j'aviserai et je vous appellerai peut-être.

Bien sûr ! Anne n'était pas uniquement sa voisine. Elle était aussi la sœur de Charlotte et donc la tante d'Alicia, cette amie perdue de vue depuis de longs mois maintenant et dont elle venait de recevoir une lettre. Laura avait alors regretté de ne pas y avoir pensé plus tôt durant la soirée. En ce moment, alors qu'elle s'apprêtait à descendre du camion de la procure, il était trop tard pour aborder le sujet. Par contre...

— D'accord, Anne. Je peux comprendre que la présence d'une sœur puisse être préférable à toutes les autres dans de telles circonstances. Mais si vous ne voyez pas d'inconvénient, j'aimerais venir aux renseignements. Pour moi, bien sûr, mais aussi pour ma grand-mère. Vous ne pouvez vous imaginer à quel point elle vous aime.

Anne avait alors eu un beau sourire. Le premier de la soirée.

— Oui, je sais. Moi aussi, je l'aime beaucoup, votre grand-mère. Venez quand vous voulez, Laura. Ma porte vous sera toujours ouverte.

C'est en refermant la portière du camion que Laura prit conscience qu'Anne et elle se vouvoyaient encore.

Laura ébaucha un sourire. Peut-être, après tout, commençait-elle à entrer dans la peau de ce psychologue qu'elle disait vouloir être?

Peut-être...

C'est donc sur cette question à laquelle Laura n'arrivait toujours pas à répondre avec certitude, avec conviction, qu'elle réintégra sa chambre.

Sur la table de chevet, la veilleuse avait été allumée et la jeune femme y vit l'une de ces petites attentions dont sa mère était prodigue. Elle ébaucha un second sourire, de reconnaissance cette fois, tandis qu'elle enlevait ses vêtements à la hâte. Chaque fois qu'elle revenait de l'hôpital, Laura avait la détestable impression que ses vêtements charriaient une tenace et désagréable odeur de désinfectant.

Une fois sa robe de nuit enfilée, Laura se glissa sous les draps en soupirant de contentement. Elle était épuisée, certes, et pourtant, elle savait que le sommeil la bouderait pour un moment encore. Elle était justement trop exténuée pour s'endormir.

Et trop fatiguée, aussi, pour lire les deux lettres reçues la veille.

Quand elle le ferait, ce serait à tête reposée pour bien goûter les nombreuses gentillesses dont Roberto truffait habituellement ses lettres et pour saisir les inévitables subtilités dont Alicia émaillait ses discours.

Alicia…

Que pouvait-elle bien lui vouloir après tous ces mois de silence ?

Ce fut sur cette question sans réponse que Laura sombra brusquement dans le sommeil, après s'être promis de sécher les cours le lendemain matin. Elle l'avait bien mérité. Couchée en chien de fusil, une main glissée sous l'oreiller, elle tenait fermement les deux enveloppes liserées de rouge et de bleu, l'une venue d'Italie et l'autre de Grande-Bretagne.

Une porte claquée bruyamment, nettement trop tôt au goût de Laura, la tira brutalement du sommeil. Au silence qui suivit, Laura comprit immédiatement qu'à l'exception d'Évangéline, tout le monde était parti vaquer à ses occupations.

Elle s'étira longuement tout en revoyant mentalement la soirée qu'elle venait de vivre. Elle ferma les yeux d'épouvante en repensant à son court mais périlleux périple au volant du camion puis, comme la chose allait de soi, elle se demanda si tout se passait bien du côté de monsieur Canuel.

À titre de voisine, avait-elle le droit d'appeler à l'hôpital pour prendre des nouvelles ? Laura l'ignorait et il était trop tôt pour téléphoner chez Anne. La jeune femme soupira. Elle détestait ne pas savoir.

Sur ce, Laura esquissa une moue espiègle: ce petit côté fureteur de sa personnalité devait certainement lui venir de sa grand-mère Évangéline… qui elle, devait être à la cuisine, attendant impatiemment son réveil.

Laura se leva d'un bond. Tant qu'à se faire porter pâle à ses cours, autant profiter de chacune des minutes de ce bel avant-midi de liberté.

Effectivement, Évangéline était à la cuisine, assise à sa place habituelle, tout au bout de la table. Elle sirotait un thé.

— Enfin te v'là ! lança-t-elle en guise de salutation. C'est à peine si j'ai réussi à fermer l'œil durant quèques menutes, la nuit dernière, tellement j'étais inquiète. Pis ? Quoi de neuf ?

Laura haussa les épaules.

— Quand on a quitté l'hôpital, madame Anne et moi, tout semblait sous contrôle, selon le docteur. Si j'ai bien compris, c'est le cœur qui a eu des problèmes. De sérieux problèmes. Un arrêt cardiaque, suivi d'un manque d'oxygène. Paraîtrait-il qu'il a été chanceux d'être réanimé par les ambulanciers.

Évangéline écoutait sa petite-fille tout en hochant la tête.

— Pauvre homme ! lança-t-elle quand Laura se tut pour reprendre son souffle. Pis je sais de quoi je parle. Moé avec, j'ai eu une attaque, tu dois ben t'en rappeler, non ?

Comment Laura aurait-elle pu l'oublier ? Au vigoureux signe affirmatif qu'elle fit avec la tête, Évangéline poursuivit sur sa lancée.

— Laisse-moé te dire, Laura, que c'est pas le fun pantoute de se retrouver démunie comme un bebé pis d'avoir besoin de tout un chacun pour son ordinaire. Pis y a la peur, par bouttes, qui te revire les intérieurs, je te dis rien que ça ! C'est ben désagréable c'te peur-là qu'on a, celle de jamais redevenir comme avant… Te rends-tu compte de toute ce qui pourrait arriver si jamais le mari de madame Anne revenait pas comme avant ? Qui c'est qui s'occuperait de la procure, hein ? Sûrement pas madame Anne, a' l'haït ça ben gros, tu sauras. C'est elle en personne qui me l'a déjà dit. Madame Anne, elle, c'est faire de la musique qu'a' l'aime. Pas d'autre chose. Ça serait un ben gros sacrifice pour une musicienne comme elle de se retrouver obligée de voir à la procure en tirant une croix sur sa musique. Mais a' l'aurait pas le choix, rapport que c'est la procure qui les fait vivre, elle pis son mari… Pauvre madame Anne… Mais d'un autre côté, j'ai pour mon dire que des fois, dans la vie, y a des affaires de même qui nous arrivent, des affaires qu'on avait pas prévues pantoute, mais qui prennent une drôle d'importance dans notre vie pis qui nous amènent là ousqu'on aurait jamais pensé. Prends moé, par exemple! C'était pas prévu pantoute que mon Alphonse mourrait aussi vite. Te rends-tu compte, Laura? J'avais pas encore trente ans, viarge! Pis, en plusse, j'avais deux p'tits à ma charge. Laisse-moé te dire que…

Étourdie, incapable de comprendre qu'on puisse avoir autant de loquacité à une heure aussi matinale, Laura s'était détournée pour se préparer un café. Même si elle n'était pas une inconditionnelle du café, ce matin, le chaud breuvage lui paraissait essentiel pour arriver à avoir les idées claires.

Les paroles d'Évangéline coulaient donc sur elle comme sur le dos d'un canard, sans qu'elle y prête attention. De toute façon, ce discours sur la vie de sa grand-mère, Laura le connaissait par cœur.

Quand Évangéline consentit enfin à se taire, essoufflée, ce fut sur ces paroles:

— Regarde-moé don aller! Chus là qui parle pis qui parle comme un moulin… Dis-moé, Laura? Comment c'est qu'a' se sent, madame Anne, dans tout ça? Pour de vrai!

— Madame Anne?

Laura hésita une fraction de seconde, ne sachant trop ce qu'elle avait le droit de révéler et ce qu'elle devait taire. Après tout, Anne Deblois s'était confiée à elle dans un moment de désarroi, dans un grand besoin de réconfort. Rien ne disait que ce matin, à la clarté du jour, elle ne regrettait pas ses confidences, à savoir qu'elle se sentait entièrement responsable du malaise de son mari.

— Madame Anne doit se sentir comme n'importe qui se sentirait en pareille circonstance, grand-moman! fit Laura, prudente. Elle avait l'air désemparée, affolée.

— Ouais… C'est ben certain qu'on est toutes un brin perdus quand des affaires de même nous tombent dessus sans avertissement. Pauvre p'tite fille! C'est ben juste si a' commence sa vie pis v'là que le malheur s'acharne sur elle! Voir qu'a' l'avait besoin de ça… Pis ça vaut pour son mari avec, comme de raison, même si y' est pas mal plusse vieux qu'elle. Pis toé, là-dedans? Comment c'est que tu files?

— Moi?

Laura était maintenant assise devant sa grand-mère. Elle leva un regard à la fois scrutateur et surpris vers elle.

— Pourquoi tu me demandes ça, grand-moman? C'est certain que ça me fait de la peine pour Anne. Après tout, c'est notre voisine depuis plus de dix ans pis c'est tout juste si elle est plus vieille que moi. À cause de ça, oui, ça me touche. Mais ça ne va pas plus loin, inquiète-toi pas. Je ne suis ni bouleversée ni traumatisée.

Bien calée contre le dossier de sa chaise, les mains jointes sous son opulente poitrine, Évangéline regardait sa petite-fille avec une visible satisfaction sur le visage.

— Tu vois, c'est en plein ce que je t'avais dit.

Laura haussa un sourcil tout en fronçant l'autre. De toute évidence, elle ne comprenait pas les propos de sa grand-mère.

— Ce que tu m'avais dit? Quand ça? Pis de quoi tu parles?

— Je parle de ce que je t'ai dit, l'an passé, quand tu te posais toutes sortes de questions bizarres rapport à ton cours à l'université. Quand tu disais que t'arrêtais pas de penser à tes amies qui ont des problèmes pis que ça t'empêchait même de dormir, par bouttes, pis qu'à cause de ça, tu te demandais si t'avais fait le bon choix. Viens pas me dire que tu t'en rappelles pas, viarge! Ça avait même viré en chicane, c'te damnée discussion-là. Pis moé, là-dessus, je t'avais répondu que c'était justement pasque c'étaient tes amies que ça te retournait les sangs autant que ça. Je me rappelle même que je t'avais dit qu'une fois que tu serais avec des clients, avec des étrangers, ça serait pas pareil. À te voir aller, à matin, j'oserais dire que j'avais raison! Madame Anne, pour toé, c'est une sorte d'étrangère pis t'es pas toute revirée par son histoire.

— Ah ça! Oui, si on veut.

— Bon! Tu vois! J'avais raison. Pis j'avais raison pour Antoine avec.

— Antoine? Qu'est-ce que mon frère a à voir avec tout ça? Aurait-il l'intention de suivre mes traces pis de s'inscrire aux mêmes cours que moi sans que je le sache?

— Ben voyons don, Laura! C'est quoi ces idées-là? Tu le sais ben qu'Antoine fera jamais rien d'autre que sa peinture. C'est pas ça que je voulais dire.

— C'est quoi d'abord?

— C'est juste qu'Antoine non plus était pas toute chaviré par ce qui arrive à madame Anne. Pourtant, y' la connaît ben, pis je pense avec qu'y' l'aime ben, madame Anne. Depuis le temps! Ben malgré toute ça, hier au soir, y' nous est arrivé ben calme. Pis y' a mangé avec son appétit habituel, tu sauras. Ça fait juste prouver qu'y' est capable de passer par-dessus sa grande sensibilité. Ça fait des années que j'essaye d'expliquer ça à ton père pis qu'y' veut rien entendre. Marcel, lui, y' passe son temps à dire qu'Antoine est trop sensible pour un gars. Depuis qu'y' est p'tit que Marcel radote la même chanson. Ben, c'est pas vrai. Antoine est ben normal. Y' a juste une belle sensibilité d'artiste. Un point, c'est toute. Finalement, un dans l'autre, on vous a ben élevés, ton frère Antoine pis toé.

Laura camoufla un sourire ironique derrière sa tasse de café.

Cette chère Évangéline !

Comme si l'éducation avait quelque chose à voir avec des émotions aussi fondamentales, aussi intimes et personnelles que l'empathie, la commisération ! Laura était bien placée pour le savoir: cela faisait trois ans qu'elle étudiait la psychologie.

Pourtant, la jeune femme n'avait pas envie de relancer le débat, pas plus qu'elle ne se sentait le droit de discuter des émotions d'Antoine. Ce qu'elle avait vu de son frère, hier, n'avait rien à voir avec quelqu'un d'indifférent ou en contrôle de ses émotions, bien au contraire. Mais il ne lui appartenait pas d'en parler, même avec Évangéline. Cette attitude aussi faisait partie de ce qu'elle avait appris à l'université. Savoir se détacher et savoir se taire.

— Bon, c'est ben beau toute ça, mais chus pas plusse avancée. Y' a rien qui nous dit que toute va ben à matin pour monsieur Canuel, pis y' est ben que trop de bonne heure pour appeler chez madame Anne.

Les deux mains appuyées contre le rebord de la table, la vieille dame recula bruyamment sa chaise sur le prélart fatigué tout en fixant Laura. Considérant que le sujet de l'attaque de son voisin était épuisé pour l'instant, Évangéline demanda, mine de rien:

— Tes deux lettres étaient ben sur ta table de travail comme je te l'avais dit, hein ?

Alors, bien qu'elle n'ait pas plus envie de parler de madame Anne que des deux lettres qu'elle venait de recevoir, Laura fut quand même soulagée que sa grand-mère, dans un coq-à-l'âne particulièrement bien réussi, ait abordé ce dernier sujet.

— Oui. Je les ai trouvées.

— Ah bon… Ben tant mieux. Pis ?

— Pis quoi ?

Comme si Laura ne voyait pas où Évangéline voulait en venir !

— Ben voyons don, toé ! Me semble que c'est clair. Pis les as-tu lues, tes lettres ?

— Non. Pas encore.

Évangéline, qui se dirigeait vers l'évier tout en parlant, se retourna d'un bloc, dévisageant Laura avec une bonne mesure d'incrédulité dans le regard.

— T'as pas lu tes deux lettres ? Mais t'es ben drôle, toé ! Me semble que tu devrais être plus curieuse que ça. On rit pus, ça vient de l'autre boutte du monde, c'tes deux lettres-là, pis toé, t'attends je sais pas trop quoi pour les ouvrir. Je comprends pas. Laisse-moé te dire, ma pauvre enfant, que quand je reçois une lettre de ton oncle Adrien, ça prend pas goût de tinette pour que je l'ouvre.

Laura dévisageait sa grand-mère avec une lueur espiègle dans le regard.

— Inquiète-toi pas, grand-moman, je finis de boire mon café pis j'y vais. C'est exactement ce que j'avais l'intention de faire tout de suite après.

— Me semblait aussi…

Soulagée de voir que sa petite-fille était relativement normale, selon l'entendement qu'elle avait d'une saine curiosité, Évangéline s'approcha de l'évier et ouvrit tout grand le robinet pour rincer sa tasse. Ce fut donc en haussant la voix qu'elle conclut:

— Si jamais je pouvais t'être utile pour quèque chose, quand t'auras lu tes lettres, t'auras juste à me le dire. Des fois, quand le monde est loin de même, ça arrive qu'y' ont besoin de toutes sortes d'affaires spéciales… Entécas, m'en vas être dans ma chambre en train de m'habiller si jamais t'avais besoin de moé.

La curiosité suintait de chacun des mots de cette dernière réplique et Laura dut faire un gros effort pour ne pas éclater de rire.

Quelques instants plus tard, après une dernière pensée pour Anne, Laura rinçait sa tasse à son tour avant de filer vers sa chambre pour s'installer sur son lit avec les deux lettres qu'elle s'amusa à soupeser.

Bien que plus légère, celle de Roberto eut la priorité.

Il n'y avait qu'un feuillet que Laura dévora en quelques instants à peine pour reprendre sa lecture, sourcils froncés, dès qu'elle l'eut terminée.

Bien sûr, le ton de la missive de Roberto restait celui qu'elle connaissait bien. Le futur avocat savait manier le verbe et la lettre était truffée de gentillesses à son égard, comme d'habitude. Laura ne pouvait se tromper: le jeune Italien s'ennuyait d'elle, c'était évident. C'était la suite qui posait problème, car, en conclusion, Roberto l'invitait à venir rencontrer sa famille.

«Dans ma famille, la fête de Pâques est d'une grande importance. Que dirais-tu de venir partager ces quelques jours avec nous? Mon père aimerait bien te rencontrer et ici, en Italie, le printemps s'annonce déjà. Il fait très beau et sûrement beaucoup plus chaud qu'à Montréal. J'attends ta réponse avec impatience et je t'embrasse.»

Laura était atterrée.

— Ben voyons don! Il se doute de rien, lui, là! Je peux pas partir comme ça pour quelques jours de vacances en Italie. Même si j'ai de l'argent de côté, ma mère voudra jamais que j'aille dans une famille qu'elle ne connaît pas. Pis mon père, lui, va aligner des tas de raisons pour que je ne dépense pas une bonne partie de mon argent pour quelques jours de vacances. Maudite marde que c'est compliqué, des fois !

Déçue, Laura replia soigneusement cette première lettre et la remit dans son enveloppe. Ses mains tremblaient légèrement. Que n'aurait-elle donné pour pouvoir rejoindre le beau Roberto à l'instant même !

Laura poussa un long soupir de dépit. Comme le disait si bien Bébert, elle n'était plus une enfant et pourtant, à certains égards, on la traitait encore comme telle.

Laura baissa les yeux sur la seconde lettre. Elle allait lire ce qu'Alicia avait de beau à lui raconter et elle reviendrait à la proposition de Roberto plus tard.

— Jamais je croirai qu'il n'y a pas de solution. Finalement, murmura-t-elle mi-figue mi-raisin tout en décachetant la seconde enveloppe, même si ça me tente pas vraiment, je vais probablement être obligée de parler de mes lettres à grand-moman ! Y a juste elle qui pourrait peut-être, pis je dis bien peut-être, m'aider à convaincre les parents.

Puis Laura se pencha sur la seconde lettre.

Écrite sur un papier vélin très fin, la lettre d'Alicia devait bien faire six pages.

Laura se laissa tomber sur le dos et enfonçant confortablement la tête dans son oreiller de plumes, elle se mit à lire.

Les mots d'Alicia furent un baume sur la déception née de la lettre de Roberto. Jamais son amie n'avait semblé si calme, si sereine. Et elle commençait sa longue épître en s'excusant.

« Depuis que je vis ici avec grand-ma, je ne vois plus les choses de la même manière. Elle m'a fait comprendre que notre famille, la vraie, est celle que l'on choisit au fil des années. Et tu fais indéniablement partie de ces gens auxquels je tiens. Je ne sais pas ce qui m'a pris, il y a quelques années, pour te bouder comme je l'ai fait. Je m'en excuse, Laura. Je t'en voulais terriblement de m'avoir laissée tomber et pour cela, je croyais ne plus avoir besoin de toi dans ma vie. C'est ridicule, n'est-ce pas ? Jamais, avant de venir habiter ici, je n'aurais voulu admettre que je m'étais trompée. Aujourd'hui, je suis capable de voir mes erreurs et m'éloigner de toi fait partie de toutes ces erreurs que je regrette. »

Même si Laura ne comprenait pas vraiment à quoi Alicia faisait allusion en parlant d'une vraie famille, la jeune femme ne s'y attarda pas. Le ton de la lettre lui plaisait bien et elle aussi savait reconnaître que le blâme pouvait être partagé. Sans l'ombre d'un doute, Laura comprenait qu'elle s'était terriblement ennuyée d'Alicia et l'an dernier quand celle-ci avait tenté de l'approcher à l'hôpital, Laura n'aurait jamais dû réagir comme elle l'avait fait.

Ensuite, Alicia décrivait la vie toute simple qu'elle menait auprès de sa grand-mère, et Laura laissa son esprit vagabonder, essayant de mettre des images sur les mots colorés employés par son amie. Les chaumières, la lande couverte de roses et de lavande, le petit cimetière où Alicia et sa grand-mère aimaient à se recueillir sur la tombe de son grand-père.

Par contre, Alicia ne faisait aucune allusion à son cours de médecine, pas plus qu'elle ne parlait de sa mère, Charlotte, ou de son beau-père, Jean-Louis. C'est à peine si elle avait aligné quelques mots pour dire qu'elle s'ennuyait de sa jeune sœur, Clara.

« Il y aurait tant de choses que j'aurais à te dire, Laura. Mais ce ne sont pas des épanchements que l'on confie au papier. Il faudrait que tu sois là, à mes côtés, pour que je puisse t'en parler. Si j'osais, je te demanderais de venir me voir. Ce serait merveilleux, n'est-ce pas, de pouvoir se reprendre et faire ensemble ce voyage qu'on avait prévu ? J'attends de tes nouvelles avec impatience et je t'embrasse. »

Laura ne put s'empêcher de sourire devant cette seconde lettre qui se terminait exactement comme la première.

En Grande-Bretagne tout comme en Italie, on attendait de ses nouvelles, on l'embrassait et on espérait une visite.

Laura relut quelques passages, se laissant submerger par l'ennui. Dans sa vie, elle n'avait eu que deux véritables amies, Alicia et Francine. Si la dernière se faisait encore désirer, cachée on ne savait toujours pas où, la seconde venait de se rappeler à elle. Rien n'aurait pu faire autant plaisir à Laura que cette longue lettre venue d'outre-mer.

Comme celle de Roberto…

Laura soupira. Si elle se doutait qu'elle pourrait convaincre assez facilement ses parents de la laisser partir pour la Grande-Bretagne puisqu'Alicia était la fille de Charlotte, que Bernadette connaissait bien, il en allait autrement pour l'Italie.

Et le fait que Laura soit majeure depuis quelques années n'y changeait strictement rien.

— Pourquoi est-ce que j'ai pas présenté Roberto à ma famille, aussi !

Mais l'an dernier, Laura n'avait pas eu envie de partager ses nouvelles amitiés. C'est à peine si elle avait abordé le sujet avec Bébert, et encore ! Il avait fallu que ce dernier presse Laura de toutes parts pour glaner quelques renseignements sur ses nouveaux amis.

Durant l'été de l'Expo 67, les Falcone, incluant le cousin Roberto, avaient été le jardin secret de Laura. Bien entendu, elle n'avait pas perdu Elena de vue. Les deux jeunes femmes,

qui avaient travaillé ensemble à Terre des hommes, s'appelaient régulièrement et se voyaient de temps en temps. Mais
Elena n'était ni Francine ni Alicia. Et comme elle était la cousine de Roberto, ce n'était sûrement pas avec elle que Laura
aurait été à l'aise pour parler du bel Italien qui faisait battre
son cœur.

L'envie de revoir Alicia ressembla d'abord à un souhait. De
ceux que l'on formule tout en sachant qu'ils sont probablement irréalisables, ce qui n'empêche pas de les entretenir
durant un moment.

Puis, quelques instants plus tard, le souhait se fit tentation.
Pourquoi pas? Laura avait suffisamment d'argent pour s'offrir ce voyage, et sa mère connaissait la famille d'Alicia. Cela
devrait suffire pour convaincre ses parents de la laisser partir.
Après l'année scolaire, bien entendu!

Il n'en fallut pas plus pour que la tentation devienne un
besoin irrépressible.

De but en blanc, Laura avait besoin de voir Alicia. Besoin
de lui parler, de lui confier ses hésitations et ses désirs. Besoin
d'entendre sa voix, d'écouter ses argumentations et ses confidences. Il y a certaines choses dont on ne parle pas à ses
parents, non par manque de confiance, mais parce que c'est
comme ça, sans raison. Laura en était là et à travers les mots de
la lettre d'Alicia, son amie aussi semblait au même point
qu'elle.

Et une fois en Angleterre, qu'est-ce qui l'empêcherait de
faire un saut en Italie? Après tout, Antoine, lui, était bien allé
à Paris et au Portugal!

Et pour l'instant, il lui fallait en parler avec quelqu'un.
Tout de suite. Entendre une voix qui approuverait son idée,
lui donnant une certaine crédibilité, une certaine consistance.

Faire de l'intention un projet, qui à son tour deviendrait un but à atteindre !

Laura était déjà debout, fébrile. Elle se précipita vers la porte de sa chambre et s'arrêta sur le seuil.

— Grand-moman ? Es-tu encore dans ta chambre ? En fin de compte, t'avais raison. Je viens de lire mes lettres pis je pense que je vais avoir besoin de toi.

Laura n'avait pas fini de parler que la tête d'Évangéline se glissait par la porte de sa chambre entrebâillée.

— Chus là, ma belle, chus là.

La vieille dame jeta un coup d'œil à Laura qui se tenait debout devant la porte de sa chambre, regardant à droite et à gauche.

— Donne-moé le temps d'enfiler mes chaussons pis je te rejoins dans le salon.

Et tandis que Laura se dirigeait déjà vers le salon, à l'autre bout du long corridor scindant l'appartement en deux, le visage d'Évangéline, tout fripé de rides, afficha son habituel sourire, celui qui ne retroussait qu'un coin de ses lèvres.

CHAPITRE 2

Tout blanc il est très joli, le p'tit Popy
Et presque tous les jours il passe sur ma rue, le p'tit Popy
On l'aime, on lui donne ce qu'il veut
Et moi, je l'envie un peu, le p'tit Popy

Le p'tit Popy
MICHEL PAGLIARO ET LES CHANCELIERS
(MICHEL PAGLIARO / LINDEN OLDHAM / DANN PENN)

Québec, vendredi 5 avril 1968

Le compte à rebours venait de commencer pour Francine.

L'interminable attente qu'elle avait vécue tout au long d'un hiver particulièrement rigoureux de froid et de neige arrivait enfin à échéance.

En fait, il ne restait plus que le lendemain pour faire en sorte que le rêve entretenu depuis l'automne dernier devienne enfin réalité. Mercredi prochain, le 10 avril, son fils, le petit Steve, aurait cinq ans, et Francine s'était juré qu'elle célébrerait cet anniversaire avec lui. Déjà qu'elle avait raté les quatre ans de son petit garçon…

Curieuse ironie, si Francine était aussi sûre d'elle, c'était grâce à Jean-Marie.

Un journal ramené par lui et oublié sur la table de la cuisine lui avait permis de se fabriquer un petit calendrier personnel.

Depuis ce jour-là, le samedi 16 mars, comme si Francine avait été en communication télépathique avec son fils, elle s'était mise à compter les dodos. Il n'en restait plus qu'un avant le grand jour.

Cependant, pour transformer ce rêve en réalité, Francine devait quitter cette campagne de malheur et pour ce faire, il ne restait que demain, le samedi 6 avril, alors que selon leur habitude, Jean-Marie et Gaspard seraient à la ville pour la journée.

D'où la certitude un peu fragile que cette interminable attente tirait à sa fin.

Tant pis pour les champs détrempés et recouverts de boue, où les amas de neige grisâtre ne rétrécissaient pas assez vite au goût de Francine. Malgré tout, elle avait décidé d'emprunter ces mêmes champs et tous les boisés possibles pour se rendre au village. Ainsi, elle serait à l'abri des regards indiscrets.

Tant pis si elle avait les pieds détrempés dans ses insignifiantes bottes de caoutchouc garnies de fourrure. Au moins, même si le printemps de cette année était particulièrement timide, il ne faisait plus froid à pierre fendre et elle ne risquait pas les engelures. Pour le reste, elle endurerait son inconfort jusqu'au village.

Tant pis pour tous ses effets personnels qu'elle laisserait ici afin de pouvoir se mouvoir facilement. Quand elle serait avec Cécile, cette dernière l'aiderait sûrement à se procurer l'essentiel. De toute façon, Francine n'avait rien de grande valeur qui resterait à l'abandon derrière elle, car elle s'était promis de ne jamais remettre les pieds ici. Pas même avec Laura ou Bébert.

Tant pis aussi pour les frais accumulés auprès de matante Lucie, la gardienne de Steve. Probablement une vraie fortune. Francine n'avait même pas osé calculer. Par contre, elle était honnête et elle prendrait tous les arrangements nécessaires avec la gardienne afin de lui rembourser tout ce qu'elle devait, jusqu'au dernier sou.

Et tant pis pour tout ce qui n'était pas ses retrouvailles avec Steve. Depuis le temps qu'elle se languissait de lui, Francine était prête à défier le monde entier s'il le fallait pour retrouver son fils.

Cette mise au point, Francine la refit pour une énième fois en s'éveillant ce vendredi matin alors que le soleil pâlot de l'aube tentait de glisser quelques rayons anémiques entre les pans de rideaux mal fermés. Une mise au point qui lui permettait, jour après jour, de fourbir le courage précaire qu'elle nourrissait depuis des mois.

Demain, à pareille heure, Jean-Marie aurait probablement déjà quitté la maison ou il serait sur le point de le faire. À partir de ce moment-là, Francine ouvrirait les yeux, à l'affût d'un moment d'inattention de la part d'Odette et de Lucie pour s'éclipser discrètement.

Jusque-là, rien de bien difficile. Pourtant, chaque fois qu'elle y pensait, un spasme douloureux lui creusait l'estomac. Elle avait beau avoir tout préparé et tout prévu, tout analysé et tout orchestré, Francine avait peur. Une peur incontrôlable qui lui tordait le ventre et faisait palpiter son cœur.

Elle avait peur de rater son coup et d'être prise en flagrant délit. Odette et Lucie l'avaient à l'œil, elle le savait. Le plus grand risque était donc qu'elles prennent conscience de son absence dans les minutes qui suivraient son départ. Dans lequel cas, sans aucun doute, Francine serait ramenée ici *manu militari*, par le voisin peut-être, et les conséquences seraient terribles. Il n'y avait pas plus redoutable et perfide que Jean-Marie quand il était en colère et que cette même colère était attisée par ses amis.

Alors, dans le cœur de Francine, il y avait, plus grande que tout, la peur de ne jamais revoir Steve comme l'en menaçait régulièrement Jean-Marie.

Mais ça n'arriverait pas, n'est-ce pas ?

Si ce Dieu dont parlait encore régulièrement Jean-Marie existait vraiment, Il la protégerait. Bien sûr qu'Il la protégerait, car Dieu n'était sûrement pas d'accord qu'une mère et son enfant soient séparés comme l'étaient Steve et Francine.

Dans le cas présent, c'était Jean-Marie, le fautif, pas elle.

La jeune femme exhala un soupir silencieux pour calmer son cœur en émoi.

Elle n'avait pas le droit d'avoir peur. Trop de choses dépendaient d'elle et de tout ce qu'elle pourrait trouver de hardiesse pour mener son projet à terme.

De toute façon, pourquoi aurait-elle peur ?

Au fond, tout ce qu'elle voulait, c'était revoir son fils et reprendre avec lui une vie normale. Rien de plus banal. Tout le monde pouvait comprendre cela. Tout le monde, sauf peut-être Jean-Marie et sa bande d'amis. Surtout quand ils fumaient leur herbe qui sentait si mauvais et qu'ils se moquaient d'elle. Mais une fois qu'elle serait loin d'ici, Francine trouverait sûrement des tas d'alliés. Des tas de gens qui penseraient comme elle et qui la comprendraient.

Contre son dos, Francine sentait la chaleur dégagée par le corps de Jean-Marie, et cela lui fut, tout à coup, irréversiblement intolérable. D'un geste léger, elle s'éloigna de lui, se recroquevillant au bord du matelas, espérant entendre quelqu'un se lever pour allumer une flambée dans le poêle parce que la maison était glaciale. Même si avril était là, les nuits restaient très froides et Francine n'avait pas envie de se geler les pieds pour aller mettre quelques bûches dans le poêle.

Elle ferma les yeux, bien qu'elle sache pertinemment qu'elle ne se rendormirait jamais. Il y avait trop d'idées qui s'entrechoquaient dans sa tête et trop d'émotions qui remplissaient son cœur.

Se roulant en petite boule sur le côté, elle tenta néanmoins de se réchauffer.

Quelques instants plus tard, dans son sommeil, Jean-Marie grommela quelques mots que Francine n'arriva pas à comprendre, mais ce fut suffisant pour qu'elle ouvre aussitôt les yeux, persuadée que Jean-Marie allait s'éveiller.

Elle n'avait pas envie de ses mains calleuses sur son corps ni de son souffle fétide dans son cou, et c'est ce qui risquait d'arriver si Jean-Marie s'éveillait aussi tôt. C'est toujours ce qui se passait quand il s'éveillait trop tôt.

Dire qu'il fut un jour où Francine éprouvait une certaine tranquillité d'esprit à avoir un homme tel que lui dans son lit ! Fallait-il qu'elle soit aveugle ! Elle avait même imaginé qu'elle bâtirait son avenir avec lui. Qu'ensemble, ils donneraient peut-être un petit frère ou une petite sœur à Steve.

Comment avait-elle pu se méprendre à ce point ? Pourquoi n'arrivait-elle jamais à mieux cerner ceux à qui elle avait affaire ? Pour quelle raison s'en remettait-elle toujours au premier venu sans faire preuve de plus de discernement ?

Tout comme le père de Steve, le beau Patrick, l'avait fait avant lui, Jean-Marie s'était bien moqué d'elle !

Aujourd'hui, brisée, désillusionnée, Francine ne pensait plus à l'avenir. Elle se contentait de vivre le présent, un jour à la fois, concentrant ses énergies à trouver un moyen pour partir d'ici, pour s'éloigner de Jean-Marie et ne jamais le revoir.

Alors, pour l'instant, son avenir s'arrêtait à demain. Après, elle ne savait pas. Si tout allait bien, peut-être pourrait-elle espérer, un jour, oublier qu'un certain Jean-Marie Gravel avait croisé son chemin et que, ce faisant, il avait détruit tout ce qu'elle avait réussi à bâtir de peine et de misère pour son fils et elle.

Si demain tout allait bien, peut-être, oui, que Francine recommencerait à croire en l'avenir et elle était prête à se battre pour qu'il soit beau.

Par contre, si rien ne se passait comme elle l'avait prévu, elle cesserait de vivre. Son corps continuerait peut-être de fonctionner, mais son cœur et son âme s'arrêteraient là. Sans Steve, la vie de Francine ne valait plus rien. Elle avait eu de nombreux mois pour le comprendre et aujourd'hui, c'était sa vérité, son unique vérité: sans Steve, Francine n'aurait plus envie de vivre.

Steve…

Francine n'arrivait même plus à se rappeler clairement son visage. De toute façon, il avait dû énormément changer en presque deux ans. Du bébé qu'elle avait quitté un certain matin d'août 1966, elle allait retrouver un petit garçon de cinq ans.

Pourtant, Dieu qu'elle l'aimait! Même sans visage, même à distance, malgré le temps écoulé loin de lui.

Quand l'ennui se faisait douleur, Francine se tournait vers son passé et, avec une sensation de panique dans le cœur, elle cherchait dans sa mémoire pour retrouver les traits de son visage. Alors, parfois, dans le creux de sa main, elle s'imaginait sentir les boucles soyeuses de sa chevelure et, quand elle était chanceuse, elle arrivait à se souvenir de son regard.

C'était le regard d'un bambin heureux qui se levait vers elle avec une confiance absolue, malgré leur vie difficile.

Et elle, qu'avait-elle fait de cette confiance? Elle l'avait trahie. Au nom d'une certaine assurance face à l'avenir, par recherche de facilité, ou juste par envie de prendre sa revanche sur une vie qui ne l'avait pas particulièrement gâtée jusqu'ici, Francine avait abandonné son fils. Voilà ce qu'elle avait fait. L'intention n'était pas là, certes, mais les faits restaient les mêmes. Elle n'avait été qu'une imbécile de croire dans les promesses d'un homme qui n'avait jamais témoigné de tendresse à l'égard de son fils.

Francine referma précipitamment les yeux sur les larmes qui risquaient de déborder. Elle n'avait pas le droit de pleurer. Pas ce matin, pas en ce moment où Jean-Marie risquait de l'entendre.

Ça serait amplement suffisant pour tout faire rater.

Et si Francine ne partait pas demain…

Ce vendredi fut la pire journée de sa vie. Pire que celle où elle avait appris qu'elle attendait un enfant. Pire que celle où son père l'avait répudiée. Pire que tout…

La peur soudée au ventre, le geste nerveux et la voix tendue, Francine traversa la journée en priant pour que Jean-Marie ne s'aperçoive de rien. Elle pria comme elle n'avait jamais prié. En mangeant, en cousant, en lavant la vaisselle, en chauffant le poêle, en sursautant chaque fois qu'on l'interpellait, Francine priait avec la ferveur d'une sainte.

« Mon Dieu, faites que Jean-Marie pis les autres voyent rien. Je Vous en supplie, faites que ça marche. »

Elle se coucha épuisée.

Le lendemain, par une matinée grise, enrobée d'un vilain crachin qui gommait le paysage et s'infiltrait partout, Jean-Marie et Gaspard quittèrent la maison relativement tôt, tel que prévu. Ils avaient de nombreuses livraisons à faire et ne seraient de retour que pour le souper, avait spécifié Jean-Marie.

Tant mieux, cela laissait une certaine latitude à Francine.

Et elle en aurait grand besoin avec cette pluie monotone.

Francine avait pourtant prié, entre autres choses, pour avoir une journée ensoleillée. Pas tant pour elle que pour Odette et Lucie, qui aimaient bien profiter de l'absence des hommes pour aller se promener. Malheureusement, la prière de Francine n'avait pas été exaucée. Avec une température aussi maussade, les deux femmes ne quitteraient sûrement pas la maison.

Le cœur dans l'eau, debout à la fenêtre de la cuisine, Francine scrutait le ciel qui se déclinait dans tous les tons de gris. Nul doute, la pluie était là pour rester.

Un long soupir gonfla sa poitrine. Dire qu'hier, il faisait si beau !

Le front appuyé contre la vitre froide, une main tremblante retenant le rideau, Francine luttait pour ne pas éclater en sanglots.

Se pouvait-il que Jean-Marie ait raison ? Se pouvait-il que Dieu lui en veuille encore et toujours pour cet enfant conçu en dehors des liens du mariage ?

Pour Francine, cela paraissait invraisemblable. Personne ne pouvait entretenir une rancune aussi tenace.

— Sauf petête Évangéline Lacaille, murmura-t-elle pour elle-même en pensant soudainement à la grand-mère de son amie Laura chez qui elle n'avait jamais pu aller jouer, justement à cause d'une vieille rancune coriace entre les deux familles. Mais le Bon Dieu, lui, Y' peut-tu en vouloir au monde à c'te point-là ? Me semble que ça se peut pas, pas lui… Sainte bénite que c'est compliqué tout ça.

Du salon, lui parvenaient les voix étouffées d'Odette et de Lucie qui discutaient tout en vernissant une table et des chaises, et l'espace d'un soupir, Francine envia la complicité qui liait les deux femmes.

Une fois le premier choc passé, lorsque les deux jeunes femmes étaient arrivées en compagnie de Gaspard et de Jean-Marie, Francine aurait bien voulu s'en faire des amies. Elle se sentait si seule depuis qu'elle vivait loin de la ville. Mais elle n'avait pas pu. Odette et Lucie étaient trop différentes de ce qu'elle était, trop éloignées de tout ce qu'elle connaissait et aimait.

Elles parlaient philosophie, alors que Francine parlait maquillage.

Elles discutaient société, alors que Francine discutait du souper à venir.

Elles proclamaient l'amour libre, alors que Francine espérait un homme bien à elle.

Et par-dessus tout, elles ne voulaient surtout pas d'enfants, alors que Francine rêvait de tenir le sien dans ses bras.

Steve…

Francine releva les yeux sur le paysage affligeant. Elle n'allait toujours bien pas passer la journée à surveiller le ciel dans l'espoir d'une éclaircie qui amènerait peut-être Odette et Lucie à sortir de la maison !

Francine ouvrit le rideau à sa pleine grandeur et jeta un coup d'œil vers la droite puis vers la gauche.

Si ce n'était de la neige qui perdurait au sol, on se serait crus en plein mois de novembre tellement la clarté était blafarde et le ciel lourd.

Qu'avait-elle à attendre d'une telle journée, d'une telle température ?

Francine tendit le cou.

À moins qu'elle ne parte tout de suite, empruntant la porte

de la cuisine, pendant que les deux femmes étaient au salon en train de travailler. C'était risqué, car si l'une d'entre elles détournait la tête et levait les yeux, elle la verrait en train de se faufiler vers la route.

Francine secoua la tête et porta les yeux de l'autre côté.

À moins de contourner le champ derrière la maison en se dirigeant vers la terre voisine, pour ensuite revenir vers la route, un peu plus vers l'ouest. Ensuite, elle n'aurait qu'à traverser la route pour rejoindre le champ de l'autre côté afin de gagner le petit bois que l'on pouvait deviner plus au sud, en direction du village. Mais alors, ce serait le voisin qui risquait de l'apercevoir quand elle serait encore de ce côté-ci du chemin. Sans compter qu'à travers la neige fondante et la boue, cela prendrait des heures !

Et Francine n'avait pas tout ce temps devant elle.

Du salon lui parvint un éclat de rire qui lui traversa le cœur comme la pointe d'un couteau chauffé à blanc. Comment pouvait-on rire et s'amuser alors qu'elle était si malheureuse, si indécise ? Alors qu'elle se sentait si abandonnée ?

Avec cette température lamentable et les éclats de rire qui provenaient du salon, Francine eut la brutale et douloureuse impression que même le Bon Dieu l'avait laissée tomber.

La jeune femme renifla silencieusement et du revers de la main, elle essuya ses yeux mouillés.

Ce fut au moment où elle levait la tête vers le ciel, autant pour le scruter de plus belle que pour s'adresser à Dieu, alors qu'elle se sentait glisser dans un profond désespoir, que Francine eut la conviction qu'un miracle était en train de se produire.

Au bout du champ du voisin, au-dessus de la masse brunâtre des érables dépouillés, un filet de fumée montait droit vers le ciel. Une fumée toute blanche sur la grisaille des nuages. Une fumée remplie d'espoir, sereine et jolie comme un grand soleil.

Le cœur de Francine se mit à battre la chamade.

Oui, le Bon Dieu existait et malgré les apparences, Il ne l'avait pas abandonnée.

Elle se précipita vers l'évier pour se rafraîchir le visage. Puis, camouflant ses mains tremblantes au fond des poches de son jean, elle se dirigea vers le salon.

— Avez-vous vu, les filles ? demanda-t-elle nonchalamment. On dirait ben que le voisin s'est décidé à faire bouillir son eau d'érable.

— Malgré la pluie ?

— On dirait ben. Y a de la fumée qui monte ben drette par-dessus son p'tit bois, dans le fond du champ.

Lucie échangea un regard avec Odette.

— Qu'est-ce que tu penses de ça ? demanda-t-elle avec une pointe d'envie dans la voix.

— Je pense que ça me tente d'aller me sucrer le bec, rétorqua Odette sur le même ton. Pis ça va nous faire du bien de changer d'air. J'en ai assez de l'odeur du vernis. Ça me donne mal à la tête.

— Moi aussi. De toute façon, c'est ce qu'on avait prévu faire durant l'absence des gars, non ? On y va ?

— On y va !

En moins de deux, Odette et Lucie avaient vérifié les allégations de Francine et raquettes à la main, elles partaient en devisant joyeusement.

Durant cette courte préparation, Francine avait dû faire un effort surhumain pour retenir l'immense soupir de soulagement qui lui gonflait la poitrine ainsi que le sourire instinctif qui menaçait de la transfigurer.

Revenue à la fenêtre de la cuisine, elle attendit, trépignant d'impatience, que les deux amies soient suffisamment loin de la maison pour pouvoir considérer qu'elles ne rebrousseraient pas chemin.

Alors, ce fut au tour de Francine de quitter la maison. Sur la pointe des pieds comme si quelqu'un pouvait l'entendre.

Elle tremblait de la tête aux pieds. Pourtant, sans hésiter, elle descendit l'allée boueuse, traversa la route en évitant les rigoles et sauta dans le caniveau. Sans attendre, elle s'agrippa à quelques roseaux flétris qui dataient de l'automne précédent et elle remonta jusque dans le champ du voisin.

Arrivée en haut du talus, Francine était déjà couverte de boue. Tant pis. La voix de son fils, curieusement claire et limpide, résonnait à ses oreilles. Elle se laisserait guider par lui jusqu'à ce que les cloches de midi, carillonnant au village, prennent la relève.

Après un dernier regard derrière elle, rapide mais intense, fixant la maison décrépite que Jean-Marie avait promis de rénover sans jamais s'y mettre réellement, Francine se retourna résolument vers le champ qui s'étendait devant elle. Il lui sembla immense et particulièrement accidenté. Malgré cela, Francine estima qu'une heure devrait suffire pour atteindre le boisé qu'elle apercevait au loin. Un grand vertige lui souleva le cœur, mais c'est quand même déterminée qu'elle se mit à marcher.

En quelques minutes à peine, Francine comprit que chaque pas serait une lutte contre la terre détrempée qui aspirait impitoyablement ses bottes dans un désagréable bruit de succion qui retentissait à ses oreilles aussi fort qu'une fanfare. Effarée, Francine se retournait à tous les trois pas, persuadée que sa fugue s'entendait à des milles à la ronde. Aux autres pas, elle levait la tête pour évaluer la distance qui lui restait à parcourir. Malgré tous ses efforts, le boisé semblait reculer machiavéliquement.

Quand elle y parvint enfin, Francine n'aurait su dire combien de temps s'était écoulé depuis son départ de la maison, mais au moins, personne ne semblait à ses trousses. Elle était épuisée, soit, mais c'est soulagée qu'elle se glissa entre les arbres, heureuse de pouvoir enfin se soustraire à d'éventuels regards et de pouvoir se mettre à l'abri de la pluie qui s'était remise à tomber à plein ciel.

Pour elle, le pire était probablement passé. Maintenant qu'elle était à couvert, elle pourrait avancer plus rapidement, sans avoir à se soucier de qui que ce soit.

— Moman s'en vient, mon Steve, grommela-t-elle entre ses dents. À soir, on va souper ensemble, c'est promis, ajouta-t-elle, consciente qu'elle n'avait toujours pas entendu l'angélus.

Cette prise de conscience lui donna des ailes, le temps de faire quelques pas dans la neige fondante et lourde.

Son bel enthousiasme retomba aussitôt, comme un flan au sortir du four.

Si dans le champ, la terre imbibée d'eau se riait de la jeune femme en retenant ses bottes comme une ventouse, la neige du sous-bois, elle, s'infiltrait à l'intérieur, alors que Francine calait jusqu'aux genoux au moindre pas qu'elle faisait.

Ici, l'hiver n'était pas terminé.

En quinze minutes, Francine était en sueur et elle ne sentait plus ses pieds gelés par la neige fondue qui avait détrempé ses bas.

La jeune femme aurait dû prévoir que sous le couvert des arbres, la neige serait encore présente et d'une bonne épaisseur.

Découragée, enfoncée dans la neige à mi-jambe, Francine regarda tout autour d'elle. Que de la neige partout.

— Sainte bénite que je pense jamais à rien, moé, coudon !

Mais comment Francine aurait-elle pu deviner l'état des sous-bois, elle qui ne connaissait que l'hiver des villes ? Les deux saisons froides vécues ici, c'est de l'intérieur de la maison qu'elle les avait regardées passer.

Le visage couvert de larmes, s'étouffant dans ses sanglots, Francine se remit péniblement en marche, avançant lentement, un pas après l'autre. Quant à savoir si elle allait dans la bonne direction, elle ne pouvait le dire. L'uniformité du ciel de plomb, la monotonie des troncs d'arbres, tous identiques dans leur grisaille, ne lui fournissaient aucun indice. Peut-être même tournait-elle en rond sans le savoir.

Il n'y eut que les cloches, sur le coup de midi, pour suggérer qu'elle avait fait un certain bout de chemin et qu'elle était dans la bonne direction, car le bruit familier lui sembla plus fort, plus distinct que ce qu'elle était habituée d'entendre. C'était bien peu pour se réjouir, mais cela suffit à lui redonner courage.

Il n'était que midi et elle approchait du village. Dans l'état actuel des choses, elle ne pouvait guère demander mieux.

Rassemblant ce qui lui restait d'énergie, Francine tenta d'accélérer le tempo. Sans montre pour la renseigner, Francine estima que cela devait faire à peu près deux heures qu'elle était partie. Ceci étant dit, peut-être bien que Lucie et Odette étaient revenues à la maison et peut-être avaient-elles pris conscience de son absence.

Un vent de panique fit débattre le cœur de Francine.

Mais peut-être pas non plus, s'obligea-t-elle à penser dans la même foulée. Les deux amies s'occupaient si peu de ses allées et venues qu'elles pouvaient fort bien s'imaginer qu'elle faisait une sieste sans chercher à le vérifier.

N'empêche que Francine n'avait aucune chance à prendre. Tant que le village ne serait pas en vue, elle ne pouvait diminuer le rythme. Ni fatigue, ni douleur, ni même le fait de ne plus sentir ses orteils ne devaient ralentir sa cadence.

Soulevant les genoux le plus haut qu'elle le pouvait, Francine additionnait les pas. Un premier, puis un deuxième et encore un autre...

Concentrée sur son lent déplacement, Francine ne vit pas réellement le temps passer. Mais brusquement, le boisé lui sembla moins dense et la neige moins épaisse. Sa progression, d'un pas à l'autre, lui parut alors moins pénible.

Ce ne fut qu'au moment où elle aperçut enfin la croix surmontant le clocher du village que Francine se permit un bref arrêt. Elle était à bout de souffle, elle avait mal aux jambes et elle avait surtout l'impression de ne plus avoir de pieds tant ils étaient gelés, mais elle avait réussi !

Au clocher de l'église s'ajoutaient maintenant quelques toits de maison en plus de la masse sombre du couvent qu'elle avait remarqué quand elle s'était risquée jusqu'au village il y avait de cela maintenant plusieurs mois.

Le chemin se ferait dorénavant en descendant. Au loin, Francine apercevait un cours d'eau suffisamment large pour qu'elle puisse supposer qu'il s'agissait du fleuve Saint-Laurent. La seule fois où elle s'était rendue au village, on était en automne et à cause des arbres encore garnis de feuilles, elle n'avait rien vu de tout cela.

Encore une petite demi-heure, estima-t-elle, et elle serait arrivée.

La fin du trajet lui parut une peccadille à côté des heures qu'elle venait de vivre. Après le boisé, Francine put enfin marcher sur un petit chemin de desserte qui longeait une terre passablement grande, puis elle se retrouva sur une route asphaltée. La pluie diluvienne de tout à l'heure se limitait encore une fois à de la bruine et elle était nettement moins froide que celle du matin.

Francine dut se retenir pour ne pas pousser un cri de joie. Ce n'était pas encore le temps de crier victoire et elle ne devait surtout pas attirer l'attention sur elle. N'empêche qu'elle était heureuse. Elle avançait maintenant d'un pas régulier tout en imaginant l'instant béni où elle s'assoirait enfin dans l'auto de Cécile. À ce moment-là, et pas avant, elle pourrait enfin pousser le soupir de la délivrance.

Francine accéléra l'allure.

Ses pieds produisaient un chuintement désagréable dans ses bottes, mais pour la jeune femme, cela ressemblait à un chant de liberté.

En fait, il lui fallut plutôt près d'une heure pour arriver enfin aux premières maisons du village. Au prix d'une douleur incroyable, de picotements en sensation de brûlure, ses orteils avaient dégelé. Pourtant, Francine n'avait pas ralenti l'allure. Chaque pas qu'elle faisait, aussi douloureux soit-il, la rapprochait de son petit garçon et rien d'autre n'avait d'importance.

Elle se souvenait qu'au premier croisement, elle devrait tourner à gauche et qu'un peu plus loin, il y aurait un carrefour avec une espèce de place centrale. C'est là qu'elle verrait la grosse maison blanche, celle qui avait une affiche indiquant le magasin général. Et si elle se souvenait bien, à droite de ce magasin, à quelques maisons de là, il y aurait le couvent et tout à côté, ce serait le presbytère.

C'est là que Francine avait l'intention de se rendre en dernier recours.

Ce qu'elle n'avait pas remarqué, cependant, des mois auparavant, c'est qu'un peu plus loin, en diagonale, il y avait un hôtel devant lequel elle devrait passer pour se rendre au presbytère.

Aujourd'hui, alors que Francine commençait à croire qu'elle finirait par s'en sortir, alors qu'elle avait redressé les épaules et qu'elle avait enfin la sensation de reprendre le contrôle sur sa vie, ce fut cet hôtel qu'elle vit en premier. En fait, elle ne vit que lui, son regard ayant été attiré par le grincement d'une affiche détériorée qui se balançait au vent. Le couinement du métal contre le métal la ramena jusque dans la cour de ses parents où elle avait passé tant et tant d'heures sur une vieille balançoire qui se lamentait, elle aussi, dans la même octave.

C'était un hôtel banal comme il y en a dans presque tous les villages, offrant le gîte et le couvert aux passants et aux voyageurs de commerce. L'affiche de métal à la peinture écaillée annonçait des chambres propres, une salle à manger complète et un bar, ce dernier attirant l'attention avec ses grosses lettres noires, de toute évidence récemment repeintes.

Et tout juste sous cette affiche, quelques voitures stationnées, dont une camionnette rouge, vieille et sale comme celle qui avait quitté la maison ce matin. La seule différence, c'est que la benne était vide, alors qu'au départ, il y avait trois meubles à livrer.

Francine sentit ses jambes se dérober sous elle, et par un réflexe inculqué de force au cours des dernières années, elle courba les épaules.

La grande Francine sembla alors se recroqueviller, se tasser sur elle-même.

Le cœur battant à tout rompre, elle balaya du regard les

quelques maisons qui l'entouraient, puis par instinct, elle se mit à reculer en fixant la camionnette de Jean-Marie.

La peur qu'elle ressentait n'avait d'égal que la colère qui bouillonnait en elle. Ainsi donc, c'était ici que les deux hommes passaient leurs samedis après-midi. L'argent pouvait bien toujours finir par manquer !

D'un regard affolé, tel un petit animal pris au piège, Francine évalua la situation. Pas question pour elle de passer devant cet hôtel.

Et pas question non plus de frapper à la porte de la première maison venue. Sa tenue crasseuse lui fermerait toutes les portes au nez. Pour une femme comme Francine, pour qui la mode et une tenue soignée avaient toujours été d'une importance capitale, il ne restait plus que le presbytère où elle pouvait espérer un quelconque accueil.

— Sale comme chus, je fais peur à voir. Y a pas personne qui va vouloir m'ouvrir sa porte. Y a ben juste le curé qui va laisser entrer une guenillou comme moé. Pis c'est ben pasque lui, y' a pas le choix à cause de la charité chrétienne.

Tout en marmonnant, Francine reculait lentement, sans perdre de vue l'hôtel et sa grande porte à doubles battants. Quand elle crut l'apercevoir s'entrouvrir, elle fit volte-face et se mit à courir à perdre haleine. Elle n'avait plus rien à perdre et tout à gagner.

Revenant sur ses pas, elle fit un grand détour en passant par les rues transversales, continuant de se guider sur le clocher de l'église qui dominait le village.

Elle se présenta enfin à la porte arrière du presbytère.

Un petit homme au regard désapprobateur lui ouvrit la porte au bout de plusieurs longues minutes. Heureusement, il portait un col romain. Francine laissa échapper un soupir de soulagement même si elle se sentait toujours aussi anxieuse.

— S'il vous plaît, monsieur le curé, aidez-moé.

Francine était fébrile et sa voix était haut perchée.

— Tuseule, j'arriverai pas à m'en sortir, tenta-t-elle d'expliquer. Vous comprenez, faut que je retrouve mon p'tit. Pis vite avant que les autres s'aperçoivent que chus partie. Je vous en supplie, laissez-moé téléphoner.

Le jeune prêtre fronça les sourcils, ne comprenant rien à rien au discours de cette grande femme aux yeux hagards qui devait avoir au moins une tête de plus que lui. Normalement, quand quelqu'un avait besoin d'aide, c'est à la porte avant du presbytère qu'il se présentait, pas à celle de la cuisine. Le pauvre homme aurait été gêné de l'admettre, mais il n'en menait pas large devant cette femme au discours décousu, au regard effaré.

— Je vous en prie, madame, retrouvez votre calme.

Il essaya de mettre le plus de sévérité possible dans sa voix, espérant que cela suffirait à calmer l'inconnue.

— Je ne suis que le vicaire.

À ces yeux, cette précision pouvait à elle seule justifier n'importe quelle hésitation.

— Peut-être bien, suggéra-t-il alors, vaudrait-il mieux que vous reveniez demain, après la messe de onze heures quand monsieur le curé sera là.

— Demain ? Pas question.

Francine hocha vigoureusement la tête avant de fixer son regard sur le jeune prêtre.

— On dirait que vous comprenez pas, sainte bénite ! C'est à cause de Jean-Marie si chus pressée de même. Je peux pas attendre à demain. Pas pantoute.

Le vicaire poussa un profond soupir.

— Dans ce cas… Entrez… On va voir ce que l'on peut faire pour vous aider.

La cuisine était impeccable, immaculée et brillante du plancher au plafond. Une bonne odeur de légumes s'échappait des chaudrons fumant sur les ronds du poêle. Francine s'effondra sur la première chaise venue. Avant de se relever aussitôt, comme mue par un ressort. Elle n'avait pas le temps de se reposer. Pas encore. De l'autre côté de la rue, Jean-Marie et Gaspard l'avaient peut-être reconnue et elle ne se sentirait vraiment en sécurité qu'au moment où Cécile serait là. Avec son mari de préférence.

Francine regarda tout autour d'elle dans l'espoir d'apercevoir un téléphone.

— Il faut que j'appelle Cécile. Tout de suite.

— Et si vous m'expliquiez ce qui se passe ?

— J'ai pas le temps. Jean-Marie peut arriver d'une menute à l'autre. Vous le connaissez pas, vous. Y' est capable de deviner que chus icitte pis y' parle tellement ben qu'y' va vous convaincre de le laisser m'emmener avec lui. Faut surtout pas que je reparte avec lui pasque c'est mon p'tit qui en pâtirait. S'il vous plaît ! Toute ce que je vous demande, c'est un téléphone, sainte bénite ! Me semble que c'est pas ben dur à comprendre, ça !

Francine tremblait de la tête aux pieds et elle trépignait sur place.

— Madame !

— Francine, je m'appelle Francine. Pis craignez pas, m'en vas toute payer ce que ça va vous coûter. Toute ! Mais, pour l'amour du Bon Dieu, donnez-moé un téléphone ! Ce… C'est une urgence, bonté divine. Une vraie de vraie urgence. Que c'est ça vous prend de plusse, que c'est qu'y' faut que je dise de plusse pour que vous m'aidiez?

Comprenant qu'il ne servirait à rien d'insister et que pour l'instant il ne tirerait rien de plus de cette femme hystérique, le jeune vicaire tenta de la rassurer.

— Calmez-vous, madame, répéta-t-il. Si c'est un téléphone que vous voulez, je vais vous conduire dans le bureau. Mais enlevez vos bottes, ici devant la porte, et de grâce, faites attention de ne toucher à rien. Madame curé a commencé son grand ménage du printemps et elle ne prête pas à rire sur le sujet.

Francine emboîta le pas au vicaire et traversa avec lui l'immensité de ce presbytère de campagne sans rien remarquer des tableaux et autres statues pieuses qui surchargeaient les corridors.

Ils arrivèrent enfin dans une pièce qui pouvait avoir des allures de bureau.

Dès qu'elle aperçut l'appareil noir sur un coin du pupitre, Francine se précipita. Mais ses mains tremblaient tellement qu'elle n'arriva pas à signaler le zéro qui la mettrait en communication avec l'opératrice. De grosses larmes perlèrent aussitôt.

— Bonté divine! Je finirai ben jamais par m'en sortir.

Le vicaire eut pitié d'elle.

— Donnez-moi l'appareil, je vais signaler pour vous. Quel numéro voulez-vous appeler et dans quelle ville?

— À Québec. C'est à Québec que je veux appeler. Chez Cécile. C'est un docteur, vous savez.

— Mais encore… J'aurais besoin de son numéro.

— Ben oui, c'est vrai. Ousque j'ai la tête, moé, coudon. Ça prend le numéro. C'est le Murray 3 4 662. Ouais, c'est le numéro de Cécile, ça.

Francine se tordait les mains tandis que le vicaire signalait le numéro sans passer par l'opératrice, ce qui surprit Francine. Mais elle n'avait pas le temps de demander des explications. Elle tendit la main pour prendre l'appareil. Mais plutôt que de lui tendre l'acoustique, le vicaire le replaça sur sa fourche et leva un regard désolé.

— Je regrette, mais il n'y a pas de service au numéro que vous m'avez donné. Vous êtes bien certaine que...

— Comment ça, pas de service ? interrompit Francine, d'une voix suraiguë, celle de quelqu'un au bord de la crise de nerfs. Ça se peut pas. Chez Cécile, c'est ben le Murray 3 4 66... à moins que ça soye le Murray 3 6 44...

D'où elle se tenait, Francine pouvait voir la masse grisâtre de l'hôtel du village, avec sa grande porte à doubles battants en façade, et elle sentait la présence de Jean-Marie qui rôdait tout autour.

Ce fut suffisant pour que dans la tête de Francine, il n'y ait plus qu'un grand vide tout noir. Les numéros de téléphone, le fait qu'elle allait reprendre sa vie en main en repartant de zéro, la peur qu'il soit peut-être arrivé quelque chose à son fils, toutes ces pensées qui l'accompagnaient depuis le matin avaient disparu. Il ne restait plus que du vide dans la tête de Francine. Un vide vertigineux et douloureux. Son regard passa du vicaire qui tenait encore le téléphone à la fenêtre où l'on apercevait l'hôtel.

Dans son esprit, il ne restait plus qu'un mot, qu'un nom, inscrit en lettres de feu et c'était celui de son fils Steve.

Steve...

Elle s'était promis de manger avec lui ce soir. Peu importe l'endroit, elle qui n'avait plus rien. Le simple fait d'être avec lui suffirait à la rendre heureuse au-delà des mots pour l'exprimer. Elle rêvait depuis des mois de fêter son anniversaire à ses côtés. Et elle avait sincèrement cru qu'elle y arriverait. Pour le côté pratique, Cécile allait sûrement l'aider. Francine se l'était répété à l'infini au cours des dernières semaines. Mais là, en cet instant bien précis, un œil sur l'hôtel et un autre sur le vicaire d'une paroisse dont elle ignorait toujours le nom, Francine ne savait plus. Il n'y avait que le nom de Steve, encombrant sa tête et son cœur comme une longue spirale sans fin. Où était-il ? Que faisait-il ? Avait-il parfois la visite de Cécile ? Ou celle de Bébert ? Après tout, Bébert était son parrain et quand les parents ne sont plus là, c'est au parrain et à la marraine de s'occuper d'un petit garçon comme lui…

La marraine !

Francine sursauta et se mit à trembler comme une feuille tant elle se sentit soudainement fébrile.

— Laura, cria presque la jeune femme délaissant l'hôtel et concentrant son attention sur le vicaire. Saine bénite que chus pas vite, des fois. C'est Laura qu'y' faut appeler, voyons don ! Elle, a' va s'en rappeler du numéro de Cécile. C'est ben certain. Pis le numéro de Laura, je pourrai jamais l'oublier, je l'ai faite assez souvent pour ça. C'est à Montréal. C'est le Plateau 5 3117.

— Plateau ?

— Ouais, Plateau ou ben 755 3117, si vous préférez, mais chez nous on dit Plateau. Je vous en supplie, faites ça vite, c'est comme rien que Jean-Marie peut se pointer la face icitte dans pas long pis si y' arrive icitte avec son chum Gaspard, chus pas mieux que morte, sainte bénite ! Plateau 5 3117.

* * *

— Moman ? Tu devineras jamais !

Laura venait de sortir de la cuisine en coup de vent.

— C'est le plus beau jour de ma vie, je pense ! Moman ? T'es où, maudite marde ? Faut que je te parle !

Plantée au beau milieu du couloir, trépignant, Laura regardait tout autour d'elle quand une voix lui parvint enfin du salon.

— Ça sert à rien de t'égosiller de même, ma pauvre Laura, ta mère est pas là, expliqua Évangéline. Est partie livrer ses commandes Avon. A' l'a dit qu'a' serait pas de retour avant la fin de l'après-midi rapport qu'a' l'avait ben des clientes à visiter c'te mois-citte. Ça paraît que le printemps est arrivé, qu'a' l'a dit en partant, t'à l'heure. Mais que c'est que tu y veux, à ta mère, pour t'époumoner de même ? On dirait une chatte qui vient de perdre un p'tit de sa portée.

— Perdre quelque chose ? Non. Ça serait plutôt le contraire, grand-moman.

Laura venait de glisser la tête par l'entrebâillement de la porte du salon. Évangéline leva la tête vers elle, une ride de curiosité entre les deux yeux.

— Comment ça, le contraire ? Je te suis pas, moé là. T'avais-tu perdu quèque chose que tu viens de retrouver ?

— Si on veut...

Laura poussa un long soupir.

— Je le sais que pour toi, ça n'aura probablement pas la même importance, expliqua-t-elle d'une voix tendue, mais je veux que tu dises à moman, quand elle va revenir, que Francine a appelé.

— Francine ? La Francine Gariépy qui avait disparu depuis un boutte ?

— De quelle Francine veux-tu que je parle ? Je connais une seule Francine et c'est Francine Gariépy.

Évangéline haussa les épaules avec une certaine désinvolture, ce qui eut l'heur d'agacer prodigieusement Laura.

— Veux-tu ben me dire où c'est qu'a' l'était durant toute' c'te temps-là? poursuivit Évangéline sans se douter de toute l'impatience que faisait naître son attitude. Pis sans son p'tit, en plusse… Ça rejoint ce que j'ai toujours pensé des Gariépy. Une gang de pas d'allure! Si on voulait m'écouter, aussi…

Cette haine vindicative qu'Évangéline se faisait un malin plaisir d'entretenir à l'égard des Gariépy était bien le seul véritable défaut que Laura reconnaissait à sa grand-mère, et l'occasion aurait été belle pour relancer le débat. Mais Laura n'avait pas le temps. Elle se contenta donc de rétorquer, coupant cavalièrement la parole à sa grand-mère:

— Ben là, je t'arrête, grand-moman. Je me doute fortement de ce que tu vas dire et pour l'instant, ça ne me tente pas de l'entendre. Et avant que tu me le demandes, je n'ai pas la moindre idée de ce qui s'est passé, sauf qu'à l'autre bout de la ligne, Francine pleurait comme une Madeleine et c'est finalement avec un vicaire que j'ai parlé pour lui donner le numéro de téléphone de Cécile.

— Cécile? Cécile la docteure? Que c'est qu'a' fait dans le portrait, elle là? Pis que c'est que Francine faisait avec un vicaire?

— Je viens de te le dire: je le sais pas, ce que Francine faisait avec le vicaire. Pis pour Cécile, c'est la même chose que tout à l'heure: je ne connais qu'une seule Cécile et c'est bien Cécile la docteure. Pour le reste, il va falloir que tu attendes que je revienne de Québec pour en savoir plus long.

— Coudon, toé! D'une affaire à une autre, t'es-tu en train de m'annoncer que tu pars pour Québec?

— On ne peut rien te cacher! Oui, je veux partir pour Québec. C'est en partie pour ça que je voulais parler à moman.

Pour lui dire que si ça adonne à Bébert, on va partir tout de suite. Depuis le temps que je m'inquiète pour Francine…

— Ouais, je peux comprendre.

Évangéline hochait lentement la tête dans un geste qui, à la rigueur, pouvait passer pour de la bienveillance. Puis elle leva un regard acéré vers Laura.

— Malgré toute ce que tu peux penser de moé pis de l'opinion que j'ai des Gariépy, opinion basée sur des faits pis pas juste sur des racontars, je te ferais remarquer, grommela-t-elle, chus pas une sans-cœur pour autant. Pis ça serait tant mieux si tu nous revenais avec une bonne explication pis des bonnes nouvelles pour le p'tit à Francine. Je l'ai vu l'autre jour, c'te p'tit gars-là. Y' était avec sa grand-mère, la mère à Francine. Y' mangeait un sundae au casse-croûte de monsieur Albert. Pis j'ai trouvé que c'était un beau p'tit gars pis qu'y' avait l'air ben élevé. Comme tu vois, chus pas si pire que ça, viarge! Chus pas aussi malveillante que t'as l'air de le penser, par bouttes.

— Malveillante! Ben voyons donc, j'ai jamais dit ça, grand-moman. Pis je le pense pas non plus. Je trouve juste que des fois, t'exagères un peu… Bon, c'est bien beau notre discussion, mais moi, je dois partir. Pas question d'annoncer à Bébert par téléphone que sa sœur vient de réapparaître. Quand je vais savoir si on va à Québec, je donne un coup de fil… Mon Dieu que je suis énervée! C'est Steve qui va être content! Pauvre petit cœur! Depuis le temps qu'il nous parle de sa maman… Bon, je m'en vais. À tout à l'heure, grand-moman. Dès que j'en sais un peu plus, j'appelle ici.

Laura arriva au garage échevelée, essoufflée mais de toute évidence radieuse. Sans perdre son temps en palabres inutiles, elle se précipita vers Bébert qui, dans le fond du garage, s'affairait à faire du rangement.

— Bébert!

Le jeune homme se tourna aussitôt vers elle et attrapant le premier chiffon à sa portée, il commença à frotter vigoureusement ses mains maculées d'huile. Depuis quelque temps, hormis les heures qu'ils consacraient conjointement au petit Steve, Laura et lui, les visites de son amie se faisaient passablement rares, ce qui donnait infiniment plus de poids et d'importance au moment présent.

Un large sourire éclaira son visage tout aussi taché que ses mains.

— Batince, Laura! On dirait que tu viens de gagner le gros lot!

— Non, c'est pas moi qui viens de gagner quoi que ce soit. C'est Steve.

Laura était maintenant à la hauteur de Bébert et sans hésiter, elle posa les mains sur ses épaules et le regardant droit dans les yeux, elle ajouta:

— Francine vient d'appeler, Bébert! Te rends-tu compte?

Incrédule, doutant même d'avoir bien compris, le jeune homme commença par blêmir avant de virer au rouge écarlate. À gestes vifs, il continuait de se frotter les mains à s'en arracher la peau.

— Francine? Ma sœur Francine? arriva-t-il à articuler d'une voix étranglée.

À ces mots, Laura éclata de rire.

— Coudon! Qu'est-ce que vous avez tous, aujourd'hui? Ma grand-mère m'a demandé la même chose. Comme si je connaissais des tas de Francine et qu'elles avaient toutes disparu en même temps. Oui, c'est de ta sœur dont je parle!

Laura se voulait moqueuse, peut-être pour détendre l'atmosphère ou pour camoufler sa propre nervosité. Mais quand elle vit quelques larmes briller au coin des yeux de Bébert, elle regretta ses mots. D'un geste très doux, elle lui enleva son chiffon et le lança sur une vieille chaise de métal qui traînait par là.

— Je m'excuse.

— Ben non. C'est correct.

Mal à l'aise, Bébert s'était détourné pour essuyer son visage sur le revers de la manche de son chandail.

— C'est juste que chus content en batince, expliqua-t-il en revenant face à Laura. C'est pas des maudites farces, c'était rendu que je pensais que ça finirait jamais par arriver. Depuis le temps... Pis est où, ma sœur ? Que c'est qui s'est passé pour qu'a' disparaisse de même pis qu'a'...

Laura hocha la tête dans un geste de négation.

— Je peux pas vraiment te répondre. J'en sais pas plus que toi. En fait, c'est à peine si j'ai dit deux mots à Francine. Elle pleurait tellement... Finalement, c'est un certain Gilles Brochu qui m'a parlé. Un vicaire, si j'ai bien compris. Tout ce qu'il voulait, c'était le numéro de téléphone de Cécile.

— Cécile ? Comment ça ?

— Je présume que Francine est dans la région de Québec, fit Laura en haussant les épaules pour témoigner de son ignorance. Je suppose que Francine veut que Cécile aille la chercher. Je te l'ai dit: je ne sais rien de ce qui se passe là-bas. Sauf que Francine pleurait comme une bonne et que j'ai cru comprendre qu'elle me disait qu'elle avait enfin réussi. Réussi quoi, elle ne l'a pas dit. Mais à mon avis, c'est pas tellement difficile à deviner: elle a réussi à se sauver, maudite marde ! Pauvre Francine ! C'est à ce moment-là que le vicaire m'a parlé. Je lui ai donné le numéro de téléphone de Cécile comme il me le demandait. Puis il a raccroché. J'ai bien l'impression qu'ils ont dû finir par parler à Cécile puisque le vicaire ne m'a pas rappelée. Alors? Qu'est-ce qu'on fait?

— Demain, on va à Québec, c'est ben certain.

— Demain? Voyons donc! C'est bien que trop loin, ça, demain! Allez, Bébert, on part tout de suite!

— Je peux pas. J'ai promis de changer les pneus de l'auto du docteur Caron à soir après le souper. C'est le seul temps de libre qu'il a pu trouver pour mettre ses pneus d'été. On est quand même rendus au mois d'avril, ça commence à presser. Pis les docteurs, c'est comme moé: y' travaillent tout le temps.

En prononçant ces derniers mots, se comparant à un médecin, Bébert avait bombé le torse de fierté même si de toute évidence, il était désolé de devoir reporter leur départ.

— J'aimerais ben ça partir tusuite, comprends-moé ben, mais j'ai promis de rester ouvert un peu plus longtemps aujourd'hui pour faire la job, expliqua-t-il finalement tout en pliant la guenille que Laura avait lancée sur une chaise.

— Ben rappelle-le et dis-lui que t'as un empêchement.

— Non, Laura. Ça serait contraire aux engagements du garage. Tu liras ben comme faut la pancarte que j'ai mis sur la porte du bureau pis tu vas comprendre. De toute façon, ça serait pas dans ma nature d'agir de même. Si c'était un cas de vie ou de mort, ça serait différent, mais là...

Laura n'en revenait tout simplement pas. Elle resta silencieuse un bref moment, ne trouvant rien à redire tant Bébert avait l'air sérieux et inflexible.

— Pis si tu demandais à mon frère de te remplacer? demanda-t-elle enfin, brusquement et heureusement inspirée.

— Antoine?

— Oui, Antoine. De quel frère veux-tu que je parle, maudite marde? Toujours bien pas de Charles, il a tout juste douze ans.

— Ouais… petête. Si j'appelle le docteur Caron pour le prévenir que ça sera pas moé, ça pourrait petête marcher…

— Ça va marcher! trancha Laura d'une voix aussi autoritaire que celle de Bébert quelques instants auparavant. C'est sûr que ça va marcher. Tout ne peut pas toujours aller tout croche dans la vie. Il faut que ça aille bien, des fois. Pis je sens qu'aujourd'hui, tout va bien aller. À commencer par notre voyage à Québec.

Tout en parlant, Laura regardait Bébert avec un large sourire. Voyant que ce dernier semblait encore hésitant, elle fit volte-face et se dirigea vers le bureau tout en ordonnant par-dessus son épaule:

— Finis de ramasser tes outils pis moi, je vais appeler Antoine. Ça va nous faire gagner du temps.

Quelques minutes plus tard, Laura revenait dans le garage, le même grand sourire toujours affiché sur son visage.

— C'est comme je te l'avais dit: Antoine s'en vient. Il avait même l'air content.

— Comment ça, content?

— Il a dit qu'il était bien heureux qu'on ait enfin des nouvelles de Francine et que pour sa part, ça lui ferait du bien de changer d'air. Puis il a éclaté de rire en précisant que son changement d'air ne serait pas tellement grand puisqu'il allait passer de l'odeur de l'huile de lin à celle de l'huile à moteur, mais que ce n'était pas très grave. Tout ça pour dire qu'il avait l'air de bien bonne humeur et qu'il devrait être ici dans quelques minutes.

Bébert regarda tout autour de lui, vérifiant si le garage était rangé à son goût.

— Ben si c'est de même… Icitte, ça peut aller. On attend Antoine pis je passe me changer. À l'heure qu'il est, faudrait

petête penser, avec, à amener un p'tit bagage pour la nuit.
Chus fatigué pis ça me tentera pas de faire un aller-retour, ça
c'est ben certain. Ça fait qu'y' faudrait petête prévenir Cécile
qu'on s'en vient.

Laura balaya l'objection d'un petit geste de la main.

— Laisse faire Cécile. Elle ne doit même pas être chez elle
à l'heure qu'il est. Au pire, on l'attendra ou on ira voir si elle
est chez sa tante Gisèle. Je te l'ai dit: le vicaire devait me
rappeler s'il n'arrivait pas à rejoindre Cécile et il n'a pas retélé-
phoné. C'est donc qu'il lui a parlé et que Cécile est probablement déjà en route pour aller chercher Francine, j'en suis
certaine.

— Bon ben… Comme ça, j'appelle le docteur Caron, je
fais le plein dans le char pis on part dès que j'ai fait mes
recommandations à Antoine. J'vas aller te mener chez vous
pour que tu te fasses une valise. Le temps de faire la même
chose de mon bord, pis je reviens te chercher. Avec un peu de
chance, on devrait être à Québec vers huit heures et demie,
neuf heures.

Bébert avait déjà tourné les talons quand Laura, redevenue
songeuse, le rappela.

— Tu penses pas, toi, qu'on est en train d'oublier quelque
chose?

— D'oublier quèque chose?

Bébert fit mine de chercher.

— Non, je vois pas.

— Et Steve, lui, dans tout ça? Il me semble qu'il serait
content de revoir Francine dès ce soir, non? Après tout, c'est
sa mère et c'est lui qui a été le plus éprouvé dans toute cette
histoire-là. Je pourrais peut-être arrêter chez tes parents en
passant pis…

— Non, Laura, trancha Bébert d'une voix ferme, sans la moindre hésitation. Je pense pas que ça soye une bonne idée. J'y ai pensé pendant que t'appelais Antoine, pis j'ai trouvé que ça serait même une erreur d'amener Steve avec nous autres. C'est toi-même qui l'a dit, t'à l'heure: on sait pas pantoute ce qui nous attend à l'autre boutte de la vingt. Me semble que Steve a eu assez de peine de même. Ça serait plate d'en rajouter, des fois que Francine serait pas prête à le reprendre tusuite. De toute façon, a' l'a pus rien, Francine, rapport que toute son ménage a suivi quand est partie. Où c'est qu'a' va rester à partir d'astheure ? Avec quoi a' va payer sa commande d'épicerie ? Y a pas personne qui peut répondre à ça pour le moment. Non, je pense qu'y' faut pas aller trop vite en prenant les décisions sur un coup de tête. On pourrait s'en mordre les doigts. Pis y a mes parents, là-dedans. Eux autres avec, y' faudrait petête les prévenir avant de faire un *move* dans c'te sens-là. C'est pas pasqu'y' ont faite les caves quand Francine leur a appris qu'a' l'était enceinte qu'aujourd'hui, y' se sont pas attachés au p'tit !

Laura resta silencieuse un bref moment, les yeux au sol. Puis elle leva la tête vers Bébert et lui offrit un sourire reconnaissant.

— Je l'ai toujours dit: c'est toi qui aurais dû faire un cours de psychologue, analysa-t-elle gentiment. Tu as raison, on n'est sûrs de rien pour l'instant. Commençons donc par aller à Québec et on verra au reste après…

Laura soutint le regard de Bébert un instant avant d'ajouter, en faisant un petit clin d'œil coquin:

— Vous me surprendrez toujours, monsieur Robert Gariépy !

Robert ! Dieu que Bébert aimait quand Laura prononçait

son nom de cette façon, avec un peu de respect dans la voix ! Il se mit à rougir aussitôt puis, détournant la tête pour cacher son embarras, il bougonna:

— Arrête de te moquer de moé, Laura Lacaille ! Chus juste un garagiste, pas un psychologue... Je m'en vas dans le bureau pour appeler le docteur Caron. Pendant ce temps-là, tu peux-tu amener mon char proche des pompes ? Je te rejoins pour faire le plein.

Une demi-heure plus tard, ils quittaient enfin Montréal sous les regards curieux d'Évangéline et de Bernadette, chacune installée à une fenêtre du salon pour les voir partir.

Malgré l'insistance de Bébert, Laura refusa catégoriquement de prendre le volant.

— Es-tu fou, Bébert ? Je suis beaucoup trop énervée pour conduire. Des plans pour que je nous envoie tout droit dans le décor ! On aurait l'air fin de se retrouver à l'hôpital pendant que Francine est enfin sortie de sa cachette.

Une grande partie de la route se fit dans les suppositions de toutes sortes.

— J'ai ben hâte de savoir ce qui s'est passé, en fin de compte !

Heureuse de voir enfin les journées allonger, Laura avait le nez à la fenêtre de sa portière et elle regardait défiler le paysage tout en jasant avec Bébert.

— Ce qui s'est passé ? Me semble que c'est clair, non ? Depuis que tu m'as dit que Francine braillait comme un bébé, à l'autre bout de la ligne, chus quasiment sûr que toute est de la faute à Jean-Marie. D'un autre côté, je sais pas pantoute ce qu'y' a dit ou ce qu'y' a faite pour convaincre ma sœur de laisser son p'tit, par exemple, mais chose certaine, c'est sûrement pas son idée à elle...

Bébert s'accorda un bref moment de réflexion avant de reprendre avec véhémence:

— Ça se peut pas, batince, que Francine aye eu l'idée d'abandonner Steve comme ça. Pis de disparaître sans dire un mot à personne. Ça y ressemble pas d'agir de même.

À ces mots, Laura se tourna vers Bébert.

— C'est vrai que j'aurais tendance à dire comme toi. De toute façon, c'est un peu ce qu'on a toujours pensé, non? Francine aurait jamais agi comme ça toute seule. C'est sûr que Jean-Marie a joué un rôle important dans toute cette histoire-là.

Laura appuyait ses propos d'un vigoureux hochement de la tête.

— C'est certain qu'il est en arrière de tout ça, répéta-t-elle avec conviction, d'une manière ou bien d'une autre.

— Ouais, comme tu dis... Batince que je l'haïs, c'te gars-là! Faudrait pas qu'y' se retrouve en face de moé, le Jean-Marie, pasque je te jure qu'y' passerait un maudit mauvais quart d'heure.

Laura haussa mollement les épaules dans un geste typiquement féminin, appuyé par un léger soupir.

— Comme si c'était pour régler le problème!

Bébert jeta un regard en coin à Laura.

— Ça règlerait petête rien, ronchonna-t-il alors, là-dessus je te donne pas tort, mais ça me ferait du bien en s'y' vous plaît, par exemple! Une couple de bonnes taloches ben placées, ça me détendrait les nerfs.

Même si elle était totalement contre le principe énoncé par Bébert, Laura préféra ne pas relancer le débat. Elle demanda plutôt:

— As-tu une idée de ce que Francine va faire?

Ce fut au tour de Bébert de hausser les épaules comme si la réponse allait de soi.

— Se trouver une job, je présume. Sans job, a' l'ira pas loin. Ça vaut pour elle comme pour tout le monde. Surtout avec un p'tit à charge. Mais ça, pour moé, c'est pas vraiment un problème. A' l'a jamais eu peur de travailler, ma sœur, jamais. Là-dessus, on se ressemble toutes dans la famille: on a du cœur au ventre! Ça fait que Francine va faire comme quand Steve est venu au monde: a' va se retrousser les manches pis travailler, c'est toute! Moé, c'est plutôt sa réaction devant le fait que son Steve est rendu chez les parents qui me fait peur.

— C'est drôle, pas moi! Comme je la connais, elle va commencer par disputer en disant que c'était pas de nos affaires de prendre une décision comme celle-là. Puis, si on jette pas trop d'huile sur le feu en s'obstinant avec elle, Francine va prendre le temps de réfléchir pour finir par s'apercevoir que finalement, c'était la meilleure décision à prendre, compte tenu des circonstances. Ensuite, comme elle n'est pas rancunière pour deux sous, ta sœur va nous remercier. Surtout quand elle va voir combien son tout-petit est devenu un grand garçon. Un beau grand garçon!

Sur ces derniers mots, Laura et Bébert échangèrent un sourire de connivence.

— C'est vrai que c'est un beau p'tit gars, approuva Bébert avant de ramener les yeux sur la route. Pis en plusse, y' est fin pis ben poli. Y a pas à dire, la mère chez nous a pas perdu la main avec les enfants.

— Ta mère peut-être, mais Cécile aussi. Faut pas oublier que Steve a vécu un an chez Cécile... Justement, en parlant de Cécile, je me demande si son oncle Napoléon va mieux.

Depuis Noël, j'ai pas eu de nouvelles… Regarde ! On vient de dépasser la pancarte annonçant Drummondville. Ça veut dire qu'on a la moitié du chemin de fait ou presque. J'ai tellement hâte d'arriver !

Ils devisèrent ainsi jusqu'au moment où ils aperçurent le pont de Québec, faisant des projections dans l'avenir, inventant des tas de scénarios où Francine et Steve avaient le beau rôle. Quand ils arrivèrent enfin devant la demeure de Cécile, l'auto de cette dernière était stationnée dans l'entrée, à côté de celle de son mari, Charles.

— On dirait bien que tout le monde est là, murmura alors Laura, un curieux spasme lui serrant l'estomac.

— Ouais…

Bébert se rangea contre le trottoir et coupa le contact.

— Ça a l'air fou de dire ça, mais chus gêné, murmura-t-il en se penchant sur le banc pour contempler la maison de pierres grises. C'est comme si j'allais rencontrer quèqu'un que je connais pas pis que ça me faisait peur… Batince ! Après toute, c'est juste ma sœur Francine que j'vas revoir. C'est pas le premier ministre.

— Bien si ça peut te rassurer, répondit Laura sur le même ton bas de confidence, c'est pareil pour moi.

La tête tournée sur le côté, la jeune femme contemplait, elle aussi, la façade de la maison de Cécile. Elle poussa un long soupir.

— Jamais j'aurais pu m'imaginer qu'un jour, je serais intimidée à l'idée de voir Francine… Alors ? On y va ? proposa-t-elle après un court silence.

— C'est sûr qu'on va y aller. On est toujours ben pas venus jusqu'icitte pour faire demi-tour… Laisse ta valise dans le char, conseilla-t-il quand il vit le regard de Laura se diriger vers la banquette arrière de l'auto. Je viendrai chercher nos affaires plus tard.

Ils n'eurent pas à se rendre jusqu'au perron de la maison. À peine la portière de l'auto claquait-elle que la porte de la maison s'ouvrait sur une Francine qui dégringola les marches pour venir se jeter dans les bras de son frère.

— Bébert !

Pendue au cou de son frère, de la main, Francine fit signe à Laura de venir les rejoindre et c'est ainsi, tous les trois enlacés, qu'ils revinrent jusqu'à la maison où Cécile, souriante, les attendait en tenant la porte grande ouverte.

CHAPITRE 3

Si tu savais comme on s'ennuie
À la Manic
Tu m'écrirais bien plus souvent
À la Manicouagan

La Manic
GEORGES DOR

Montréal, jeudi 9 mai 1968

Les toiles étaient prêtes. Pour une troisième fois, le délai avait été respecté.

Bien heureux d'y être arrivé malgré les nombreuses heures qu'il consacrait régulièrement à l'épicerie de son père et au garage de son ami Bébert, Antoine recula de quelques pas et pivotant sur lui-même, il survola d'un regard sévère l'ensemble des toiles exposées dans le salon. Malgré une évidente et légitime satisfaction, le jeune homme fronçait sensiblement les sourcils chaque fois qu'il passait d'une peinture à l'autre.

Afin d'avoir une vue d'ensemble, Antoine avait accroché ses tableaux un peu partout sur les murs. Celles d'un plus grand format avaient été appuyées contre le divan, la table à café et les fauteuils.

Planté au beau milieu de la pièce, Antoine continuait de tourner sur lui-même. Malgré son air sérieux, arriva un moment où, bien malgré lui, il esquissa un sourire presque moqueur. Sur le chevalet, bien en évidence dans le coin près de la fenêtre, il y avait une reproduction de la maison de sa grand-mère. Depuis le temps qu'il promettait de faire cette toile, à partir d'une photo prise il y avait de cela plusieurs mois, la vieille dame devrait être contente de constater qu'il ne l'avait pas oubliée. Ce soir, en grandes pompes, Antoine allait donc la lui donner quand il monterait pour le souper.

Puis, redevenu sérieux, il reporta les yeux sur les autres tableaux.

Il y avait mis tout son cœur et son talent, comme d'habitude. Il n'avait compté ni son temps ni les efforts.

Pourtant, le résultat lui semblait différent. Antoine n'aurait su dire en quoi résidait cette différence ni même si les gens la remarqueraient. Mais pour lui, elle était d'une évidence criante, à travers les ombres et les couleurs, à travers les paysages choisis et les personnages qui y déambulaient.

Était-ce parce que cette fois-ci, en plus d'y mettre son cœur, Antoine avait eu la sensation d'y ajouter toutes ses émotions ? Et Dieu lui était témoin que depuis janvier dernier, elles avaient été nombreuses, les émotions à faire débattre son cœur. Nombreuses et disparates, difficiles parfois à cerner, à comprendre. Il y avait celles qui l'envahissaient sans préavis, par moment, le laissant interdit, le souffle court. Il y avait celles qu'il n'arrivait pas à contrôler et qui le blessaient profondément, le ramenant chaque fois à une période de sa vie qu'il aurait tant voulu oublier sans jamais y parvenir tout à fait. Il y avait aussi les émotions qui le faisaient douter de tout, à commencer par lui-même, et où il remettait en question jusqu'à son talent, justement parce que les toiles qu'il peignait, jour après jour, lui semblaient différentes.

Était-ce une simple impression, une distorsion du regard,

un banal désir de changement transposé sur la toile ?

Antoine ne le savait pas. Et il n'y avait personne pour lui répondre, pour le rassurer avant qu'il emballe tout cela pour l'expédier à New York où Gordon Longfellow, le propriétaire d'une prestigieuse galerie, les attendait avec impatience. Oui, Antoine sentait le besoin d'être rassuré avant de faire le grand saut encore une fois. Depuis plus d'un an, il travaillait en solitaire, et ceux qui avaient eu la chance de voir ses toiles, jusqu'à ce jour, n'y connaissaient malheureusement pas grand-chose. Il ne pouvait donc se fier à leur jugement.

S'il osait, il appellerait madame Émilie et lui demanderait de passer. Elle le connaissait bien et elle saurait sûrement déceler ce que les autres ne percevaient pas, Antoine en était persuadé. Mais voilà : il n'avait pas le culot nécessaire pour déranger les gens. Pas plus celle qui avait été son professeur durant des années que qui que ce soit d'autre, surtout que maintenant, madame Émilie avait une seconde petite fille dont elle devait s'occuper, en plus de sa bande de garçons. De toute façon, si elle avait eu du temps à lui consacrer ou l'envie de voir ce qu'il avait fait, tout bonnement, elle aurait appelé.

Mais depuis des mois et des mois, elle n'avait pas donné signe de vie.

Alors, Antoine restait là, devant ses toiles, perplexe, incertain, incapable de dire si ses derniers tableaux avaient ce petit quelque chose d'unique qui ferait en sorte que les gens auraient envie de les acheter. Pourtant, il le faudrait bien, car il avait des tas de projets en tête et pour ce faire, il avait besoin d'argent.

Déplaçant délicatement une toile, Antoine se laissa tomber sur un fauteuil.

Peut-être bien que ce n'était qu'un peu de fatigue. Peut-être bien que dans quelques jours, il ne verrait rien d'autre que ses toiles habituelles, avec leur luminosité coutumière, leur précision attendue, leur attrait reconnu qui faisait que les gens en redemandaient. Peut-être.

Mais peut-être pas, non plus.

Antoine poussa un bruyant soupir avant de laisser échapper un long bâillement involontaire. Il était exténué, d'où peut-être ce regard vaguement désabusé. Pourtant, malgré cela, il recommença à examiner patiemment chacune des toiles, passant de l'une à l'autre avec un esprit de plus en plus critique.

Décidément, les ombres étaient plus sombres, les clartés plus vives et les dessins un peu moins précis, comme si les personnages ajoutés à ses paysages n'étaient plus que des fantômes traversant le temps et l'espace.

Peut-être devrait-il tous les effacer avant qu'il ne soit trop tard ?

Une demi-heure plus tard, Antoine était toujours au même endroit, avachi sur le fauteuil, persuadé maintenant que tout ce qu'il avait fait durant l'hiver ne valait pas grand-chose. Et parce que monsieur Longfellow s'y connaissait tout autant que madame Émilie, il allait tout de suite s'apercevoir de la différence entre les toiles actuelles et celles faites pour les deux premières expositions, et s'il n'aimait pas cela, il se ferait sans doute un grand plaisir de tout remballer pour les lui retourner dans la semaine avant de passer pour un inculte.

— Pis moé, mautadine, m'en vas me retrouver à faire des livraisons pour le père jusqu'à la fin des temps, lança Antoine, de plus en plus découragé. J'aurais don dû faire comme Laura, aussi, pis m'inscrire à l'université. Je serais peut-être en train de devenir un architecte aujourd'hui, pis je me casserais pas la tête à savoir si ce que je fais est bon ou pas, pasqu'y aurait des tas de professeurs autour de moé pour me le dire en pleine face, si chus correct ou ben si chus dans le champ !

Antoine poussa un second soupir, long comme une journée de pluie.

— Non, vraiment, ça me tente pas pantoute de passer toute le reste de ma vie à faire des livraisons dans des troisièmes étages, pis des pleins d'essence dans le char de personnes qui voyent même pas que j'existe pasqu'y' sont trop pressées !

— Coudon, le frère, te voilà rendu à parler tout seul ? On dirait grand-moman quand elle surveille la rue depuis la fenêtre du salon ou moman quand elle fait une recette ! C'est peut-être un défaut de famille. Qu'est-ce que tu en penses ? On sait jamais ! Je devrais peut-être me surveiller !

Perdu dans ses pensées, Antoine n'avait rien entendu des bruits venant de la cuisine de son atelier, situé au rez-de-chaussée de la maison de sa grand-mère, de la porte qui s'était ouverte et refermée, des pas qui s'étaient approchés. Il tressaillit fortement en entendant la voix de Laura et par réflexe, il se redressa sur son fauteuil. Pas question de laisser transparaître son désarroi à qui que ce soit !

Mais avant qu'Antoine n'ait pu fournir la moindre explication à ce monologue en solitaire, qu'il aurait bien voulu qualifier de simple moment d'égarement, Laura avait passé une tête hilare dans l'embrasure de la porte.

Antoine remarqua aussitôt qu'elle avait son petit regard pétillant, celui qui accompagnait habituellement ses moqueries. Il se renfrogna sans dire un mot.

— Bonjour quand même, lança joyeusement Laura. Maintenant que je suis là, on dirait que le chat t'a mangé la langue...

C'est alors qu'elle prit conscience de toutes les toiles qui l'entouraient. Laura entra carrément dans la pièce et se mit à toupiner sur elle-même, un peu comme Antoine l'avait fait une heure plus tôt.

— Mais c'est ben beau, murmura-t-elle avant de se tourner vers son frère. T'es vraiment sûr que c'est toi qui as fait tout ça ? J'en reviens pas comme c'est beau.

Depuis que Francine était revenue dans sa vie, Laura était perpétuellement de bonne humeur. Du déjeuner au coucher, elle n'affichait désormais que sourires et tolérance, ce qui la changeait agréablement, et catégoriquement, il faut le dire, de la fille fuyante et silencieuse de l'hiver dernier. Antoine en déduisit donc que ce brusque intérêt pour son art découlait de cette nouvelle tendance à la bonne humeur inconditionnelle et que l'appréciation de Laura ne valait pas tripette, d'autant plus qu'elle était la personne la moins bien placée pour constater quelque différence que ce soit dans ses toiles. En effet, habituellement, c'est à peine si Laura jetait un regard distrait sur ce qu'il faisait.

N'empêche que ça faisait plaisir à entendre.

Antoine se redressa encore un peu plus dans son fauteuil.

Après tout, Laura venait de dire qu'elle trouvait que ses toiles étaient belles. N'était-ce pas là l'important, l'essentiel, malgré toutes les différences et les erreurs que lui voyait dans ses tableaux ?

— T'aimes ça ? demanda-t-il enfin, avec une telle dose d'incertitude dans la voix que Laura posa un regard interloqué sur lui. T'aimes vraiment ça ?

— C'est sûr que j'aime ça, répondit la jeune femme sans la moindre hésitation… Viens pas me dire que t'as des doutes, Antoine Lacaille ? Pas après les deux expositions que tu as faites et où tous tes tableaux ont été vendus en deux temps trois mouvements ! Parce que si c'est le cas et que tu doutes encore de toi, je vais te répondre sans hésiter que c'est de l'orgueil mal placé.

— Pantoute ! C'est juste normal qu'un artiste se remette en question, tu sauras.

Laura haussa une épaule hésitante, ramenant les yeux sur la toile la plus proche qui illustrait éloquemment un coucher de soleil au bout d'une des nombreuses ruelles de Montréal.

— Peut-être que t'as raison, j'en sais rien, admit-elle d'une voix quand même pas très convaincue. Mais si c'est ça, ton problème, il va se régler de lui-même et tu t'en fais pour rien, conclut-elle avec plus d'assurance.

— Comment ça ?

— C'est clair, non ? Dans quelques jours, tes toiles vont se retrouver à New York. Des tas de gens vont pouvoir les contempler. Tu verras bien, alors, si elles sont belles ou pas, si on les aime ou pas !

— Tu parles d'une réponse ! Je le sais que mes tableaux s'en vont à New York pis qu'une fois là-bas, des tas de monde vont les voir. C'est justement pour ça que je les envoie à New York, mautadine ! Mais en même temps, y' est justement là, le problème ! Si sont pas belles, mes peintures, si on les aime pas, mes peintures, j'aime pas mal mieux le savoir tusuite, pasque une fois rendues à New York, y' va être trop tard pour y changer quoi que ce soit. C'est pour ça que je dis que moé, c'est tusuite que je veux une réponse. Avant l'exposition.

Antoine avait haussé le ton comme s'il se sentait attaqué. Laura fronça les sourcils.

— T'es ben drôle, toi ! T'étais pas comme ça les autres fois. T'étais nerveux, oui, plein d'anxiété, excité comme une puce, mais t'étais pas inquiet comme j'ai l'impression que tu l'es présentement.

— Oui, chus inquiet, approuva Antoine, de la tête et de la voix. Pis en mautadine, à part de ça ! J'ai pas le droit ? De toute façon, que c'est ça change pour toé ?

— Rien, Antoine, ça ne change absolument rien pour moi. T'as bien raison. Et je ne voulais surtout pas te blesser. Tout ce que j'ai dit, c'est que je trouvais ça beau, mais on dirait que tu ne veux pas me croire. Pourquoi en faire toute une histoire ? Je ne sais pas où notre conversation s'est mise à déraper, mais si j'y suis pour quelque chose, je m'en excuse sincèrement.

La bonne volonté de Laura était si évidente que l'impatience d'Antoine retomba d'un seul coup.

— T'as pas à t'excuser, Laura. C'est moé qui est à pic, à matin, pis pas à peu près, admit-il, penaud. Pis tu peux rien faire pour m'aider, se hâta-t-il d'ajouter en voyant Laura ouvrir la bouche pour lui répondre. Quand ben même tu voudrais, tu pourrais pas, rapport que tu connais pas vraiment ça, la peinture, pis que par-dessus le marché, tu connais pas vraiment mes toiles à moé, pasque c'est pas mal rare que tu viens me voir icitte, dans l'appartement où je m'installe pour peindre.

— C'est un reproche ?

— Non, c'est juste une remarque. Pis je peux comprendre. L'hiver dernier, toé, tu passais ton temps à étudier pis c'est ben correct de même. De toute façon, c'est pas pasque moé je veux passer ma vie à faire des peintures que toé avec t'es obligée d'aimer ça.

— Ça ne m'empêche pas de savoir apprécier.

— Ah ouais ?

— Ben voyons ! C'est certain que je sais reconnaître quand

quelque chose est beau, quand quelque chose me plaît… Tiens, prends cette toile-là, celle qui est juste devant moi.

— La ruelle ?

— Exactement. La ruelle… Sais-tu à quoi elle me fait penser ?

— Non, je le sais pas à quoi ça peut te faire penser, sinon à Montréal, pasque des ruelles comme celle-là, y en a des centaines dans la ville.

— Des centaines peut-être, mais pour moi, vois-tu, il y en a qu'une, une seule qui soit digne d'intérêt. C'est celle que j'ai vue des dizaines de fois éclairée par un coucher de soleil qui ressemble à celui que tu as peint, avec cette petite poussière d'or qui recouvre tout et nous fait oublier qu'on est juste dans une minable ruelle de terre battue. Vois-tu, Antoine, ta ruelle, pour moi, c'est la cour chez Francine. Quand j'étais petite, j'ai vu des couchers de soleil comme celui-là, couleur d'abricot, des tas de fois. Et je trouvais ça beau, presque magique. Alors quand je regarde ta toile, pour moi, ça symbolise une certaine nostalgie, mais une nostalgie heureuse. C'est toute mon enfance que je retrouve dans cette toile magnifique. Alors, si j'étais une acheteuse quelconque, dans une galerie quelconque et que je voyais ta peinture, c'est sûr que j'aimerais ça l'avoir. Je ne connais pas grand-chose à l'art, c'est vrai, mais tes acheteurs sont-ils tous des connaisseurs ? Je ne crois pas. Des amateurs, peut-être, mais sûrement pas tous des experts.

— Ben voyons don…

Antoine avait l'impression de voir sa propre toile pour une première fois. Cette lumière qu'il trouvait un peu trop vive, presque irréelle, lui semblait maintenant magique, comme l'avait dit Laura.

— Merci, fit-il en toute simplicité, ému. Merci de trouver

ça beau. Pour moé, c'est le plus beau des compliments. Je voudrais juste avoir l'opinion d'un maître pour finir de me rassurer, pis je pense que ça pourrait aller. Mais je veux que tu saches que ce que tu viens de dire a ben de l'importance pour moé. Ben gros. T'es chanceuse, tu sais, de savoir dire les choses pour qu'on comprenne. Y a ben des critiques qui parlent pas aussi ben que toé.

— Tu trouves ?

— C'est sûr. Je pense que tu vas faire une bonne psychologue... Mais toute ça me dit pas si mes toiles vont plaire à New York. C'est pas que je crois pas ce que tu viens de me dire, comprends-moé ben, mais c'est juste que pour quelqu'un qui me connaît depuis mes débuts, y' va vite voir qu'y a une certaine différence entre ces toiles-là pis celles d'avant. C'est toute. C'est petête juste moé qui vois de travers, mais petête pas non plus. C'est pour ça que je disais, t'à l'heure, que j'aimerais ça avoir l'avis d'un expert, de quelqu'un qui me connaît ben.

— Dans ce cas-là, pourquoi tu n'appelles pas madame Émilie ? Elle pourrait sûrement te donner une opinion éclairée.

— Je le sais ben. Mais j'ose pas. Avec sa trâlée d'enfants, me semble que...

— Justement, interrompit Laura, tu viens de le dire. Ça va probablement lui faire plaisir d'oublier sa bande d'enfants pour quelques heures.

— Tu crois ?

— C'est sûr ! Mais si tu hésites encore, demande l'auto de popa pis vas-y. Apporte quelques toiles avec toi et va les montrer à madame Émilie. Maudite marde, Antoine ! Tu ne te vois pas l'allure ! Bouge, fais quelque chose, mais reste pas comme ça à te morfondre devant des toiles que moi, je trouve absolument splendides!

— Aller chez madame Émilie, répéta Antoine d'une voix pensive… C'est un fait que je pourrais faire ça…

Antoine sembla réfléchir quelques instants de plus, puis il leva un sourire radieux vers sa sœur.

— Ouais, c'est en plein ce que je vas faire. Merci Laura. Merci d'être venue icitte. Tu t'en rends petête pas compte, mais tu m'as aidé ben gros.

— Tant mieux! Maintenant, à mon tour de te demander quelque chose. En fait, c'est pour ça que je suis ici. C'est à propos de Francine.

— Francine? Qu'est-ce que je peux faire pour…

— En fait, c'est Bébert qui voudrait que tu sois là. As-tu deux minutes? Je vais tout t'expliquer.

— Ben, viens dans la cuisine, d'abord. Icitte, y a pas de place pour s'asseoir dans le sens du monde. On va se faire un bon café pendant que tu vas me parler. Pis après, j'vas aller voir le père à l'épicerie pour y demander son char. Ouais, ton idée est pas mal bonne pis j'attendrai pas plus longtemps pour aller voir madame Émilie.

Ces quelques mots remplis d'une joyeuse attente créèrent un surprenant contraste avec le jeune homme perturbé que Laura avait trouvé affalé dans un fauteuil du salon il y avait de cela quelques minutes à peine. Elle le suivit donc avec une certaine perplexité en tête. Ce n'était pas la première fois qu'elle remarquait qu'Antoine avait de drôles d'attitudes. Comme s'il jouait un rôle. Mais avant que Laura ait le loisir d'approfondir sa réflexion ou le temps de poser la moindre question, Antoine demanda par-dessus son épaule, la voix assourdie par le bruit de l'eau qui ricochait au fond de la bouilloire de fer-blanc:

— Pis? Que c'est que je peux faire pour Francine? Me semble qu'on se connaît pas ben ben, elle pis moé. Je vois pas en quoi je pourrais lui être utile.

Laura leva les yeux, oubliant aussitôt sa réflexion sur Antoine.

— Ce n'est pas tellement Francine qui a besoin de toi, souligna-t-elle. En fait, c'est Bébert qui veut que je te parle.

L'explication de Laura ne dura que le temps d'un café puisqu'il n'y avait pas grand-chose à dire sur la vie que Francine avait menée durant les deux dernières années et sur celle qu'elle venait d'entamer depuis qu'elle habitait chez Bébert en attendant d'être prête à se mettre à la recherche d'un nouveau travail.

— On dirait qu'elle ne se tanne pas de regarder Steve, de jouer avec lui, de se promener un peu partout dans la ville. Elle n'arrête pas de reporter sa recherche d'emploi d'une journée à l'autre.

— Ça peut se comprendre, non? On rit pus: a' l'a passé deux années de sa vie loin de son p'tit gars sans même avoir de ses nouvelles. Y a de quoi virer fou, je pense.

— C'est certain que ça a dû être bien difficile.

— Difficile, tu dis! Ce que je comprends pas, par exemple, c'est pourquoi a' l'a autant attendu pour se sauver. Me semble que moé, je serais parti ben avant ça.

— C'est parce que tu ne connais pas Francine que tu parles comme ça. Avec Francine, il suffit d'un peu d'attention, d'un semblant d'amour pour la garder captive. Elle est faite comme ça, la grande Francine. Quelques belles paroles, un regard doux, des promesses et tu viens de gagner son cœur. Malgré cela, si j'ai bien compris toutes ses explications, dans les premières semaines, elle avait essayé de se rendre en ville. Mais à cause d'une banale question d'argent, à peine dix sous pour téléphoner, tout a dérapé. Et ça aussi, ça ressemble à Francine, de ne pas prendre le temps de réfléchir avant d'agir. Mais peu importe… Pour l'instant, elle habite chez Bébert avec Steve, elle a commencé à renouer avec ses parents, et c'est de bon augure. Dans tous les domaines, elle semble bien avoir l'intention de regagner le temps perdu. De son côté, Bébert est prêt à l'héberger le temps qu'il faudra pour qu'elle se remette d'aplomb. Par contre, pas question pour lui de laisser les meubles de Francine moisir dans une grange de Deschambault parce que Jean-Marie a décidé de vivre comme un moine, sans confort, ni télévision, ni même un poste de radio.

— Pas de radio? Ben voyons don, toé! Y a pus personne qui vit de même! C'est qui, c'te Jean-Marie-là? Un malade?

— Si on veut… Comme je l'ai dit l'autre soir au souper, paraîtrait-il qu'il vit avec trois amis à lui, deux jeunes femmes et un homme, plus Francine, bien entendu, quand elle était encore là. Ils habitent tous ensemble dans une vieille maison délabrée, et Jean-Marie clame à qui veut l'entendre que Dieu les aime et veut leur rédemption à la condition qu'ils vivent dans la plus stricte simplicité, philosophie que ses amis semblent partager sans problème…

Laura hésita avant de poursuivre. Mais comme elle voulait qu'Antoine comprenne bien à qui il aurait affaire s'il donnait suite à la demande de Bébert, elle ajouta, tout en évitant le regard de son frère:

— Et ce n'est pas la seule chose qu'ils partagent à quatre, et même à cinq, quand Francine était là. Si tu vois ce que je veux dire.

Antoine fronça les sourcils.

— Non, je vois pas.

Obligée d'entrer dans les détails, Laura se mit à rougir. C'était là un sujet dont on ne parlait pas beaucoup dans leur famille.

— Depuis quelque temps, on entend parler d'amour libre, n'est-ce pas? commença-t-elle, visiblement mal à l'aise. On parle de communes un peu partout dans les revues et les journaux. On parle de gens qui partagent tout entre eux... Bien, selon Francine, c'est un peu ce que Jean-Marie a tenté d'instaurer. Et avec ses amis, bien, l'amour libre, ils le mettent en pratique régulièrement... Tout ça pour dire, coupa Laura d'une voix catégorique pour éviter qu'Antoine ne demande plus de précisions, que Bébert préfère ne pas être seul quand il va se présenter pour réclamer les meubles de sa sœur, en espérant qu'ils ne sont pas trop abîmés.

Si Laura craignait qu'Antoine insiste sur le sujet, elle s'en faisait pour rien. Après ce qu'il avait vécu aux mains de son ancien professeur de dessin, Jules Romain, qui avait abusé de lui alors qu'il n'était encore qu'un tout petit garçon, jamais Antoine n'avait osé aborder le sujet des relations intimes avec qui que ce soit, et jusqu'à preuve du contraire, il n'avait pas du tout l'intention de le faire. C'est à peine s'il osait y penser, seul avec lui-même. Soulagé de voir que Laura ne s'était pas trop attardée sur le sujet et qu'elle avait habilement sauté du coq à l'âne, il lui emboîta aussitôt le pas en demandant:

— Pis Bébert a pensé à moé pour aller chercher les meubles de sa sœur?

De toute évidence, Antoine semblait surpris et Laura en profita pour le lui faire remarquer.

— Exactement! C'est l'idée de Bébert de te demander de l'accompagner, au cas où ça tournerait mal à l'autre bout...

On dirait que tu as l'air surpris? Moi aussi, remarque, j'ai trouvé ça curieux que Bébert pense à toi, mais lui, il m'a répliqué que tu comprendrais pourquoi. De toute évidence, Bébert s'est trompé parce que tu as la face de quelqu'un qui ne comprend pas!

Antoine resta silencieux un moment, sachant fort bien à quoi Bébert faisait allusion. Antoine se releva sans répondre, revoyant très clairement le visage ensanglanté de son ancien professeur de dessin, monsieur Romain, qu'il venait de rosser en guise d'avertissement au cas où ce dernier aurait eu l'intention de s'en prendre à son petit frère Charles, qui s'était retrouvé malencontreusement dans sa classe. Oui, Antoine avait prouvé qu'il était capable de se défendre et même d'attaquer, au besoin. Il pouvait même être très méchant s'il le fallait, quitte à le regretter par la suite. Et Bébert le savait fort bien. D'où cette demande, probablement. Mais Antoine n'avait surtout pas envie d'en parler. Alors, évitant le regard de sa sœur à son tour, il rafla les tasses vides restées sur la table puis, tout en se dirigeant vers l'évier, il grommela:

— Ouais, petête que je comprends.

Laura, qui avait espéré qu'Antoine assouvirait sa curiosité, resta dans l'expectative d'une réponse un peu plus élaborée. Devant le silence d'Antoine qui s'incrustait alors que celui-ci s'entêtait à rincer méticuleusement les tasses à grande eau, une après l'autre, Laura resta un moment sans voix, déçue. Comment Bébert avait-il pu imaginer qu'Antoine serait à la hauteur si jamais Jean-Marie se montrait récalcitrant? Il n'y avait pas plus calme, plus doux, plus pacifique qu'Antoine Lacaille! Alors pourquoi celui-ci pouvait-il affirmer qu'il comprenait ce que Bébert avait dit?

Ce fut plus fort qu'elle!

— Tu comprends pourquoi Bébert a pensé à toi plutôt qu'à ses amis habituels ? fit-elle dès que l'eau cessa de couler dans l'évier, empêchant toute conversation sensée.

— Ouais…

Le temps de rincer les tasses avait permis à Antoine de se trouver une porte de sortie acceptable.

— Ça doit être à cause des cours de musculation que j'ai suivis dans le temps, expliqua-t-il avec une certaine suffisance dans la voix qui pouvait même passer pour de l'assurance. Tu dois ben t'en rappeler, non ?

Antoine glissa un regard furtif vers sa sœur avant de se détourner pour reprendre une tasse afin de l'essuyer, évitant ainsi le regard de Laura.

— Chus petête pas gros, poursuivit-il, mais j'ai du *torque*. C'est de même que le prof parlait de moé. Pis ça, Bébert le sait, rapport qu'y' est venu me voir à l'entraînement une couple de fois. Quand je tapochais le ballon de boxe, laisse-moé te dire que ça y allait par là, pis pas à peu près ! Ça doit être pour c'te raison-là que Bébert a pensé à moé. Je vois pas d'autre chose.

— Si tu le dis…

— Ouais, c'est ça que je dis. Astheure, tu vas m'excuser, mais faut que je parte tusuite si je veux avoir le temps de faire ma visite à madame Émilie. M'en vas demander au père de me passer son char avant l'heure des livraisons. Tu pourras dire à Bébert que j'vas y aller avec lui. Y' aura juste à me faire savoir quand c'est qu'y' a l'intention d'y aller.

Sur ce, Antoine posa un dernier regard sur sa sœur. Sombre, hermétique.

Quand son propre regard croisa celui de son frère, Laura n'avait pas l'air d'une femme vraiment convaincue. Cependant, elle n'insista pas, sachant fort bien que ce serait inutile.

Dès qu'Antoine arborait ce visage fermé, buté, il pouvait devenir muet comme une carpe ou cinglant comme un claquement de fouet !

Par contre, de le savoir ne l'empêcha pas de constater par elle-même, en remontant l'escalier menant au balcon du deuxième, que son frère avait une attitude bien particulière, un peu troublante, passant de l'exubérance d'un gamin à l'abattement le plus total avec une aisance qui frôlait la comédie. Passant aussi d'un silence entêté à un foisonnement de paroles lancées à débit rapide, comme s'il cherchait à tout prix à occuper l'espace afin d'éviter les questions et les ripostes.

Devant tant d'habileté, Laura aurait eu envie de dire que son frère pratiquait l'art des esquives et des faux-fuyants depuis toujours !

Pourquoi ?

Bernadette, revenue du travail et en poste aux fourneaux, mit un terme à cette intense réflexion au sujet d'Antoine. Laura n'avait pas les deux pieds dans la cuisine qu'elle se faisait apostropher par sa mère.

— Enfin, te v'là, toé ! Chus revenue plusse de bonne heure, justement pour te parler pis t'étais pas là.

— Me parler ?

— Ouais, te parler. Où c'est que t'étais, pour l'amour ? Encore avec Francine ?

— Non, je n'étais pas avec Francine. Et j'espère que ce n'est pas un reproche. Laisse-moi te dire que la pauvre Francine a grandement besoin d'amis autour d'elle. Mais non, aujourd'hui, je n'étais pas avec elle. J'étais en bas avec Antoine… Comme ça, tu veux me parler ? Est-ce que j'ai fait quelque chose qui…

— Non ! interrompit Bernadette en ouvrant un tiroir pour

prendre un couteau qu'elle tendit promptement à Laura. Pis je dirais que ça serait plutôt le contraire. C'est pas quèque chose que t'as faite qui me chicote, c'est quèque chose que tu fais pas pis que tu devrais faire tusuite, selon moé. Tiens, prends le couteau pis pèle les patates qui sont sur la table. C'est pas pasqu'on jase qu'on a du temps à perdre. Le souper va pas se faire tuseul. Pis tu le sais: quand ton père arrive de sa journée d'ouvrage, y' aime ben ça manger tusuite.

Laura n'avait aucune idée de ce que sa mère avait à lui reprocher. Bien au contraire! Elle venait de terminer son cours, la collation des grades aurait lieu dans moins de deux semaines et en plus, elle avait d'excellentes notes. Alors, pourquoi avait-elle l'impression que sa mère était de mauvaise humeur à cause d'elle?

— Je veux bien peler les patates, fit la jeune femme avec une certaine dose de circonspection dans la voix, se demandant ce qui lui pendait au bout du nez.

Laura se tira une chaise pour s'asseoir et attrapant le premier légume du bord, elle précisa, détestant les ambiguïtés:

— Et toi, de grâce, ne tourne pas autour du pot. Qu'est-ce qui se passe pour que t'aies l'air d'aussi mauvais poil?

— Y' se passe rien.

Revenue face au comptoir, Bernadette battait vigoureusement ce qui ressemblait à une pâte à gâteau.

— Comment ça, il ne se passe rien? Je ne comprends pas.

— Ben me semble que c'est pas dur à comprendre, verrat! Y' se passe rien, ça veut dire y' se passe rien.

— Pourquoi discuter, d'abord, s'il n'y a rien? Maudite marde, moman! Ça me choque assez quand t'es de même. J'aurais envie de dire comme popa: on dirait que tu parles en paraboles! Si t'as quelque chose à me reprocher, dis-le clairement, ça va éviter les tensions inutiles.

— D'accord. Tu veux que je sois claire? Ben m'en vas être claire.

Bernadette tira à elle un moule rectangulaire et tout en versant la pâte, elle demanda brusquement:

— Pourquoi c'est faire que t'as dit à ta grand-mère, l'autre jour, que tu pensais aller en voyage durant l'été?

— Parce que c'est vrai, tiens! Y a rien de décidé pour le moment, crains pas, pis j'avais l'intention de t'en parler avant de prendre le moindre engagement, mais c'est vrai que j'aimerais ça, faire un voyage durant l'été. J'ai mis pas mal d'argent de côté, l'an dernier quand je travaillais à l'Expo, se hâta de préciser Laura avant que sa mère ne se lance dans une longue diatribe sur le coût des voyages en tous genres.

Par contre, les choses se précipitaient!

Laura n'avait pas prévu que le sujet serait sur le tapis sans qu'elle l'ait elle-même décidé. En fait, elle attendait justement la remise des diplômes pour aborder cette question qu'elle savait plutôt délicate. Sa mère n'avait jamais été friande des voyages pour ses enfants, et le fait que Laura soit une adulte n'y changerait probablement pas grand-chose. C'est un peu pour cela que Laura avait choisi d'avoir son diplôme bien en mains pour annoncer qu'elle comptait partir pour quelques semaines. Devant le fichu diplôme enfin reçu, Laura se disait que sa mère serait probablement très fière d'elle et, de ce fait, peut-être un peu plus encline à accepter de voir sa fille partir pour l'Europe. Car c'était le but de son escapade, l'Europe! L'Angleterre, dans un premier temps, pour rejoindre Alicia, puis l'Italie, pour visiter Roberto. C'était surtout cette seconde partie de son voyage qui tracassait Laura. Ne connaissant pas le jeune homme et sa famille, Bernadette risquait fort d'opposer son *veto*! C'est dans la foulée de cette perspective, d'ailleurs, que Laura avait sondé l'opinion de sa grand-mère. Parler d'abord et avant tout à Évangéline lui avait semblé essentiel. Si elle était d'accord avec le projet, la vieille dame pourrait éventuellement lui servir d'alliée, ce qui n'était pas à négliger quand on était la fille de Bernadette et Marcel Lacaille!

— Hé, Laura! Je te parle, bâtard! Réponds-moé!

Laura sursauta. Perdue dans ses pensées, elle n'avait rien entendu de ce que sa mère lui avait demandé. Connaissant Bernadette comme elle la connaissait, Laura eut alors le réflexe de se dire que c'était bien mal commencer la discussion.

— Je m'excuse, moman, fit-elle d'une voix douce, sans lever les yeux, espérant qu'ainsi le bouillonnement intérieur qu'elle ressentait n'était pas trop visible. C'est vrai, j'ai pas vraiment écouté. Qu'est-ce que tu voulais savoir?

— Des tas de choses, ma fille! Je veux savoir des tas de choses. À commencer par apprendre pourquoi t'as parlé à ta grand-mère pis pas à moé. Comment ça? Chus pas une bonne mère, petête, chus pas capable d'écouter ma fille quand c'est le temps? Tu sauras, Laura, que c'est mortifiant pour une mère de voir que sa propre fille y fait pas confiance. Pis en plusse, quand on y pense ben comme faut, me semble que c'est pas ta grand-mère qui va avoir son mot à dire dans tes intentions de voyage. C'est ton père pis moé. C'est à nous deux que t'aurais dû parler en premier, pas à ta grand-mère. De toute façon, je dirais que t'es en train de mettre la charrue devant les bœufs.

— Comment ça, la charrue devant les bœufs? demanda Laura, escamotant habilement la première partie de la question de Bernadette, celle qui portait sur Évangéline.

En effet, il était toujours malaisé de faire comprendre à

Bernadette qu'Évangéline avait l'écoute plus conciliante et que de ce fait, les discussions avec elle étaient nettement plus simples et faciles.

— L'histoire de la charrue, c'est juste une image pour te faire comprendre que pour astheure, c'est pas aux voyages que tu devrais penser, ma pauvre enfant, mais ben à te trouver une job.

Maintenant la voix de Bernadette était catégorique, comme si elle se sentait à l'aise avec le nouveau sujet abordé.

— Y' serait plusse que temps, tu penses pas ?

Ce n'était que ça ?

Laura haussa les épaules. Bien qu'elle soit consciente d'utiliser tout ce qui lui passait à portée de main pour repousser l'échéance d'une course à l'emploi — et le retour de Francine la servait merveilleusement bien en ce sens —, Laura savait pertinemment qu'elle n'y échapperait pas. Tôt ou tard, elle devrait le trouver, cet emploi. En attendant, avec une certaine nonchalance, elle avait opté pour le tard, se disant qu'elle y verrait à son retour de voyage. Malheureusement, il semblait bien que sa mère n'était pas du même avis.

— Ça va venir, crains pas, fit-elle avec une conviction qu'elle souhaitait vraisemblable, sans pour autant entrer dans les détails.

— C'est toute ce que t'as à me répondre, Laura ? Ben, y a rien là pour calmer mon inquiétude. Rien en toute. Je m'inquiète, tu sauras. Pis en verrat, à part de ça. Que t'ayes la tête tournée vers les voyages plutôt que de faire des pieds pis des mains pour te trouver une job, ça marche pas pantoute. Depuis le temps que t'étudies, bâtard, tu devrais piaffer d'impatience pour mettre toutes ces belles études-là en application, non ? Moé, en tout cas, c'est de même que je me sentirais, j'en suis sûre. Pis, par-dessus le marché, tu perds ton temps.

— Comment ça, je perds mon temps ?

— Pasque les voyages, c'est pas faite pour une fille tuseule.

— Ben là, je t'arrête tout de suite, moman. Aujourd'hui, c'est pus comme dans ton temps. À l'université, j'ai connu plein de filles qui voyageaient en solitaire. De toute façon, à l'âge que j'ai, il serait peut-être temps que je puisse prendre mes décisions toute seule.

— Ah ouais ? C'est vraiment ce que tu penses, Laura ?

— Oui, c'est ce que je pense. Comment est-ce que je pourrais penser autrement, maudite marde ! Je ne suis plus une enfant. De toute façon, c'est Alicia que je veux aller voir. En Angleterre. Je ne vois pas pourquoi tu dirais non aujourd'hui, alors que tu étais d'accord quand j'étais plus jeune.

— Viens pas toute mélanger, toé là ! Pis quand tu parles d'Alicia pis de l'Angleterre, je pense que t'en oublies un boutte… Du moins, c'est ce que ta grand-mère a cru comprendre. T'avais pas parlé de l'Italie, avec elle ? De toute façon, même si t'as raison quand tu dis que t'es pus une gamine, pis même si t'as été ben généreuse à l'égard de ton frère quand on a eu besoin d'argent pour l'envoyer à Paris avec ses peintures, ça n'empêche pas que j'ai des petites nouvelles pour toé ! Justement, à l'âge que t'as, c'est une job que tu vas chercher. Verrat, Laura ! Tu frôles les vingt-cinq ans pis à part les jobines, t'as jamais vraiment travaillé. Tu viendras toujours ben pas me dire que tu trouves ça normal, toé ? De toute façon, tant que tu vas vivre icitte, dans notre maison, que tu vas manger notre manger, prends pour acquis que j'vas avoir mon p'tit mot à dire dans la plupart de tes décisions.

— Ben voyons, donc !

— Y a pas de *voyons donc* qui tienne, Laura Lacaille. C'est à prendre ou à laisser. Regarde ton frère ! Ça fait deux ans, tu sauras, qu'y' paye un loyer à ta grand-mère, pour le logement du bas, pis une pension à ton père pour les repas pis l'eau chaude qu'y' prend. Pis Antoine vient tout juste d'avoir vingt ans, je te ferais remarquer. Pis c'est correct de même. C'est la vie, ça, Laura ! Ça fait que, pour astheure, avant de venir nous seriner les oreilles avec tes ambitions de voyage, toé là, tu vas te chercher pis te trouver une job. C'est-tu clair ? Pis si ça fait pas ton affaire, tu sais ce qu'y' te reste à faire.

— Coudon, moman, serais-tu en train de me montrer la porte ?

À ces mots, Bernadette se retourna vivement, une cuillère de bois pointée vers Laura.

— Pantoute, Laura ! Fais-moé pas dire ce que j'ai même pas pensé. T'auras toujours ta place icitte, pis tu le sais. Ça vaut aussi pour Antoine pis Charles, comme de raison. Mais en ce qui te concerne, y' serait temps que tu regardes la réalité ben en face. Pis la réalité d'une femme de vingt-cinq ans, c'est de penser à gagner sa vie pour aider ses parents tant qu'a' vit sous leur toit. On t'a aidée, nous autres, quand c'est que le temps de l'université est arrivé. En plus, j'ai pas hésité une miette à tenir tête à ton père pour te soutenir dans tous tes projets d'études. Même quand t'as changé d'idée pis que t'as lâché ton cours de professeur pasque tu disais que tu te voyais plusse dans la peau d'un psychologue. Ouais, je t'ai toujours aidée, Laura. Ben, astheure, c'est à ton tour de nous rendre la pareille. Un point, c'est toute ! Le reste, toute le reste, ça viendra après. As-tu compris ?

— Crains pas, moman ! Pour comprendre, j'ai tout compris. Ton discours pouvait pas être plus clair !

— Ben tant mieux, pasque c'est en plein ce que tu m'avais

demandé de faire: être claire dans mes propos, pis c'est pas toujours que j'y arrive! Faut croire qu'aujourd'hui, je trouvais ça assez important pour trouver les bons mots. Astheure que toute a été dit, mets de l'eau pis du sel dans le chaudron pis fais cuire les patates. J'vas en avoir besoin dans quèques menutes pour le pâté au saumon.

* * *

Au réveil, ce matin, les résidants de la ville s'étaient rendu compte que l'été venait de s'installer sans le moindre préavis, bousculant, durant la nuit, un printemps anémique qui s'était éclipsé en douceur, sans velléité de riposte. C'est pourquoi en ce moment, par une merveilleuse soirée de mai qui avait des prétentions de juillet, tous les balcons de Montréal étaient occupés par des citadins désireux de profiter du plus infime souffle d'air pour se rafraîchir.

Le balcon de Bébert ne faisait pas exception à la règle, et une fois le petit Steve couché et endormi, Laura et Francine s'y étaient installées côte à côte, sur des chaises de cuisine. Elles attendaient le retour des hommes, partis récupérer les biens de cette dernière dans la région de Québec. Bébert avait emprunté le camion de son ami Réginald, qui faisait des déménagements en tous genres avec une spécialité pour les pianos. Le camion était donc de bonne dimension, et tout le butin de Francine devrait y trouver place sans trop de difficulté.

En s'esclaffant comme des gamines, les deux filles avaient décidé de faire trempette dans la vieille bassine de fer-blanc des Gariépy que Bébert utilisait pour faire son lavage. Ce soir, la même bassine faisait office de bain de pieds après avoir goûté à la vocation de piscine pour le petit Steve durant l'après-midi.

Depuis deux semaines, Laura était venue chez Bébert plus souvent que durant les dix derniers mois réunis.

Et depuis jeudi dernier, jour du fameux discours de Bernadette, elle y passait même le plus clair de son temps, au grand plaisir de Francine qui semblait déterminée à rattraper le temps perdu.

— Te rends-tu compte, Laura ? Deux ans, sainte bénite ! J'ai passé pratiquement deux ans de ma vie sans parler avec une amie. C'est quasiment pas croyable ! Deux ans sans cinéma, non plus, sans pouvoir écouter les nouvelles chansons de la radio, sans même regarder les programmes de la télévision. Deux ans sans rien d'autre que la fichue campagne avec ses vaches pis ses maudits coqs le matin de bonne heure ! Bonté divine que ça a été long ! Quand t'as juste le Bon Dieu avec qui jaser, laisse-moé te dire que le temps passe pas ben vite. Pis y a eu l'Expo 67 que j'ai même pas vue. Tu peux pas savoir comment j'étais déçue de pas montrer ça à mon p'tit ! Toute ce que j'en sais, c'est dans le p'tit journal du samedi que je l'ai vu, les samedis ousque Jean-Marie décidait de l'acheter, comme de raison, pis y avait personne à côté de moé pour que je puisse en discuter. Le Bon Dieu, Lui, Y' répond pas à des affaires de même, quand ben même t'en parlerais durant des heures, ça sert à rien. Laisse-moé te dire que c'est pas vargeux, comme compagnie, une croix sur un mur pis une vieille statue. Tandis que toé, la chanceuse, tu l'as vue de proche, l'Expo 67. Raconte-moé encore, Laura. Dis-moé comment c'était beau pis intéressant, toutes les pavillons !

Laura éclata de rire.

— T'as toujours été pas mal championne pour la jasette, Francine, mais là, tu bats des records ! Mais c'est vrai que le temps a dû te paraître plus que long... Pour l'Expo, par contre, je ne vois pas ce que je pourrais t'en dire de plus que tout ce que j'ai expliqué à date ! C'est vrai que c'est un peu triste tout le temps que t'as vécu loin d'ici, mais dans le fond, à part l'Expo qui ne reviendra plus, t'as pas perdu grand-chose. La radio passe encore toutes les chansons nouvelles pis aujour-d'hui, on a des cinémas qui présentent les vieux films. On aura juste à aller les voir ensemble parce que moi non plus, je ne les ai pas vus, sauf ceux où je suis allée avec Bébert quand j'avais le temps.

— Pasque tu vas au cinéma avec mon frère, astheure ?

— Pourquoi pas ? Par la force des choses, avec toi à Québec pis le petit Steve qui est devenu notre filleul, on a appris à se connaître, lui et moi. C'est long la route entre Montréal et Québec, tu sauras. On a eu tout le temps voulu pour parler et discuter. C'est comme ça qu'on a appris à se connaître, Bébert et moi. Et je dirais qu'on s'entend pas mal bien. Dans le fond, il te ressemble un peu dans sa manière d'être, dans sa manière de parler. C'est peut-être pour ça que je me sens à l'aise avec lui. C'est un peu comme si j'étais avec toi.

— Hé ben…

Francine hochait la tête, un sourire malicieux sur les lèvres.

— C'est vrai qu'y' est fin, mon frère, approuva-t-elle enfin. Tu te rappelles-tu quand on était p'tites pis qu'on le faisait étriver en mangeant lentement nos popsicles, carré dans sa face ? Fallait-tu être effrontées ! Dans c'te temps-là, j'aurais jamais cru qu'un jour, je finirais par m'entendre aussi ben avec lui.

Laura esquissa un sourire mélancolique comme si elle pre-nait conscience, brusquement, à quel point la vie avait passé vite.

— Oui, je m'en souviens, de nos popsicles, et je me rappelle très bien de la face de Bébert, acquiesça-t-elle d'une voix à la fois nostalgique et amusée. Y' avait pas l'air vraiment content !

Je me souviens aussi qu'on a eu des tas de discussions, toi et moi, sur la musique d'abord quand on était plus petites, puis sur les films quand nos parents ont jugé qu'on était enfin assez grandes pour aller au cinéma toutes seules. Te souviens-tu du vieux tourne-disque que mononcle Adrien m'avait donné ?

— Ton vieux *pick-up* ? Comment veux-tu que j'oublie ça ? Je te trouvais assez chanceuse d'avoir des records que tu pouvais écouter autant que tu le voulais tandis que moé, fallait que j'attende que personne aye besoin du vieux radio pour pouvoir écouter ma musique... C'est vrai qu'on passait des heures, assis sur la balançoire, à se donner des allants pis à parlementer sur les chansons pis les films. On en a-tu passé du temps à parler de toute ça, pas rien qu'un peu ! Quand j'étais dans ma campagne, j'y pensais souvent, à la cour de mes parents, tu sauras. Je me disais que c'était le bon temps, mais que, quand notre jeunesse avait passé, on était trop jeunes, justement, pour s'en rendre compte. Toute ce qu'on espérait, dans c'te temps-là, c'était de vieillir pour être enfin libres de faire ce qu'on voulait... Dans le fond, quand j'y pense aujourd'hui, on savait pas pantoute de quoi on parlait, sainte bénite ! Veux-tu que je te dise de quoi, Laura ? Quand j'étais tuseule, dans ma campagne, après avoir pensé à nous autres, je pensais tout le temps à mon p'tit, c'était comme un réflexe, comme normal que ça soye de même, pis c'est là que je comprenais que je venais de me tromper. Ouais, c'est ben beau la jeunesse, j'ai rien à redire contre ça, c'est une sorte de bon temps, comme je viens d'en parler pis comme le répétaient mes parents, mais le plus beau de ma vie, y' a commencé quand Steve est arrivé. C'est lui qui a donné un sens à toute ce que je faisais... Même si c'était ben dur par bouttes, au début, jamais j'vas pouvoir regretter ça. Y' a pas besoin de parler, mon Steve, pour que je me sente pus tuseule, y' a juste besoin d'être là. Ouais… Y'a juste besoin d'être là, pis chus ben en dedans de moé comme c'est pas disable. Tu peux-tu comprendre ça, Laura?

Laura esquissa un sourire ému en se disant que les grandes études ne sont pas toujours nécessaires. En quelques mots simples, sans même en prendre conscience, Francine venait de lui donner toute une leçon de vie. La jeune femme tourna la tête vers son amie.

— Tu m'as manquée, toi, fit-elle tout simplement, espérant que Francine comprendrait ce qu'elle voulait exprimer par ces quelques mots.

— Ben si moé je t'ai manqué, Laura Lacaille, rétorqua vivement Francine, s'arrêtant justement au sens premier des mots, imagine ce que moé je vivais, perdue tuseule au fin fond des rangs. C'est pas mêlant, des fois, j'en braillais tellement j'étais malheureuse, tellement je m'ennuyais de toé. Ça fait que, sans vouloir te faire de peine, imagine, astheure, ce que je pouvais ressentir quand je pensais à mon p'tit! Pas bouttes, ça faisait tellement mal en dedans que j'avais envie de crier. C'est-tu possible? Le pire, c'est que toute ça est arrivé à cause d'un homme qui m'a faite des accroires. Maudit Jean-Marie pas fiable! Je peux-tu te dire, Laura, que c'est pas demain la veille que j'vas avoir envie de suivre un autre homme? Deux menteurs, dans une vie, ça me suffit en masse. De toute façon, je l'ai, mon homme. C'est mon Steve. À partir d'astheure, ça va être lui, mon p'tit homme. Ensemble, lui pis moé, on a besoin de personne d'autre. On s'arrangeait ben avant que Jean-Marie retontisse dans nos vies, hein? Ben, on va recommencer comme avant. C'est toute, sainte bénite!

Il y avait tellement de conviction et d'espoir en l'avenir

dans la voix et les propos de Francine que Laura n'osa lui faire remarquer que son petit homme n'avait que cinq ans. Et que de toute façon, il serait toujours son fils et non son homme. Elle n'osa lui dire que c'était même une erreur flagrante de penser à lui comme à un homme sur qui elle pourrait compter. En fait, c'est tout le contraire qui aurait dû se produire. Mais Laura ne dirait rien pour le moment. Il serait toujours temps d'y revenir plus tard et ce n'étaient pas quelques semaines de plus ou de moins qui allaient changer quoi que ce soit dans la vie de Steve. De toute façon, le petit garçon était tellement heureux d'avoir retrouvé sa maman ! N'était-ce pas là l'important ? Contre toute attente, les retrouvailles s'étaient faites avec une facilité déconcertante, avec un naturel désarmant à faire pousser un grand soupir de soulagement à tout le monde, et ce n'était sûrement pas Laura qui allait y mettre un bémol. Pas pour l'instant...

— Je suis contente de voir que t'as assez de force en toi pour croire encore en l'avenir, souligna donc Laura avec entrain. Une autre que toi aurait probablement besoin d'aide, peut-être même d'une thérapie pour reprendre prise dans sa vie. Mais pas toi !

— Pourquoi j'aurais besoin d'aide ? demanda Francine en haussant les épaules, visiblement surprise de voir que Laura pouvait penser de la sorte. C'est pour me sortir de c'te foutue campagne-là que j'avais besoin d'aide. Pas astheure... Non, astheure que c'est faite, y' me reste juste à trouver un peu d'énergie pour me chercher une job. Y' est juste là, mon problème ! Mais c'est drôle, hein, chus comme vidée. C'est comme si, en dedans de moé, y' restait juste un peu d'allant pour mon p'tit. Le reste, toute le reste, ça me dit pus rien. Même le cinéma que j'ai toujours aimé ben gros, ça me tente pas, pas pour astheure. Ça se peut-tu ? Pourtant, bonté divine, va ben falloir que je me réveille un jour. Va ben falloir que je parte d'icitte pour m'installer dans mes affaires.

— Y a rien qui presse, Francine.

— Je le sais ben ! Bébert arrête pas de me le dire. Y' est assez fin avec moé, j'en reviens pas. N'empêche que lui avec, y' va finir par vouloir vivre sa vie d'homme, pis j'vas devenir un embarras pour lui. À l'âge qu'y' est rendu, mon frère doit ben commencer à vouloir fonder une famille, non ? C'est pas pasqu'y' en parle pas qu'y' y pense pas, j'en suis sûre. Y' aime trop les enfants, pis y' est trop fin avec mon Steve pour vouloir rester vieux garçon.

— Peut-être, je ne le sais pas…

Curieusement, Laura n'était pas à l'aise d'aborder ce sujet.

— Tu vois, c'est quelque chose dont on ne parle jamais, lui et moi, expliqua-t-elle, espérant que la discussion en resterait là. Bébert et moi, on parle d'avenir à travers le travail, les études, bien sûr, mais pour le reste… Dans le fond, l'amitié entre un garçon et une fille, ça ne pourra jamais être la même chose qu'entre deux filles. Il y a des choses dont on ne parle pas avec un garçon. Et je crois bien que l'amour fait partie de ces choses-là, affirma enfin Laura avec plus d'assurance.

— Tant qu'à ça, approuva Francine d'un ton évasif. C'est vrai qu'y a des affaires, de même, qu'on a plusse de misère à parler avec les gars…

Francine resta songeuse un moment.

— En tout cas, laisse-moé te dire que pour astheure, reprit-elle, d'une voix nettement plus catégorique, l'amour, ça veut pus dire grand-chose pour moé. Pis quand ben même on en discuterait jusqu'à demain, toé pis moé, ça changerait pas l'opinion que j'en ai, sainte bénite !

C'est à ces mots que Laura comprit qu'elle ne parlerait pas de Roberto avec Francine, malgré la terrible envie qu'elle avait de partager ses espoirs le concernant.

Déçue, elle retint à grand-peine le soupir qui lui gonfla la poitrine.

Il n'y avait personne, finalement, avec qui elle pouvait parler de Roberto. Même avec Elena, l'amie avec qui elle avait travaillé à l'Expo et qui était la cousine de ce dernier, Laura n'osait plus parler de lui, car celle-ci n'arrêtait pas de la mettre en garde, ce que Laura commençait à trouver plutôt assommant.

— Fais attention, Laura ! Roberto est un Italien et en Italie, les choses ne se passent pas comme ici !

— T'arrête pas de dire ça ! Ça commence à me taper sur...

— C'est parce que c'est vrai, Laura, coupait invariablement Elena, visiblement désolée. Je ne dis pas ça pour te blesser inutilement. Qu'est-ce que ça me donnerait de le faire ? De toute façon, au-delà de tout ce qu'il peut t'écrire ou te demander, ou même te promettre, n'oublie jamais que la vie de Roberto sera toujours en Italie, pas ici.

Que répondre à cela, sinon que si l'amour, le vrai, décidait de s'en mêler, bien des choses pourraient changer ? Mais là encore, même si Laura le croyait fermement, avec la ferveur d'une femme amoureuse, elle risquait les rebuffades et elle n'avait pas envie d'argumenter. Alors, elle ne disait rien, gardant pour elle ses espoirs et ses rêves, les entretenant durant les nombreuses heures d'insomnie qui ponctuaient ses nuits depuis quelque temps.

Cette fois-ci, Laura poussa un profond soupir à l'instant où Francine éclatait de rire en soulevant les pieds au-dessus de la bassine. Puis, toujours aussi rieuse, elle se mit à secouer ses jambes vigoureusement, frappant ses chevilles l'une contre l'autre.

— Je le sais pas pour toé, mais moé, j'ai les orteils toutes ratatinés. Envoye, Laura, lève tes pieds, j'vas aller vider c'te bassine-là dans le bain pis j'vas te ramener une serviette pour que tu puisses t'essuyer. Après, on pourrait petête aller dans la cuisine pour se faire un p'tit sandwich ? Que c'est t'en penses ? J'sais pas ce que j'ai, mais depuis que chus revenue vivre en ville, j'ai faim tout le temps.

Laura regarda autour d'elle, surprise de constater que le soleil était déjà couché. Les lampadaires étaient même allumés. Elle aussi, elle avait faim.

— D'accord pour le sandwich, approuva-t-elle, mais, si ça te fait rien, on va se dépêcher. Je ne sais pas ce que font les deux gars, mais moi, je veux rentrer. Il commence à faire noir et je n'aime pas ça, retourner chez moi à la noirceur.

Tandis que Laura parlait, Francine était déjà en train de rentrer la bassine. Surprise par la réponse de Laura, elle s'arrêta un moment. La porte appuyée sur sa hanche et la bassine à bout de bras, elle se retourna pour se retrouver face au dos de Laura.

Francine fronça les sourcils en se mordillant la lèvre.

Laura regardait droit devant elle, comme si la banale maison de briques jaunes, de l'autre côté de la rue, revêtait brusquement un intérêt particulier.

En deux ans de vie commune avec Jean-Marie, Francine avait appris à analyser et à comprendre les attitudes des gens; il y allait parfois de sa survie. Bien sûr, la jeune femme ne savait pas plus maintenant qu'auparavant ce qu'elle pouvait dire aux gens, s'empêtrant encore régulièrement dans ses mots. Mais elle avait appris à deviner les émotions et les intentions. Alors, en ce moment, à voir son amie fixer un mur de briques sans intérêt, à voir sa nuque et ses oreilles rougies par la gêne, elle savait que celle-ci jouait avec la vérité. Au fond, Laura se moquait complètement de marcher dans les rues le soir, Francine en était persuadée. Alors, pourquoi lui dire le contraire ? Francine ne comprenait pas même si elle était persuadée d'avoir raison.

Laura lui mentait.

Le pourquoi de la chose, par contre, lui échappait complètement. Sans plus réfléchir, Francine lança:

— C'est nouveau, ça ! Depuis quand t'as peur de la noirceur, Laura Lacaille ?

À cette question, Laura comprit que son amie ne se laissait plus berner aussi facilement qu'avant même si malgré une certaine simplicité, Francine avait toujours eu les yeux clairs et un franc-parler.

Laura resta immobile, préférant éviter le regard de son amie. Elle ne voulait surtout pas entrer dans les détails, se disant, mal à l'aise, que Francine n'avait pas à savoir qu'à son âge, elle devait encore et toujours obéir aux consignes de sa mère.

Et rentrer avant dix heures le soir en faisait partie, à moins d'avoir une bonne raison pour étirer la permission.

Laura retint un soupir de contrariété, consciente du ridicule de sa situation.

Seuls les mois où elle avait travaillé à Terre des hommes avaient échappé à cette règle, les horaires de Laura étant plutôt variables.

— Avant, Francine, tu ne demeurais pas à six coins de rue de chez moi, expliqua-t-elle enfin, toujours sans lever les yeux. J'avais à peine trois pas à faire ! Noirceur ou clarté, ça ne changeait pas grand-chose pour moi, c'est vrai. Tandis que maintenant...

Francine leva le sourcil droit, perplexe, puis elle esquissa une petite grimace avant de donner un vigoureux coup de hanche sur la porte pour repousser le battant qui l'empêchait d'entrer dans le corridor.

— Ouais... Disons que c'est ça, admit-elle enfin avec une nette pointe d'incertitude dans la voix, mais bien déterminée à ne pas insister.

Un silence un peu lourd, embarrassé, succéda à ces quelques mots.

— Attends-moé sans grouiller, ajouta alors Francine par-dessus son épaule tout en s'éloignant dans le corridor. Je reviens dans deux menutes avec la serviette. Pis pense à ce que t'aimerais le plusse ! Des sandwiches au jambon ou ben des sandwiches aux tomates ? Décide ! Moé, ça me dérange pas pantoute pasque j'ai ben que trop faim pour faire ma difficile ! Deux ans à manger juste quand on te dit de manger, pis pas beaucoup à la fois, laisse-moé te dire que ça te donne faim pour le reste de ta vie, sainte bénite !

Ce fut un sandwich aux tomates, et Laura quitta l'appartement dans la demi-heure sans que les garçons fussent arrivés.

La soirée était toujours aussi clémente et la brise aussi douce. Même si elle devait accélérer le pas pour arriver à l'heure dite, Laura tenta de profiter de la douceur de l'air, l'esprit coincé entre l'attitude de sa mère qui la traitait encore comme une gamine, l'envie de partir pour l'Europe, envie qu'elle n'était pas certaine de pouvoir assouvir, et l'inquiétude devant le retard des garçons qui avaient promis d'être rapidement de retour.

Finalement, Laura ne profita aucunement de cette courte

balade qui, en soi, aurait pu être agréable.

En quinze minutes à peine, elle arrivait au coin de la rue chez elle. Le casse-croûte de monsieur Albert était encore ouvert, et les passants entraient et sortaient du commerce en s'interpellant joyeusement.

La machine à crème glacée molle devait avoir repris du service !

Laura enfonça la main dans la poche de son pantalon. Malheureusement, elle n'avait pas un sou sur elle. Tant pis ! S'il faisait beau demain, elle proposerait à Francine de venir manger de la crème glacée avec Steve. Un gros sundae au chocolat avec une montagne de cerises, comme elles en partageaient un quand elles étaient plus jeunes. Souriant à la perspective de renouer avec une si agréable habitude, Laura tourna alors le coin de la rue qui menait chez elle. Plus loin, au fond de l'impasse, quelques gamins jouaient au hockey avec une balle de caoutchouc et curieusement, juste derrière eux, les lumières de sa maison étaient toutes éteintes.

Il n'y avait donc personne chez elle ?

Laura fronça les sourcils, intriguée, un peu choquée de s'être hâtée pour rien. Avec une telle chaleur, ses parents ne pouvaient pas être couchés et sa grand-mère non plus. Quant à son jeune frère Charles, même en hiver, il fallait se battre avec lui pour l'envoyer au lit !

Laura accéléra le pas, l'inquiétude se greffant alors à la curiosité. Ce n'est qu'au moment où elle aperçut enfin la cousine Angéline, la fille de sa tante Estelle, qui vivait avec celle-ci dans un des petits logements du bas depuis de nombreuses années déjà, que Laura jugea qu'elle s'en faisait probablement pour rien. Personne à la maison n'avait eu d'accident et personne n'était malade. En effet, la cousine se berçait bien calmement sur le perron de l'appartement du bas et à l'instant où elle reconnut Laura, elle leva le bras pour la saluer en lançant aussitôt, fort joyeusement:

— Laura! Enfin, te voilà! Ça fait au moins une heure que je t'espère. Depuis, en fait, l'instant où ma mère, ta grand-mère et ta mère sont parties se promener ensemble pour profiter de la soirée. Faut croire que leur promenade est agréable, car je n'ai plus de nouvelles depuis! Viens, viens t'asseoir un moment. J'ai quelque chose à te proposer!

Laura accéléra alors l'allure, la curiosité prenant le pas sans hésitation sur sa brève inquiétude.

Elle aimait bien Angéline, qui était une femme calme, réfléchie. C'était même sous son influence que Laura avait changé d'orientation à l'université. À force de parler de son travail avec enthousiasme, Angéline l'avait convaincue qu'il n'y avait pas métier plus merveilleux que celui de psychologue.

Alors, qu'est-ce qu'Angéline pouvait bien lui vouloir ce soir?

* * *

— Enfin! Veux-tu bien me dire ce qui s'est passé?

Accoudée à la balustrade du balcon arrière de la maison, inquiète pour Bébert et Antoine, Laura chuchotait presque. À deux heures du matin, Antoine revenait enfin.

— Parle-moé-s'en pas, répondit Antoine sur le même ton feutré tout en levant la tête vers sa sœur. Pour un voyage plate, ça a été tout un voyage plate.

À son habitude, Antoine grimpa l'escalier, deux marches à la fois, et rejoignit Laura en quelques instants.

— Mais au moins, on a toutes les meubles de Francine,

déclara-t-il en passant devant sa sœur pour entrer dans la cuisine. Si t'as deux menutes, m'en vas toute te raconter ça en me préparant de quoi manger, pasqu'en plusse, on a pas eu le temps de souper. Je meurs de faim !

— Il doit rester du jambon pis des patates pilées, annonça Laura en entrant dans la cuisine à son tour. C'est ça qu'on avait pour souper. Mais dévore pas tout le jambon, comme tu fais d'habitude, parce que moman a dit que demain elle voulait faire des crêpes farcies avec les restes.

— Des crêpes au jambon ? Miam ! Crains pas, m'en vas en laisser ben en masse... La journée, astheure ! Une vraie journée de fou !

Après avoir rapidement fait chauffer les pommes de terre, tout en mangeant, Antoine raconta une journée truffée de surprises surtout désagréables. Du camion emprunté qui avait eu deux crevaisons à Jean-Marie qui s'était montré plutôt récalcitrant, la journée lui avait semblé passablement longue.

— On a pas sorti les poings, mais ça a été ben juste, tu sauras.

Entre les bouchées, Antoine expliquait le déroulement des événements.

— J'ai rarement vu un cave pareil ! Maudit Jean-Marie ! C'est rien qu'un imbécile qui se prend pour un autre pis qui baragouine des discours pas comprenables. Des discours sur le Bon Dieu pis les légumes, ben mélangés ensemble, ça se peut-tu ? Pis après, y' s'est lancé dans un espèce de sermon sur les p'tits oiseaux pis l'amour... Je te le dis, un vrai fou ! Pauvre Francine ! J'ai ben de la misère à comprendre qu'a' soit pas devenue folle elle-même à vivre avec un gars pareil. Pis ses amis sont pas le diable mieux ! Toute ça pour dire que ça a pris au moins deux heures de discussions, de menaces dans le vide, de sermons de Jean-Marie où j'ai pas compris grand-chose, pour finalement voir Bébert pogner les nerfs pis se garrocher vers la grange. Comme la porte était fermée par un cadenas, y' s'est mis à varger dedans à grands coups de pieds en beuglant comme un enragé. C'est là que je l'ai rejoint pour y donner un coup de main, pasque c'est raide en s'y' vous plaît, du bois sec de même, pis je voulais qu'y' se calme un peu. Mais ça a rien changé. C'est là que la chicane a failli virer en vraie bataille. Jean-Marie criait après nous autres, les filles criaient après Jean-Marie, pis l'autre gars criait après tout le monde. Avec Bébert qui voyait pus clair, imagine un peu le portrait! Au boutte du compte, quand Jean-Marie a vu que Bébert commençait à voir rouge, pis qu'en plusse y' le menaçait de l'embrocher sur une fourche comme un poulet, y' est rentré dans leur maison pour chercher les clés. Quand y' est ressorti de sa maison, y' a lancé les clés à Bébert en nous prédisant toutes sortes de malheurs, dans le genre visite de la police ou flammes de l'enfer. Mais au moins, à partir de là, nous autres on a pu travailler en paix. Le cadenas toute rouillé a fini par céder, pis on a retrouvé les affaires de Francine. Quand on est repartis, tout le monde avait disparu pis on entendait plus un mot. On aurait même pu revenir pour souper, je pense ben, si le maudit camion à Réginald, le chum à Bébert, avait pas eu deux flats de suite. Ça se peut-tu? Pas juste un, deux! Le premier dans le boutte de Notre-Dame-du-Cap, proche de Trois-Rivières, pis l'autre en arrivant à Lanoraie. On a perdu deux heures au moins à chaque fois, rapport qu'y' fallait vider une partie du ménage à Francine pour arriver à changer le pneu pasque le camion était trop pesant pour le cric. Pis en plusse, la deuxième fois, y' a fallu trouver un garage d'ouvert pour réparer le flat pasqu'on avait pus de *spare*, vu qu'on l'avait mis de l'autre bord du camion une heure avant! J'ai jamais été aussi content de voir l'affiche de Montréal apparaître sur le bord du chemin! Le temps de passer mettre le stock à Francine dans un coin du garage à Bébert pis me v'là! Si j'avais su ce qui m'attendait, pas sûr que j'aurais dit oui.

Un sourire amusé sur les lèvres, Laura avait écouté Antoine sans l'interrompre.

— Au moins, constata-t-elle, Jean-Marie vous a laissés faire. Comme je le connais, il aurait pu être pas mal plus contrariant que ça. Alors, tout est bien qui finit bien. C'est Francine qui va être contente. Rien que pour ça, je te dis merci.

Repu, Antoine repoussa son assiette.

— C'est vrai que ça valait la peine d'essayer, admit-il après s'être essuyé la bouche. Quand je dis que chus pas sûr que j'y aurais été, je le pense pas vraiment, tu sais. Après toute, Bébert, c'est mon ami pis Francine, c'est sa sœur. C'est ben assez pour avoir envie de les aider. Pis quand on y pense comme faut, recommencer à zéro, quand t'as un p'tit en plusse, ça doit pas être ben drôle. Tandis que là, Francine aura pas grand-chose à s'acheter le jour où a' va se prendre un appartement à elle… Bon, c'est ben beau toute ça, mais y' est pas mal tard. Faut que j'aille dormir, pasque j'ai une grosse journée à faire demain.

— Comment ça? Je croyais que tu avais fini toutes tes toiles, toi?

— Oh oui, sont finies, mes toiles, pis ben finies, à part de ça. Du moins, c'est ce que madame Émilie a dit l'autre jour. J'ai pas besoin d'y retoucher. C'est justement pour ça que demain, y' faut que je les prépare pour les envoyer à New York. C'est long pis plate à faire, mais j'ai pas le choix. J'ai réservé un camion qui devrait être ici vers deux heures.

— Est-ce que je peux t'aider ?

— Toé ? M'aider ?

Antoine avait l'air indécis. Il fixa sa sœur un moment puis, dans un geste de fatigue bien légitime, il laissa échapper un long bâillement.

— Pourquoi pas ? fit-il enfin en se relevant. Ça devrait être un peu moins dur que d'habitude, pasque j'ai trouvé des bonnes caisses en carton fort pis du papier spécial qui devrait suffire pour protéger mes peintures. Comme ça, si toute va comme je pense, on aura pas besoin de faire des carcasses en bois... Ouais, si t'es prête à me donner un coup de main, c'est sûr que toute va être emballé pis prêt à partir pour deux heures.

— Alors, compte sur moi ! On se retrouve au déjeuner.

— Ben merci, Laura. À huit heures, j'vas être debout pis à deux heures, j'vas pouvoir recommencer à respirer normalement ! C'est pas mêlant, à chaque fois, c'est pareil ! J'ai toujours peur de pas y arriver... Bonne nuit, là !

L'instant d'après, Laura entendait la porte de la chambre d'Antoine qui se refermait doucement. Fatiguée, elle aussi, elle se dirigea vers la sienne et se glissa sous les couvertures. Pourtant, malgré sa fatigue, Laura mit un temps infini avant de glisser dans le sommeil, à cause de la voix de la cousine Angéline qui résonnait dans sa tête, l'empêchant de s'endormir.

Angéline...

La cousine de son père lui avait fait une proposition qui résoudrait peut-être certains problèmes, comblerait certaines hésitations, aiderait à faire certains choix.

En un mot, la proposition enthousiaste de la cousine

Angéline était peut-être la solution à ce que Laura voyait, depuis des années maintenant, comme une décision déchirante à prendre.

Pourquoi pas ?

Laura se retourna dans son lit, les yeux grands ouverts sur la lune qui s'était invitée à passer un moment dans un carreau de sa fenêtre.

Cette proposition, que certains n'apprécieraient pas à cause de sa précarité, était, au contraire, la solution rêvée aux yeux de Laura.

— Ouais, j'aurais pas pu trouver mieux, murmura-t-elle en se retournant encore une fois, agacée maintenant par la lumière blanchâtre de la lune.

Alors qu'elle n'arrivait toujours pas à se faire une idée précise de ce qu'elle voulait comme avenir, la jeune femme venait peut-être de trouver un remède à ses atermoiements tenaces.

Et cela lui permettrait, en même temps, de faire le voyage auquel elle n'avait toujours pas renoncé parce que dans un certain sens, les objections de sa mère ne tiendraient plus.

Certaines objections…

Car le fait d'être une femme, lui, ne changerait pas et Laura n'y pouvait pas grand-chose… À elle, maintenant qu'elle avait un emploi, de convaincre sa mère que dorénavant, les femmes voyageraient de plus en plus souvent seules et que les risques de le faire n'étaient pas si importants.

Et que l'Italie était un merveilleux pays qui méritait d'être visité.

— J'aurais jamais dû parler de l'Italie, aussi. Pour ça, grand-moman va être obligée de m'appuyer, marmonna Laura en se retournant sur le dos, de plus en plus inconfortable entre ses draps moites. J'aurai pas le choix: il va falloir que j'attende qu'elle soit là pour aborder le sujet. Après tout, elle aussi, elle a voyagé toute seule et rien de terrible ne lui est arrivé. Et en plus, je vais visiter Alicia. Moman connaît bien Alicia et elle connaît même sa mère, Charlotte, qui se trouve à être la sœur d'Anne que grand-moman apprécie au plus haut point.

La voix de Laura, qui semblait s'adresser à la lune, se faisait de plus en plus évasive, de plus en plus lente, de plus en plus endormie.

— Ouais, grand-moman va m'appuyer, observa-t-elle en bâillant, c'est pratiquement certain. Avec un peu de chance, moman a peut-être oublié l'Italie. On sait jamais… Pis va falloir qu'elle finisse par comprendre le bon sens, maudite marde ! Faut quand même pas exagérer. C'est bizarre… Autant moman peut être en avance sur son temps pour certaines choses, autant elle est vieux jeu pour d'autres. C'est fatigant, par bouttes !

Quand Laura sombra enfin dans un sommeil agité, les oiseaux commençaient à ajuster timidement leurs chants.

Elle se leva donc la tête vaseuse et le cœur inquiet face à la perspective d'un voyage qui la faisait rêver. Elle fut déçue de constater que ses parents étaient déjà partis pour l'épicerie. Elle ne pourrait donc pas leur parler tout de suite et comme elle avait promis à Antoine de l'aider, elle n'avait pas le temps de faire un saut à l'épicerie. Ça irait donc au souper pour annoncer qu'Angéline avait un poste pour elle à partir du mois d'août. À temps partiel, d'accord, mais c'était mieux que rien. Et dans la logique de Laura, c'était même parfait. Avoir quelques jours de libres, chaque semaine, lui permettrait de se joindre à l'équipe de l'épicerie. Pourquoi pas ? De cela aussi, Laura n'arrêtait pas de rêver…

— Ça serait vraiment avoir le meilleur des deux mondes, soupira-t-elle en glissant deux tranches de pain grillé dans son assiette.

Quand Antoine la rejoignit dans la cuisine, il était tellement tendu que Laura cessa aussitôt de penser à son avenir. Elle y reviendrait plus tard, quand elle aurait du temps de libre ou quand elle rejoindrait Francine, s'il restait du temps de libre !

Heureusement, Antoine avait eu raison. En quelques heures à peine, la majorité des toiles étaient déjà emballées et prêtes à être expédiées à New York. Avec un peu de chance, dès demain matin, monsieur Longfellow les aurait reçues.

— Ben là, chus content…

Antoine venait de décrocher les deux dernières toiles suspendues au mur. Il ne restait plus que les plus grands tableaux à préparer pour le transport et, par chance, ils n'étaient pas trop nombreux.

— Encore deux boîtes pis c'est faite, jugea-t-il en regardant tout autour de lui. Pis on a du temps en masse devant nous autres pour le faire. Merci, Laura, merci ben gros. Avec toé, ça a été pas mal plus vite que la dernière fois. Y' me reste juste à savoir ce que monsieur Longfellow en pense, pis j'vas pouvoir me dire que chus en vacances ! Pour un boutte, j'veux juste travailler pour le père pis pour Bébert. Pis dormir toutes mes nuits dans le sens du monde. J'ai besoin de recharger mes batteries, comme dirait madame Émilie.

— En parlant de madame Émilie… Qu'est-ce qu'elle a dit de tes toiles ?

Antoine jeta un regard malicieux à sa sœur.

— Tu me croiras pas ! A' l'en a dit exactement la même chose que toé, mautadine. Avec les mêmes mots, en plusse.

À croire que t'es une spécialiste en peintures !

Laura haussa les épaules tout en enroulant du papier gaufré autour d'une des petites toiles avant de la glisser dans un des grands cartons qu'Antoine avait commandés.

— Pas besoin d'être experte pour savoir reconnaître ce qui est beau.

— Ouais… Petête. Mais toujours est-il que madame Émilie a ben aimé ce qu'elle a vu. C'est pour ça, la nuit dernière, que j'ai dit que mon travail était fait pis ben fait. Madame Émilie est même persuadée que ces toiles-là vont se vendre encore plus vite que les autres. Pis ça, entre toé pis moé, ça ferait pas mal mon affaire.

— Pourquoi ? Tu viens de le dire: en plus de tes toiles, tu travailles pour l'épicerie pis le garage. Me semble que tu dois pas manquer d'argent !

— Pour l'ordinaire, t'as raison, chus pas mal pris. J'arrive à m'en sortir pas pire même si les tubes de couleur pis les toiles coûtent pas mal cher. Mais dans la vie, y a pas juste de l'ordinaire, tu sauras.

— Je le sais…

Laura hésita un instant.

— Pis c'est même l'extra qui me semble le plus important, par moments.

— Comme tu dis… Entécas, pour astheure, j'ai ben envie de vendre ces toiles-là au plus sacrant pasque je voudrais passer une partie de l'été en Europe.

— Tu veux partir en voyage ?

— Ouais… Ça me tenterait assez d'aller voir Gabriel pis Miguel au Portugal. D'autant plusse qu'y' m'ont invité à venir m'installer chez eux durant l'été pour faire de la peinture. Mais pour ça, j'vas avoir besoin d'argent. C'est pas avec ce qui reste dans mon compte que je peux penser à m'en aller jusqu'en Europe. Faut quand même que je me garde des réserves pour toute l'année qui s'en vient.

— Tu veux partir ? Comme ça ?

— Coudon, la sœur ! On dirait que t'as pas écouté ce que je viens de dire !

— J'ai très bien entendu ce que tu viens de dire.

— Ben c'est quoi, d'abord ? Tu te vois pas la face ! On dirait que tu me crois pas quand je dis que je veux partir en voyage.

— Je te crois, Antoine. Le problème est pas là. En fait, c'est moman, le problème. Tu le sais, non, comment elle réagit quand on parle de voyage ? Rappelle-toi quand tu voulais aller à New York...

— Ça, ma pauvre Laura, interrompit vivement Antoine, c'était avant. Depuis que je paye pension, moman se mêle pus de mes affaires. A' l'a pour son dire qu'une fois que t'agis en adulte pour la vie de tous les jours, ça prouve que t'es capable de le faire pour toute le reste.

— C'est ce qu'elle t'a dit ?

— En plein ça ! Avec les mêmes mots, en plusse.

— T'es ben sûr de ça ?

— Hey ! Arrête de m'ostiner. Chus ben placé pour savoir que c'est vrai, rapport que je paye un p'tit loyer à grand-moman pour le logement pis que je donne une pension au père à toutes les semaines. Depuis que je fais ça, ben, moman, elle, a' me sacre patience. Fini les sermons pis les asticotages ! Je fais ce que je veux, en autant que ça dérange personne dans maison. Pis partir en voyage, pour un mois et quèque, je pense pas que ça va déranger qui que ce soit. C'est pour ça que je veux que mes toiles se vendent vite pour que je puisse partir durant l'été pasque durant l'été, c'est plusse facile pour le père pis Bébert de me trouver un remplaçant. Comme tu vois, Laura, mon idée est faite pis toute se tient. Je vois pas pourquoi les parents viendraient fourrer leur nez dans mon projet de voyage. Bon! Astheure, les grands tableaux! Tu viens-tu les tenir pour moé? J'vas les entourer de papier gaufré avant de les mettre dans la boîte qui est là, contre le mur.

CHAPITRE 4

Les gens de mon pays
Ce sont gens de paroles
Et gens de causerie
Qui parlent pour s'entendre
Et parlent pour parler

Les gens de mon pays
GILLES VIGNEAULT

Montréal, mercredi 19 juin 1968

Alors que tout aurait dû baigner dans l'huile pour lui, du moins selon les prédictions réalistes qu'il avait faites et les attentes tout aussi concevables qu'il entretenait depuis des semaines, Antoine rongeait son frein.

Alors qu'il devrait être en train de préparer sereinement son voyage, il cherchait encore à comprendre ce qui avait influencé sa mère au point où elle était redevenue celle qui avait jalousement veillé sur son enfance.

Alors qu'il devrait se réjouir, et même se féliciter, de constater avec quelle rapidité ses nouvelles toiles trouvaient preneur, il n'y avait que les derniers mots de madame Émilie qui le hantaient, qui l'exaspéraient, parce qu'il avait une certaine appréhension, voire une certaine crainte à leur donner suite.

En un mot, alors que la vie aurait dû être parfaite, Antoine était malheureux comme les pierres.

— Pis je sais pus par quel boutte prendre tout ça, lança-t-il pour lui-même alors qu'il se dirigeait vers le quartier voisin pour faire ses livraisons.

Habituellement, Antoine aimait bien conduire l'auto de son père, mais pas aujourd'hui, pas en ce moment où trop de pensées s'entrechoquaient dans sa tête.

Ce matin encore, au déjeuner, sa mère lui avait rappelé qu'il n'était pas question de voyage pour l'instant.

— Pis quoi encore? Que c'est vous avez, coudon, ta sœur pis toé, à vouloir vous en aller comme ça? Vous êtes pas ben icitte?

— C'est pas ce qu'on a dit. Pis c'est pas ce qu'on pense, non plus. C'est même pas pour s'éloigner qu'on veut partir même si ça a l'air bête de dire ça comme ça. C'est juste pour se changer les idées, pour voir du pays, comme on dit!

— Voir du pays, voir du pays… On va-tu voir du pays, ton père pis moé?

— Non, c'est vrai, mais c'est pas une raison pour…

— Laisse-moé finir, verrat! Y a rien qui m'énerve plus que de me faire couper la parole… Où c'est que j'en étais? Ah oui! Voir du pays… Non seulement on voyage pas, ton père pis moé, mais en plusse, on prend même pas de vacances. T'as-tu déjà pensé à ça, mon gars? Ça fait des années qu'on travaille d'une étoile à l'autre, Marcel pis moé, sans jamais prendre de congé sauf le dimanche, pis on se plaint même pas. Me semble que si y a du monde qui mériterait des vacances, c'est ben Marcel pis moé, non?

Le temps de reprendre son souffle, de menacer Antoine avec son couteau dégoulinant de confiture pour lui interdire de prendre la parole, d'enfiler une bouchée de pain grillé arrosée de café, et Bernadette reprenait exactement là où elle s'était interrompue.

— Ouais, on mériterait des vacances, ton père pis moé, mais on le fait pas. Pis si on prend pas de vacances, c'est pas juste pour une question d'argent, tu sauras. C'est pour toutes vous autres, bâtard! Pour vous autres, icitte dans la maison, pis pour nos clientes. Tu verrais-tu ça, toé, fermer l'épicerie pour une couple de semaines? Non, hein? Y a des choses, de même, qui se font pas, tu sauras. Pis ça se ferait pas, fermer l'épicerie, rapport qu'y a ben du monde qui compte sur nous autres. Pis cette idée-là, a' vaudrait petête pour toé avec, pasqu'y a Bébert qui compte sur toé pis y a ton père. Oublie pas ça, mon p'tit garçon. Pis en plusse, t'es jeune pis en forme. T'as pas besoin de vacances, mais tu pourrais avoir besoin d'argent, par exemple. Ça fait que, au lieu d'aller flamber tout ton profit sur tes peintures dans un voyage à l'autre boutte du monde, tu devrais ménager un peu. En mettre de côté au cas où ça irait moins bien un jour. On sait jamais ce qui peut nous arriver.

Antoine avait profité d'une autre pause bouchée et café de sa mère pour l'interrompre, malgré le couteau brandi. Il avait demandé d'un ton moqueur:

— T'as-tu peur que je perde mon talent, coudon?

Bernadette avait levé les yeux au ciel.

— Tu parles d'une niaiserie à dire! avait-elle constaté en soupirant dès qu'elle eut avalé sa gorgée. Je te dis, toé, des fois… Voir que ça se perd, un talent comme le tien. Ben non, j'ai pas peur que tu perdes ton talent, grand niaiseux! Mais tu peux avoir un accident, par exemple, ou ben tu peux tomber malade. Ça, ça peut arriver à n'importe qui. À toé comme aux autres. Rappelle-toé ta sœur Laura y a quèques années…Pis en plusse, c'est les élections qui s'en viennent…

Antoine avait ouvert tout grand les yeux. Qu'est-ce que les

élections qui s'en venaient avaient à voir avec son projet de voyage?

— Les élections au fédéral, avec un nouveau chef libéral que tout le monde semble aimer, c'est du sérieux, avait poursuivi Bernadette sans se douter qu'Antoine avait bien de la difficulté à suivre son raisonnement. C'est petête un grand changement pour notre pays qui s'en vient, tu sauras!

Bernadette parlait-elle toujours des raisons qui devraient, selon elle, justifier une annulation pure et simple de son voyage? De toute évidence oui, puisqu'elle l'avait pointé du doigt. Antoine en avait ravalé son sourire, tant l'air furibond de sa mère avait semblé sincère.

— C'est sûr que c'est du sérieux, mon gars. Y a pas de quoi en rire quand tout le monde penche du même bord. Sauf ton père pis ta grand-mère, comme de raison. C'est pas pasqu'un Pierre Elliot Trudeau, beau pis smatte, avec une belle rose à son veston, se présente comme le sauveur de la nation qu'y' vont virer rouges. Oh non! Leur idée est faite depuis longtemps, à ton père pis ta grand-mère. Pis la mienne aussi. À part l'année où Jean Lesage s'est présenté, eux autres, y' votent bleu depuis toujours pis moé, ben, je vote... Pis ça te regarde pas. Mais toé, par exemple, tu pourrais petête en profiter pour apprendre comment ça marche, la politique. Là avec, tu pourrais donner un coup de main à ton père. Avec l'épicerie pis la boucherie, y' est débordé, ton père! Prends don exemple sur ta grand-mère. Malgré son âge, a' rechigne pas à aider ton père pour appeler le monde pis leur dire d'aller voter du bon bord.

Même s'il n'était pas d'accord avec sa mère et les chemins tortueux qu'elle empruntait, il avait un peu mieux compris ce que les élections venaient faire dans son projet.

— C'est ben important, aller voter, tu sauras. Si tu y vas

pas, tu serais ben mal venu de te plaindre, après, si ça va pas comme tu l'entends. C'est pour ça que ton voyage… Compte tenu de toute ce que je viens de te dire, avec l'école qui va fermer bientôt, tu pourrais, aussi, te rendre utile icitte, avec Charles qui va se retrouver tuseul par bouttes. Ça me tente pas qu'y' se mette à vadrouiller dans les rues pasqu'y a pas personne à qui y doit se rapporter. À l'âge qu'y' est rendu, c'est pas trop bon se retrouver tout fin seul, sans personne pour nous surveiller. Pis c'est pas à Marie Veilleux, la mère du p'tit Daniel, de s'occuper de ton frère. Ça serait ben plusse à toé. De toute façon, Marie est ben fragile de sa santé. A' l'en a plein les bras avec ses deux enfants à s'occuper. Pis viens pas me dire que ta sœur Laura pourrait y voir, pasque par les temps qui courent, est pas ben fiable. Je pense que la grande Francine a plusse d'importance que sa propre famille… Pis si toutes ces bonnes raisons-là suffisent pas à te convaincre que ta place est icitte, à Montréal, ben je pourrais te parler aussi du jardin qu'y' faudrait ben semer pasque moé, j'ai pas eu le temps de le faire. C'est pas moé qui va venir te convaincre que des légumes frais cassés, ça se remplace pas par du cannage, hein ? À la quantité que tu manges, verrat, je sais que tu le sais ! Ça fait que…

Heureusement que son père s'était impatienté, pressé qu'il était de partir pour l'épicerie ! Sinon, Antoine était convaincu que sa mère alignerait encore toutes sortes de raisons, toutes plus fausses les unes que les autres, pour l'amener à revoir sa position concernant le voyage qu'il projetait de faire durant l'été.

— Voir que la politique m'intéresse ! lança Antoine tout en frappant le volant du plat de la main. J'ai même pas l'âge d'aller voter, mautadine ! Le jour où j'vas pouvoir mettre mon X, moé avec, ça m'intéressera petête, mais pour astheure, ça me dit rien. Pis en plusse, c'est le 25 juin, les élections ! Dans moins qu'une semaine ! C'est pas à cause de ça que je devrais annuler mon voyage, voyons don ! Pis Charles ! Parlons-en de Charles ! Si y en a un qui a pas besoin de moé, c'est ben mon frère Charles ! On dirait que moman l'a oublié, mais grand-moman est là pour y tenir les cordeaux serrés. Pis a' fait ça pas mal mieux que les parents qui passent leur temps à le gâter comme un bébé. C'est pas pasque grand-moman va prendre des marches à longueur d'après-midi qu'a' peut pas s'occuper de mon frère. C'est plate à dire, mais si ça continue de même, je le ferai pas mon voyage, exactement comme a' veut, mais ça sera pas pour aider tout le monde à droite pis à gauche. Oh non ! J'vas garder mon argent pour aller en appartement, mautadine ! Ouais, j'vas faire comme Bébert pis comme ça, j'vas finir par avoir la paix pis faire ce que je veux avec l'argent que je gagne ! Y a toujours ben des saintes limites à se faire mener par le boutte du nez.

Antoine passa le reste de son après-midi à faire des projets, unissant sans logique apparente déménagement et liberté, voyages et liberté, peintures et liberté !

Tout plutôt que de voir ses désirs remis en question à cause d'une mère qui avait peur de tout et de rien.

— J'ai pus des culottes courtes, mautadine ! Pis je gagne ma vie tuseul, sans l'aide de personne. À part, ben sûr, le logement que grand-moman me prête. Mais encore là, je paye ma part. Ça fait que...

Puis alors qu'il revenait vers l'épicerie, une fois ses livraisons terminées, Antoine eut une idée.

— Guette ben si c'est pas à cause de Laura que moman est aussi boqueuse !

Cette raison lui parut si limpide, si logique, si évidente qu'il en resta un moment interdit et qu'il s'arrêta sur une lumière verte. Un bruit de freinage et un violent coup de klaxon le firent sursauter, sans pour autant perturber le fil de ses pensées.

— Ouais… Ça doit être ça ! C'est Laura qui est en arrière de tout ça ! Si moman est d'accord avec mon voyage, a' doit se dire qu'a' va être obligée d'être d'accord avec celui de Laura. Pis ça, a' veut pas, rapport que Laura est une fille… Mautadine ! C'est pas juste, ça. Va falloir que je trouve une manière de faire pour que moman finisse par me dire oui à moé, même si a' veut dire non à Laura. Je veux pas passer l'été icitte, y' en est pas question… Si mononcle Adrien était icitte, aussi, me semble que ça serait plus facile. Quand mononcle Adrien est en ville, moman est toujours plusse d'adon… Je me demande ben pourquoi, d'ailleurs…

Antoine essaya de répondre à sa propre question.

— Ça doit être pasqu'a' veut se donner des airs de femme moderne, comme avec ses rouges à lèvres dans le temps. A' l'en a-tu parlé, un peu, de ses rouges à lèvres, de ses parfums pis de ses clientes…

Antoine revoyait clairement la fierté de sa mère quand elle avait appris à sa famille qu'elle avait un travail régulier, des clientes assidues et un compte en banque à son nom, assez bien garni, merci !

— Ouais, c'te jour-là, était pas mal fière, moman. Pis a' l'avait raison. Comme moé quand j'ai réussi un dessin difficile ou ben quand je vends une de mes toiles.

Cette association d'idées lui rappela, brusquement, que c'était grâce à cette même mère timorée s'il avait pu, un jour, se rendre à Paris.

Et c'était suite à ce voyage qu'il avait compris, formellement, que l'avenir serait exactement comme il en avait toujours rêvé. Il n'en tenait qu'à lui…

Le ressentiment qu'il entretenait envers Bernadette depuis quelques heures retomba aussitôt.

— Pourquoi la vie est toujours aussi compliquée ? murmurat-il tout en garant adroitement l'auto de son père dans la cour arrière de l'épicerie. Si moman arrêtait, elle, de toujours voir des problèmes là ousqu'y en a pas, me semble que toute irait pas mal mieux pour tout le monde ! À commencer par moé pis Laura !

Le temps de redonner les clés à son père et Antoine reprenait le chemin de la maison, à pied, essayant de trouver une raison, LA raison, qui ferait en sorte que sa mère soit rassurée et le laisse partir.

En tournant le coin de la rue chez lui, l'esprit surchargé de réflexions de toutes sortes, il buta littéralement sur le camion de la procure des Canuel de telle sorte qu'il en oublia aussitôt son voyage.

Antoine s'arrêta pile, leva la tête et porta machinalement le regard de l'autre côté de la rue, là où le camion aurait dû normalement être stationné.

Une filée d'autos, cordées le long du trottoir, pare-chocs contre pare-chocs, encombraient la chaussée jusque devant l'entrée de madame Anne. Voilà pourquoi le camion n'était pas à sa place habituelle.

C'était nouveau dans le quartier: depuis quelque temps, on utilisait largement leur rue pour garer la voiture quand on avait affaire sur l'artère principale. Malgré le désagrément, Antoine ne voyait pas comment il aurait pu en être autrement. Des autos, aujourd'hui, il y en avait partout. Tout le monde avait une auto à sa disposition, quand ce n'était pas deux ! Et comme Antoine l'avait dit récemment à sa grand-mère qui se désolait de voir sa chère rue transformée en stationnement:

— C'est normal, grand-moman! C'est le monde qui évolue pis quand ben même tu te lamenterais jusqu'à demain, c'est pas toé qui vas pouvoir changer ça. De toute façon, tu peux pas dire le contraire: c'est pratique avoir un char.

— C'est sûr que c'est pratique, avoir un char. C'est pas moé qui vas dire le contraire!

— Ben à partir de là, faut comprendre que c'est normal de stationner les autos quand on va faire nos commissions! On peut pas les mettre dans le fond de notre poche!

Pour Antoine, c'était tellement évident qu'il en riait, se moquant gentiment de sa grand-mère.

— Ben d'accord avec toé, Antoine, avait approuvé encore une fois Évangéline, préférant de ne pas relever l'impertinence de son petit-fils. Faut ben les stationner, les autos, je te donne pas tort pis faudrait pas rire de moé à cause de ça. Mais une fois que c'est dit, c'est pas une raison pour faire ça juste devant chez nous, par exemple! Ça te gâche un paysage comme c'est pas permis. Si ça change pas tuseul, je m'en vas aller jusque chez le maire, si y' faut, pis j'vas y dire ma façon de voir les choses. Je paye pas des taxes municipales pour me retrouver avec un stationnement dans ma face, viarge! La rue, icitte, a' devrait être réservée pour ceux qui demeurent sur la rue, pis comme la plupart du monde met son char dans la ruelle ou ben dans sa cour, notre vue serait pas gâchée. Tu penses pas, toé, que ça serait mieux comme ça? Notre rue est pas faite pour des étrangers qui nous viennent d'ailleurs pis qu'y' payent pas les taxes d'icitte. Tu vas voir si j'ai pas raison, le jeune! Un jour, c'est ton propre père qui va vouloir stationner son char quand y' revient de sa job pis y aura pus de place pour lui ! Je te le dis, Antoine, y' faut réagir avant qu'y' soye trop tard.

Se rappelant cette brève discussion, Antoine esquissa un sourire. Même s'il ne le croyait pas vraiment, le jeune homme se dit que sa grand-mère était bien capable d'aller au bout de sa pensée et de se présenter à l'hôtel de ville pour argumenter avec le maire Drapeau en personne sur le bien-fondé du stationnement des autos.

Sur ce, il revint à la maison de madame Anne et au même instant, oubliant les encombrements routiers, ce furent les paroles de madame Émilie qui s'imposèrent brusquement à son esprit.

— J'aimerais ça, Antoine, que tu ailles voir ma sœur de temps en temps, avait-elle demandé au moment où elle quittait son atelier, la semaine dernière, quand elle était venue voir ses toiles. Pour elle, ce n'est pas facile d'avoir un mari à l'hôpital et une procure sur les bras. J'aimerais l'aider ou la visiter moi-même plus souvent, mais avec les enfants et la maison, en plus du vernissage que je prépare, ce n'est pas tous les jours que je peux m'absenter de chez moi… Est-ce que je peux compter sur toi, Antoine ? C'est à côté de chez toi et ça me rendrait vraiment service. En plus, je suis certaine que ça ferait plaisir à Anne, d'avoir un peu de compagnie.

Et Antoine avait promis ! Bien sûr qu'Antoine avait promis, même à son corps défendant, car il ne savait pas dire non !

Mais depuis ce jour, il pensait quotidiennement à cette promesse sans trouver le courage de la remplir.

Chaque matin, au réveil, il se disait que ce jour-là serait le bon. Quand il verrait le camion devant la porte ou dans l'entrée, il irait frapper chez madame Anne. Il dirait qu'il vient aux nouvelles pour sa grand-mère. Pourquoi pas ? Ce ne serait

pas vraiment mentir, puisqu'Évangéline se plaignait régulièrement de ne plus voir sa jeune voisine aussi souvent qu'auparavant.

— Astheure qu'a' travaille à la procure, c'est ben juste si est
là quèques heures par jour, viarge ! A' l'arrive le soir tard pour
repartir le matin de bonne heure quand moé chus pas dispo-
nible. J'ai pus l'occasion d'aller la visiter comme je faisais
avant, pis ça me manque. Sa musique avec me manque. En
plusse, j'aimerais ben ça savoir comment c'est que son mari se
porte. C'est fou comme le temps passe vite, mais ça fait six
mois déjà qu'y' est parti en ambulance. C'est pas des maudites
farces, six mois ! C'est ben pire que moé dans le temps que j'ai
faite mon attaque à Québec…

De toute évidence, si Antoine avait quelques nouvelles
fraîches à donner, cela ferait plaisir à Évangéline. De là, par la
suite, peut-être le soutiendrait-elle quand viendrait le temps
de renégocier le voyage avec sa mère…

Parce qu'il y aurait une nouvelle discussion sur le sujet !
Antoine ne lâcherait pas aussi facilement !

Mais pour l'instant, on n'en était pas là et le jeune homme
fixa la maison des Canuel avec un certain fatalisme dans
l'âme.

Puis, il poussa un long soupir. Décidément, ce n'était pas
une bonne journée. D'abord, le voyage qui semblait de plus en
plus hypothétique et maintenant madame Anne…

Chaque fois qu'Antoine pensait à cette voisine, c'était le
même combat déroutant qui se livrait en lui. Son cœur battait
la chamade, sa tête se vidait de toute pensée cohérente et ses
mains se mettaient à trembler. Parfois, il arrivait à se rai-
sonner, et tout rentrait dans l'ordre par lui-même. Ces jours-
là, il surveillait l'arrivée du camion. Mais parfois, la tension

allait en évoluant crescendo et ces jours-là…

Un frisson secoua les épaules d'Antoine, descendant jusque dans son dos. Pourtant, il ne faisait pas froid. La journée était même particulièrement chaude à un point tel qu'il avait dû se dépêcher pour faire ses livraisons parce qu'on avait commandé de la crème glacée et qu'il avait peur qu'elle fonde, malgré le sac spécial en papier double épaisseur, avec un Esquimau et un igloo sur le devant, qui recouvrait la pinte en carton fort. Et c'était sans parler des bières froides qui suaient déjà à grosses gouttes quand elles étaient arrivées enfin à destination !

Une seconde fois, Antoine reporta son attention sur la maison à lucarnes qu'il aimait tant peindre. Curieusement, la porte d'entrée était grande ouverte et les fenêtres aussi. Peut-être faisait-il une chaleur suffocante à l'intérieur de la maison quand la musicienne transformée en marchande était revenue de son travail à la procure ?

Peut-être que ça serait le moment idéal pour une petite visite de courtoisie ?

Peut-être, présentement, madame Anne était-elle assise à l'arrière, dans la cour, se permettant un moment de repos bien mérité ?

Antoine n'avait aucune difficulté à imaginer la musicienne assise dans son parterre ou dans sa cuisine, une limonade à la main et quelques biscuits dans une assiette à côté d'elle. Il l'avait visitée suffisamment souvent pour savoir qu'elle aimait bien prendre une collation en fin de journée.

Il était allé chez elle suffisamment souvent pour pouvoir l'imaginer dans n'importe quelle pièce de la maison…

À cette pensée, il se mit à rougir de plus belle et les images, elles, se mirent à défiler sans qu'il puisse les retenir.

Toutes sortes d'images, de plus en plus précises, qu'il n'arrivait pas à contrôler.

Sans s'attarder sur le pourquoi de la chose, Antoine pensait à madame Anne de plus en plus souvent.

Depuis qu'il était venu ici en janvier dernier, le soir où il avait aperçu l'ambulance devant la porte, ses pensées bifurquaient souvent vers la petite maison à lucarnes. Il en revoyait tous les détails, d'une pièce à l'autre, de la cuisine à la chambre à coucher, parce qu'il avait dû fermer les lumières un peu partout dans la maison quand la jeune femme avait quitté précipitamment la maison pour suivre son mari jusqu'à l'hôpital.

Cette sensation d'être voyeur, cette désagréable sensation d'interdit quand il revoyait les draps avachis sur le plancher de la chambre…

Antoine ferma précipitamment les yeux pour les rouvrir aussitôt, le souffle court, mal à l'aise.

À partir de ce jour d'hiver glacial où monsieur Canuel était parti en ambulance, Antoine n'était pas revenu chez madame Anne, car l'embarras était trop grand.

Cette appréhension, cette confusion, Antoine les connaissait très bien parce qu'elles avaient accompagné une longue, une trop longue partie de son enfance.

Était-ce le même malaise? Était-ce autre chose? Et pourquoi était-ce madame Anne qui le faisait renaître? Antoine n'aurait su le dire, et comme il ne parlait jamais de ces choses-là avec qui que ce soit…

Ce fut un bruit de vaisselle cassée, provenant de la maison qu'il observait, qui mit un terme à cette réflexion embarrassante. Puis il y eut un bruit de voix étouffée, comme un cri de colère retenu, mais suffisamment fort, cependant, pour enterrer le bruit des voix ambiantes et celui de la circulation automobile sur la rue principale.

Que se passait-il ? Madame Anne était-elle en difficulté ?

Alors, pour Antoine, il n'y eut plus la moindre hésitation. Quittant le trottoir où il s'interrogeait et tergiversait depuis de nombreuses minutes, il traversa la rue en courant...

Debout au milieu de la cuisine, le visage ravagé par les larmes qui coulaient sans retenue, Anne considérait avec un certain affolement la pagaille indescriptible qu'elle avait elle-même créée.

Mais qu'est-ce qui lui avait pris ?

D'un regard confus, Anne survola les morceaux d'assiettes cassées, de verres brisés qui jonchaient le sol carrelé de sa cuisine.

Quand elle était enfant, Anne se souvenait d'avoir vu pareille fureur dévastatrice. C'était sa mère qui en avait été l'instigatrice. Un certain jour d'automne, gris et pluvieux, quand elle était rentrée de l'école, la salle à manger de la maison de son enfance avait l'air d'une zone de guerre. La pièce était complètement dévastée et du haut de ses dix ou onze ans, Anne avait eu, ce jour-là, l'intime conviction d'être en train de frôler la folie à l'état pur.

Et la folle était sa mère...

Serait-elle en train de devenir comme elle ?

Les larmes d'Anne redoublèrent, car ce souvenir-là faisait partie des moments les plus troublants de son enfance.

Et dire que tout ça, cette perte de contrôle démesurée et cette subite poussée de rage, avait été causé par une montagne de vaisselle à laver qu'elle avait nonchalamment laissée s'empiler sur le comptoir et dans l'évier depuis des jours.

La vue navrante de sa cuisine avait déclenché cette fureur. Tout était de sa faute.

Anne avait toujours détesté le travail ménager. Il lui faisait trop penser à sa mère. Tout comme elle détestait profondément s'occuper de la procure: c'était trop routinier.

Voilà, c'était avoué!

Ce qu'elle voulait, Anne, c'était faire de la musique, pas vendre des partitions ou faire des gâteaux. Mais depuis janvier, elle n'avait plus eu le temps de toucher au piano. Elle avait même dû refuser une tournée avec d'autres musiciens, faute d'avoir les moyens d'engager un employé permanent à la procure, un employé qui aurait pu la remplacer pour quelques semaines. Malheureusement, c'est tout juste si elle arrivait à garder la maison, à payer les soins pour son mari, Robert, et à rémunérer un homme à tout faire qui voyait à l'entretien du magasin et à la livraison des instruments de musique qu'elle arrivait parfois à vendre. Pas question, alors, d'engager qui que ce soit. C'est par fierté qu'elle repoussait l'idée de demander de l'aide à sa famille. Elle gardait cette éventualité en réserve, sachant fort bien qu'elle n'aurait pas le choix si Robert ne se remettait pas de cette attaque qui l'avait laissé diminué. Se remettre, à tout le moins, suffisamment pour pouvoir revenir à la maison.

C'est ce qu'Anne se disait jusqu'à cet après-midi, gardant espoir qu'un jour, tout rentrerait dans l'ordre.

Puis il y avait eu cet appel du médecin qui voulait la rencontrer. Ce qu'il avait à dire avait été fort bref.

Aujourd'hui, tous les médecins qui avaient eu à soigner son mari étaient formels: Robert Canuel resterait paralysé du côté gauche et il ne s'exprimerait plus qu'avec grande difficulté. L'arrêt cardiaque avait entraîné un manque d'oxygène au cerveau. Les dommages étaient irréparables.

Le médecin était désolé, mais le temps où Robert faisait de

la musique avec son épouse faisait partie du passé. Plus jamais il ne pourrait jouer de quelque instrument que ce soit. Pas plus qu'il ne pourrait un jour reprendre sa place auprès de sa clientèle à la procure.

Si Anne avait fermé le commerce plus tôt aujourd'hui, c'était pour rencontrer le médecin traitant de son mari.

Elle avait le cœur battant d'espoir, et voilà ce qu'il lui avait appris.

D'où sa rage, tout à l'heure, ce moment de découragement intense à l'idée qu'elle finirait probablement sa vie derrière le comptoir de la procure, à trimer du matin au soir, et devant l'évier ou la cuisinière quand elle serait de retour chez elle.

Sans parler des soins qu'elle devrait prodiguer à Robert s'il revenait vivre ici, ce qui était, malgré tout, fort plausible, selon le médecin.

— D'ici quelques semaines, votre mari devrait être en mesure de rentrer chez vous. N'est-ce pas une bonne nouvelle ? Nous, nous ne pourrons plus rien pour lui, ce qui, en soi, est très bon signe.

Il avait conclu en lui disant qu'elle était chanceuse d'avoir encore son mari. Robert Canuel l'avait échappé de peu.

C'est à ce moment qu'Anne avait eu l'inavouable, l'infâme pensée que si Robert était décédé, tout aurait été plus facile pour elle.

Dès le départ du médecin qui venait de détruire sa vie en quelques mots, presque banalement dans une salle d'attente quelconque, Anne avait fui l'hôpital sans passer par la chambre de son mari. Elle aurait été incapable de soutenir son regard…

Le désordre de sa cuisine avait complété le tableau, le désespoir avait été total et Anne avait perdu le contrôle.

Maintenant, il ne lui restait plus qu'à tout ramasser.

Elle sortit la poubelle de dessous l'évier et s'agenouillant prudemment sur le prélart, Anne commença à ramasser les plus gros morceaux de verre et de porcelaine. Tout en travaillant, elle reniflait et par une curieuse circonvolution de l'esprit, elle oublia Robert, la procure et la musique, et elle se demanda comment elle ferait pour acheter un autre service de vaisselle. À la banque, le compte conjoint était presque vide.

À cette dernière constatation, navrante de vérité, les larmes recommencèrent à couler, mais cette fois-ci elles étaient calmes, lourdes d'impuissance. Sans chercher à les retenir ni même à les essuyer, Anne continua de récupérer les morceaux de vaisselle cassée, se demandant si certaines assiettes ne pourraient pas être recollées. Son voisin, Gérard Veilleux, si habile de ses mains, pourrait peut-être l'aider…

C'est à ce moment qu'Antoine arriva dans l'embrasure de la porte, guidé par les reniflements et les sanglots étouffés de la jeune femme.

Il resta immobile un moment, sans dire un mot, décontenancé.

Cette femme avait toujours été un monument à ses yeux. Il l'avait connue alors qu'il n'était qu'un enfant, un enfant malheureux, et madame Anne l'avait aidé par sa seule présence, ses rires et sa musique. Jamais il n'avait eu besoin de parler et pourtant, Antoine avait toujours eu la conviction profonde que la pianiste avait tout compris du drame qui traversait sa vie. C'est même elle qui avait insisté pour que sa sœur Émilie le prenne comme élève, cette dernière le lui avait déjà dit. Bien sûr, sa grand-mère Évangéline l'avait beaucoup aidé, elle aussi. Elle lui avait probablement sauvé la vie, ce n'était pas une simple et banale figure de style de le dire comme ça, et pour cela, Antoine lui vouerait toujours une reconnaissance incommensurable.

Mais avec madame Anne, c'était différent. Il l'avait toujours vue comme une géante, une battante, et il l'avait toujours admirée. Anne Deblois était une sorte de modèle pour lui.

Et voilà qu'en ce moment, alors qu'elle était agenouillée sur un vieux prélart et qu'elle pleurait comme une enfant, Antoine sentait son idole aussi fragile que la porcelaine qui venait d'être cassée.

À son tour, il aurait voulu être un géant et la prendre tout contre lui pour la consoler. Mais il n'était qu'Antoine Lacaille, et cet Antoine-là n'était encore qu'un petit garçon même si son corps d'homme proclamait le contraire.

Et les petits garçons ne savent pas toujours les mots à dire et les gestes à poser pour consoler un adulte.

Et Antoine ne savait pas comment prendre quelqu'un dans ses bras.

Il resta donc un long moment immobile et silencieux. Il eut même le temps d'avoir la curieuse pensée de s'en aller par où il était arrivé, sur la pointe des pieds, et ainsi personne ne saurait qu'il était venu.

Peut-être bien, après tout, qu'en ce moment madame Anne n'avait pas envie de voir qui que ce soit.

Peut-être...

Mais peut-être aussi que la seule présence d'Antoine suffirait à la rasséréner, un peu comme quand, encore petit et malheureux, il venait voir sa voisine la musicienne juste pour le plaisir de l'entendre rire.

À ce souvenir, Antoine fit un pas en avant.

— Madame Anne?

Le temps que la voix d'Antoine rejoigne et bouscule les

pensées d'Anne et celle-ci relevait la tête sans pour autant se retourner vers le jeune homme.

— Antoine ? C'est bien toi ? demanda-t-elle d'une toute petite voix, en reniflant.

— Ouais... Je peux-tu vous aider ? Je... J'ai entendu du bruit pendant que je passais devant chez vous... Avec votre porte grande ouverte, vous savez, on entend toute...

Antoine regarda tout autour de lui.

— Vous avez échappé une pile d'assiettes, on dirait ben.

Anne souleva une épaule tremblante tout en répétant le geste d'Antoine, balayant la pièce du regard.

— Échapper une pile d'assiettes ? Oui, ça doit être ça.

— Ça devait être trop pesant pour vous, observa Antoine. Ça arrive des fois, quand on veut aller trop vite... Alors ? Je peux vous aider, si vous voulez.

Anne regarda autour d'elle une seconde fois, mais toujours sans tourner la tête vers Antoine.

— M'aider ? Pour quoi faire ? Pour ramasser de la vaisselle encore toute collante ? Non, ce n'est pas à toi de faire ça. C'est à moi... Personne ne peut m'aider, Antoine. Personne. C'est à moi d'accepter. C'est tout. Il n'y a rien d'autre à faire.

Antoine n'était pas certain de bien comprendre ce que madame Anne était en train de lui dire. Que devait-elle accepter ?

Son mari était-il décédé et personne, dans leur rue, ne l'avait su ?

Le jeune homme hocha imperceptiblement la tête.

Non, c'était impossible. Madame Émilie le lui aurait dit quand elle était venue chez lui la semaine dernière. Ou alors, ça venait tout juste d'arriver.

Antoine sentit son cœur faire un drôle de soubresaut en

même temps qu'il hochait la tête de plus en plus vigoureuse-ment.

Non, là encore, c'était impossible parce que dans un cas comme celui-là, madame Anne ne serait sûrement pas seule chez elle.

N'est-ce pas, qu'elle ne serait pas seule chez elle ?

Alors, que voulait dire madame Anne ? Que devait-elle accepter qu'elle ne sache déjà ? Comme l'avait si bien dit sa grand-mère, cela faisait maintenant plus de six mois que son mari était hospitalisé. Rien de nouveau là. À moins que…

Antoine sursauta, persuadé qu'il venait d'entrevoir la nou-velle réalité de madame Anne. Si son mari était encore à l'hôpital, c'est qu'il ne reviendrait jamais plus vivre ici. Voilà pourquoi elle semblait si triste, si désemparée.

Si fragile.

Antoine fit alors un pas en avant, les éclats de verre et de porcelaine se brisant un peu plus sous sa semelle, et il répéta:

— Je peux-tu vous aider, madame Anne ? Dites oui ! Me semble qu'à nous deux, ça irait pas mal plus…

— Tais-toi !

Antoine s'arrêta brusquement, interdit, décontenancé. Assise sur ses talons, les deux mains sur les oreilles, Anne s'était mise à crier.

— Tais-toi. Arrête de m'appeler madame Anne. Arrête de me vouvoyer comme si j'étais une vieille femme. C'est Robert qui est vieux, pas moi. Ma vie vient peut-être de s'arrêter, mais je reste jeune. D'accord ?

Anne tourna alors la tête vers Antoine. Son visage était ravagé par la douleur et ses paupières rougies débordaient de larmes.

— N'est-ce pas, Antoine, que je suis encore jeune ? Dis-moi que tout n'arrêtera pas là. Dis-moi qu'il y aura encore de la musique pour moi.

Du regard, Anne suppliait Antoine de lui répondre, de la rassurer. Elle en avait tant besoin. Mais Antoine ne savait pas dire ces choses-là. Surtout à elle. Rouge comme un coquelicot, il se contenta de faire un second pas dans sa direction.

Devant le silence de son jeune voisin, les épaules d'Anne s'affaissèrent en même temps qu'elle reportait les yeux sur le sol.

— S'il n'y a plus de musique pour moi, en plus de Robert malade, murmura-t-elle, je ne veux plus vivre.

Malgré la dureté de ces quelques paroles, Antoine n'eut aucune envie de riposter aux propos d'Anne Deblois.

Il comprenait ce qu'elle voulait dire.

Si lui n'avait plus la peinture, il serait tout aussi désemparé, bouleversé.

Et peut-être dirait-il, lui aussi, qu'il n'a plus envie de vivre.

Alors, il fit un autre pas en avant. Curieusement, parce qu'il avait fait un parallèle entre la musique et la peinture, il lui semblait tout à coup que les mots devenaient faciles à trouver, simples à dire.

— Faut pas parler comme ça, madame Anne.

Anne secoua la tête vigoureusement pour interrompre Antoine.

— Non, Antoine, je viens de te le demander: ne dis plus jamais madame Anne. Plus jamais. Laisse-moi encore quelques illusions.

— Alors, faut pas parler comme ça... Anne. Pis, en plusse, je vous suis pas dans vos propos. Pourquoi parler d'illusions? C'est vrai que vous êtes jeune, c'est pas juste une illusion. Je comprends pas pourquoi vous avez peur qu'on pense le contraire. Pis pour la musique, ben, ça dépend juste de vous pour qu'y en aye encore.

De la main, Antoine montra le salon où le magnifique piano d'Anne luisait dans les rayons d'un soleil de fin de journée, orange et brillant. Il eut le réflexe de se dire que d'où il était et avec tout ce soleil, le salon d'Anne ferait une toile magnifique.

Et si différente de tout ce qu'il avait peint jusqu'à maintenant. Peut-être, un jour, demanderait-il la permission de s'installer ici, dans un coin de la cuisine, pour peindre le salon des Canuel.

Peut-être, oui, si dans un avenir incertain, il devenait capable de certaines audaces.

En attendant ce jour, il ramena les yeux sur Anne qui était toujours prostrée sur le plancher sale de sa cuisine.

— C'est à vous de décider si y aura encore de la musique dans votre vie pis dans votre maison, poursuivit-il d'une voix très douce. À personne d'autre. C'est comme moé pour ma peinture. Y a pas personne qui peut m'obliger d'en faire, pis je permettrais jamais à quèqu'un de m'empêcher d'en faire.

Tandis qu'il parlait, Antoine s'était approché d'Anne qui avait relevé la tête et le dévorait des yeux.

— J'sais pas trop comment vous dire ça, mais faut pas arrêter de faire de la musique, Anne. Surtout pas. Pis je dis pas ça juste pour vous. C'est pour moé avec que je le dis, pis pour ma grand-mère, pis pour…

Antoine fut sur le point de dire qu'elle pourrait jouer aussi pour son mari, qu'elle jouait si bien que ça l'aiderait peut-être à guérir. Il se retint à la dernière seconde, ne sachant pas vraiment comment se portait Robert Canuel ni comment seraient interprétées ses paroles.

— Pis pour tous ceux qui aiment ça vous entendre, enchaîna-t-il avec un brin de précipitation.

— C'est vrai ça ?

— Ben comment que c'est vrai !

Antoine mettait tout ce qu'il avait d'enthousiasme dans sa voix pour qu'Anne comprenne à quel point elle s'en faisait pour rien.

— Me semble que ma grand-mère vous l'a assez répété, non ? Rappelez-vous ! Je vous ai vue une fois en spectacle, avec grand-moman. Quand vous avez fini de jouer, tout le monde était debout pour vous applaudir. Ça veut dire de quoi, ça, vous pensez pas ?

Anne resta songeuse un instant. En une fraction de seconde, elle revit les petites salles enfumées, les grandes scènes, les caméras de télévision et les tournées. Antoine avait raison, et c'est probablement ce qui lui manquait le plus en ce moment. Les répétitions, les spectacles, le contact avec les copains musiciens et le public étaient son viatique, son oxygène. Depuis plus de six mois maintenant, Anne Deblois était en manque de ce qui la faisait vivre. De là son abattement, sa rage devant la vie.

Encore plus que l'absence de son mari Robert, l'absence de la musique était en train de la briser.

Elle leva un regard désespéré vers Antoine qui, plus démuni, plus désemparé que jamais, aurait voulu être capable d'inventer le geste qui consolerait, qui aiderait.

— Restez pas là sur le plancher, Anne, se contenta-t-il de dire, incapable d'aller plus loin. Avec toute la vitre cassée, vous allez finir par vous faire mal.

Anne regarda autour d'elle et pour la première fois depuis qu'Antoine était arrivé, elle esquissa un pâle sourire.

— En effet, quelle pagaille! murmura-t-elle.

Anne sentit que le drame s'en allait, que sa colère fondait.

Alors, elle tendit la main vers Antoine pour qu'il l'aide à se relever.

Ce fut comme si le temps suspendait sa course pour un moment.

Antoine fixa longuement la main d'Anne. Il la trouva jolie avec ses longs doigts de pianiste, ses ongles bien taillés. Pourtant, il resta de glace, sans esquisser le moindre mouvement. Il venait de retrouver ses inconforts, ses peurs, ses hantises et ses maladresses.

Tout cela à cause d'une main.

Pourtant, c'était une main amicale qui se tendait vers lui, Antoine n'avait aucun doute là-dessus. Pas le moindre.

Malheureusement, elle lui rappelait une autre main, ossue, vieille et laide. Une main qu'il avait en abomination, malgré tout son talent pour le dessin, parce qu'elle lui avait appris, entre autres choses, qu'elle pouvait aussi donner des frissons interdits, lui faire connaître des plaisirs coupables, lui procurer une jouissance qu'il n'aurait jamais dû ressentir. C'était mal et sale, le petit Antoine le savait, mais ce plaisir, il le ressentait quand même.

Voilà pourquoi il détestait les samedis et monsieur Romain. Parce que cette jouissance, il l'espérait et l'avait en horreur tout à la fois, sans jamais avoir compris ce qu'il éprouvait vraiment.

Alors oui, à cause de cette main tendue vers lui, Antoine resta figé, ayant tout aussi peur de la main d'Anne et de ce qu'elle pourrait lui faire qu'il avait peur de lui-même et de ses réactions.

Son cœur s'était mis à battre à toute allure, emballé comme

un cheval fou, et Anne avait posé sur lui un regard rempli d'attente.

Mais Antoine s'inquiétait pour rien, car Anne ne prononça aucun mot.

Sans jamais en avoir parlé avec qui que ce soit, elle savait. D'une parole d'Évangéline à une autre, d'un geste d'Antoine à un autre, Anne avait tout deviné, tout compris.

Alors, sans insister, elle se releva d'elle-même, prenant appui sur le plancher et se redressant d'un tour de rein, agile comme seule une jeune femme peut l'être.

Puis elle plongea son regard dans celui d'Antoine, comprenant qu'en ce moment, chacun à sa manière, ils se retrouvaient à nu devant l'autre, leurs faiblesses et leurs fragilités étalées un peu n'importe comment entre les morceaux de verre ébréché et de porcelaine cassée, sur le plancher d'une petite maison mal entretenue depuis que Robert était parti.

Robert...

Anne retint un léger soupir.

Robert qui était malade et qui ne referait jamais de musique avec elle. La vie avait fini par les rattraper, Robert et elle, imposant ses lois à travers le nombre des années qui les séparaient. Alors qu'Anne en riait, hier encore, aujourd'hui elle comprenait l'immensité du temps à venir, seule avec un homme malade, et cela lui faisait peur. Terriblement peur.

Anne fixait toujours aussi intensément Antoine et elle sentit les battements de son cœur s'accélérer. Elle qui avait eu si peu de contact humain depuis l'hiver se sentait attirée par lui. Avoir un ami, juste un ami à qui parler, à qui se confier quand la solitude et le silence seraient trop lourds. Alors, parce qu'elle connaissait bien Antoine, c'est Anne qui fit les deux pas qui les séparaient, et c'est alors que le geste lui échappa.

Levant la tête, elle déposa un léger baiser sur la joue d'Antoine en murmurant:

— Merci d'être entré chez moi. Merci d'être là, Antoine. J'avais justement besoin de la présence d'un ami.

La réponse d'Antoine fut aussi prompte qu'involontaire, car le léger effleurement des lèvres d'Anne contre sa joue avait fait naître ce qu'il anticipait.

Ce n'était pas sans raison qu'il détestait toucher et être touché.

— Touchez-moé pas, Anne. Touchez-moé surtout pas. Vous avez pas le droit.

La voix d'Antoine était gutturale, rauque, empreinte d'appréhension, de peur, et pourtant, elle était menaçante en même temps parce qu'il y avait cette érection qu'Antoine sentait monter, dure comme l'acier, presque douloureuse. Il devait partir, là, maintenant, sans explications ni excuses, car ses jambes, bientôt, ne pourraient plus le porter tellement elles seraient molles.

Car bientôt, il ne serait plus capable de se contrôler. Il le savait, oh oui, il le savait! C'était comme ça tous les samedis quand il était petit. Il ne voulait pas que monsieur Romain le touche, il ne voulait jamais que les cours de peinture se terminent ainsi. Malgré cela, il suffisait d'une main pour que l'envie monte, d'elle-même, et là…

Antoine ferma les yeux une fraction de seconde et tandis qu'il en était encore capable, il recula jusqu'à la porte de la cuisine dont il heurta douloureusement le cadre. Alors, il fit demi-tour et comme la porte d'entrée était toujours grande ouverte, il traversa le salon en trombe. Puis il sortit comme s'il avait le diable à ses trousses. Sans attendre, il dégringola l'escalier et remonta la rue au pas de course.

Il chercha aussitôt refuge dans le petit appartement qui lui servait d'atelier, sans savoir qu'à l'autre bout de la rue, Anne l'avait regardé s'enfuir, les larmes aux yeux, devinant à quel point il devait être malheureux.

Regrettant un geste qui pourtant se voulait amical.

Antoine tenta de se calmer. Il fit les cent pas dans le salon, se tordant les mains, écrasant à gestes rageurs les larmes qui lui montaient aux yeux.

Puis l'envie devint dérangeante. Elle se fit exigeante et enjôleuse, tentante et envahissante, à l'image de certains rêves dont il s'éveillait le cœur battant la chamade, confus, contrit comme un enfant pris en flagrant délit de vol à l'étalage.

Alors vint ce moment où il ne put résister.

Antoine s'enferma dans la salle de bain.

Et tandis qu'il se masturbait, les yeux fermés, c'était la main de madame Anne qui le caressait, qui enveloppait son sexe comme savait si bien le faire celle de monsieur Romain.

Les souvenirs s'emmêlèrent au temps présent et Antoine oublia tout ce qui n'était pas cette tension délicieuse et omni-présente.

En quelques instants, tout fut fini.

Pourquoi était-ce toujours si rapide, alors que l'envie était si grande ?

Antoine se laissa tomber sur le plancher au froid carrelage de pierre blanche et noire, et les jambes relevées, un bras appuyé sur ses genoux, il se mit à pleurer.

Encore une fois, il n'avait pas su dire non, pas su se contrôler. Encore une fois, il avait succombé à l'envie de ce plaisir qu'il n'avait pas le droit de ressentir...

C'est dans l'heure qui suivit qu'Antoine prit sa décision.

Coûte que coûte, il devait quitter Montréal parce que

madame Anne, celle qui voulait que dorénavant il l'appelle tout simplement Anne, était devenue aussi dangereuse que monsieur Romain. Pas pour les mêmes raisons, mais le résultat était identique.

Quand il entendit contre le plancher de l'étage les trois coups habituels lui annonçant que le repas était prêt, Antoine les ignora délibérément. De toute façon, avec ce qui venait de se passer, il n'avait pas tellement faim.

Quand, une heure plus tard, il reconnut les pas inégaux de sa grand-mère qui descendait l'escalier, Antoine s'enferma dans la salle de bain pour que personne ne puisse l'apercevoir. Heureusement, Évangéline passa tout droit devant sa porte pour aller frapper à celle d'à côté, chez sa sœur Estelle.

Quelques minutes plus tard, Antoine vit quatre femmes remonter la rue en direction du parc.

Évangéline, Bernadette, Estelle et Angéline...

Elles avaient l'air joyeuses, semblaient discuter vivement.

La soirée était si belle.

Le temps de les regarder remonter l'avenue, Antoine envia farouchement leur apparente désinvolture. Lui, pour l'instant, il n'avait pas grand-chose pour se réjouir.

Sauf peut-être la vente de ses toiles à New York.

Quand le joyeux groupe des femmes eut disparu, Antoine poussa un soupir de lassitude entremêlé de soulagement. Maintenant que les femmes étaient parties, cela voulait dire qu'il était seul à la maison puisque l'auto de son père n'était pas là, elle non plus. Probablement avait-il emmené Charles voir une partie de baseball. C'était fréquent qu'il le fasse depuis le début du mois. Il faisait si beau cet été.

Et dire qu'on n'était qu'en juin...

Antoine tourna en rond dans l'appartement, déplaçant une

chaise ou un bibelot sans attrait appartenant probablement à sa grand-mère ou oublié par son oncle Adrien, puis, lassé de son manège, sans envie de peindre ou d'écouter de la musique, il regagna le salon.

Assis dans la grisaille grandissante qui envahissait la pièce, un pan de rideau entrouvert, Antoine passa l'heure suivante à fixer la rue, espérant y voir apparaître sa sœur Laura avant le retour de tous les autres. À elle, il pourrait parler de ses intentions parce qu'elle les partagerait peut-être avec lui.

Il évita de laisser son regard errer jusqu'à la petite maison à lucarnes. Le camion de la procure qui entrait dans son champ de vision était bien suffisant pour lui rappeler qu'Anne était toujours chez elle.

Quand Antoine aperçut enfin sa sœur qui descendait vers la maison, le jour n'était plus qu'une ligne de lumière au bout de la ruelle d'à côté. Un à un, les réverbères venaient de s'allumer.

Laura aussi avait l'air fatiguée, songeuse. Quand Antoine lui ouvrit la porte du petit logement, elle ne sembla pas surprise de le voir là qui l'invitait à entrer.

Ne partageaient-ils pas une même déception à cause de leur mère qui se montrait intraitable ?

Comme s'ils étaient encore des enfants ! La désolation de Laura n'avait d'égal que sa frustration.

La jeune femme se laissa tomber dans le premier fauteuil venu.

Puis elle leva les yeux vers son frère et c'est à ce moment-là qu'elle prit conscience qu'Antoine n'était pas comme d'habitude. Il lui parut fébrile, alors que normalement, il était plutôt calme.

— Qu'est-ce qui se passe, Antoine ? D'abord, tu m'invites

à entrer pis à m'asseoir, comme ça, sans raison, pis tu…

— C'est là que tu te trompes, Laura, interrompit vivement Antoine. J'avais une raison pour te demander de venir icitte. Pis une saprée bonne raison, en plusse.

— Coudonc, tu me fais peur ! Quelqu'un serait-il malade ?

— Pantoute ! À première vue, tout le monde semblait en forme. Chus pas monté souper, mais je les ai vues passer quand y' sont parties se promener. Tout le monde avait l'air de bonne humeur. Y' est pas là le problème.

— Parce qu'il y a un problème ?

— Ben quin ! T'aurais-tu oublié, par hasard, qu'on a déjà parlé de partir en voyage, toé pis moé ?

— Ah ça… Serais-tu en train d'essayer de me dire que moman a changé d'avis ? À te voir l'allure, on dirait bien que c'est ça ! Si c'est le cas, arrête de tourner autour du pot pis aboutis, maudite marde ! Parce que moi, j'en peux plus d'essayer de trouver des raisons ou des excuses qui feraient en sorte que moman revienne sur ses positions. C'est à ça qu'on pense, Francine et moi. À longueur de journée ! Ça fait que…

— Non, moman a pas changé d'avis, coupa Antoine. Du moins, je pense pas pasqu'a' m'en a pas parlé. Mais ça change rien à mon idée à moé.

— Ton idée ?

— Ouais, mon idée !

Antoine bomba le torse.

— Regarde-moé ben aller, Laura. J'en ai assez de toutes ces niaiseries-là. Pasque c'est juste des niaiseries, selon moé. Moman a pas raison de nous mettre des bâtons dans les roues comme si on était encore des bébés. Fait que je pars ! Y a rien qui va me garder icitte pour l'été, rien pantoute.

— Pis si moman s'entête ?

— Tant pis, moé, je pars pareil. Tu feras ben ce que tu veux, mais moé, je m'en vas. Un point c'est toute. M'en vas commencer par en parler ben comme faut avec grand-moman. Pis je pense que j'ai une couple d'arguments solides pour la mettre de mon bord. Mais même là, si jamais grand-moman décide de *backer*, elle avec, ça change rien pour moé. Ça va petête faire plusse d'étincelles quand j'vas en parler, mais je m'en fiche. Demain soir au souper, j'annonce à tout le monde que je m'en vas. Si ça te tente, on pourrait se mettre ensemble. C'est pour ça que je voulais te parler. Me semble que ça ferait plusse important si on était deux à dire la même affaire, en même temps, au lieu de se retrouver un après l'autre en train de discuter avec moman. Mais je veux pas que tu te sentes obligée, par exemple ! Si toé tu veux pas, ben…

— C'est sûr que je veux partir !

La réponse de Laura avait fusé à travers la pièce, interrompant Antoine. Elle aussi commençait à se sentir fébrile. Si Antoine, aussi calme et placide soit-il, avait décidé d'agir, pourquoi pas elle ?

Assise sur le bout de son fauteuil, Laura observait son frère, le regard pétillant d'espoir.

— Ça fait des mois que j'en parle à Alicia dans chacune des lettres que je lui envoie. Ça fait des mois que je lui promets d'aller la voir.

— Ben, que c'est qu'on attend d'abord ?

— Je le sais pas…

Durant un court moment, Laura et Antoine se dévisagèrent.

— Je le sais pas, ce qu'on attend, répéta Laura. D'autant plus que je comprends pas moman. Y a quelques années, elle voulait que je parte. Elle ne faisait pas toute une histoire du voyage que je devais entreprendre avec Alicia et j'étais pas mal plus jeune qu'aujourd'hui. Bon, les plans ont changé un peu et je sais que cette année, j'ai fait la gaffe d'aller parler de l'Italie à grand-moman. Je n'aurais jamais dû.

— C'est vrai, t'aurais pas dû, coupa Antoine. Sans ça, tu serais petête déjà partie... Mais toute est petête pas perdu. Si pour réparer ta gaffe, je disais à moman que j'vas t'accompagner en Italie ?

— Toi ? En Italie ?

— Pourquoi pas ?

Laura dessina une moue d'incertitude.

— Ça se fait pas tellement, dire à quelqu'un qui nous invite qu'on va arriver avec quelqu'un d'autre. Il me semble que...

— J'ai-tu dit que j'allais en Italie ?

Laura fronça les sourcils.

— C'est pas exactement ce que tu viens de dire ?

— Pantoute. J'ai dit que je dirais, c'est pas la même chose.

Laura commençait à comprendre. Elle esquissa un sourire fripon.

— Sais-tu que t'es pas mal plus ratoureux que t'en as l'air, Antoine Lacaille !

— Ça m'arrive, ouais... Chus pas le p'tit-fils d'Évangéline Lacaille pour rien ! Pis, mon idée ? Que c'est t'en penses ?

— J'en pense que pour moi, ça pourrait être une solution, oui. Avec un garde du corps, un chaperon de six pieds passés, jamais je croirai que moman ne serait pas rassurée. Mais pour toi, par exemple, ça ne change absolument rien au fait que moman t'a trouvé mille et une excuses pour ne pas quitter Montréal.

À ces mots, les traits du visage d'Antoine se durcirent et son regard devint hermétique, laissant Laura pantoise, encore une fois. Comment Antoine pouvait-il passer de l'exubérance à la dureté avec autant de facilité? Il était peut-être un peintre de grand talent, d'accord, mais il aurait pu, aussi, devenir un excellent comédien.

— Je te l'ai dit t'à l'heure: regarde-moé ben aller!

Maintenant, la voix d'Antoine grondait de colère retenue.

— Y a personne qui va me retenir icitte de force, tu m'entends. Personne!

— Si tu le dis…

— Fie-toé sur moé, Laura. D'icitte à deux semaines, toé pis moé, on part pour l'Europe. Toé, t'as des amis qui t'ont invitée pis ça serait malpoli de pas y aller. Pis moé, c'est la peinture qui m'attend de l'autre bord de l'océan. C'est l'inspiration! J'ai besoin de nouveaux paysages. J'ai besoin de sentir un air différent de la poussière des rues de Montréal. Icitte, je trouve pus rien de neuf… Pis ça, Laura, va falloir que moman le comprenne. Ouais, va falloir qu'a' le comprenne pis vite, pasque moé, j'veux pas rester icitte.

* * *

Lasse, les yeux irrités et le dos courbaturé, Bernadette repoussa le grand cahier comptable et lança son crayon pardessus. Il faisait une chaleur torride dans le petit réduit qui servait de bureau et elle suait à grosses gouttes.

— C'est pas chrétien de demander à quèqu'un de travailler dans un four comme icitte. Le pire, c'est que c'est pas cette année qu'on va pouvoir penser à se faire installer l'air climatisé, murmura-t-elle en se frottant le visage à deux mains.

L'envie de s'offrir une bouteille de coke bien froide lui chatouilla l'esprit, mais Bernadette, n'écoutant que sa détermination, la repoussa aussitôt.

— Quand j'aurai maigri, je mangerai toutes les patates frites que j'vas avoir envie de manger, pis je prendrai un bon coke ben frette pour aller avec. En attendant…

Bernadette poussa un long soupir sans oser jeter un coup d'œil à son ventre qui débordait de son pantalon et à ses cuisses coincées sous le pupitre. En un an, elle avait gagné deux tailles de plus. Déjà qu'elle n'avait jamais été vraiment mince…

C'est en sortant le linge d'été, entre deux livraisons de produits Avon par une chaude journée de mai, qu'elle avait pris conscience de l'étendue des dégâts. Elle se doutait bien qu'elle avait gagné quelques livres, mais à ce point-là…

— Maudit verrat, la belle-mère, j'ai quasiment pus rien à me mettre sur le dos.

Plantée dans l'embrasure de la porte du salon, Bernadette avait eu l'air on ne peut plus consternée.

— Même ma p'tite robe rouge que j'aimais ben gros, a' ferme pus. Le zipper arrête dans le milieu du dos. Ça se peut-tu ? J'ai le dos gras, astheure ! Pis la jupe me remonte sur les cuisses quand je marche avec. C'est pas mêlant, j'ai l'air d'une saucisse là-dedans. C'est pas des maudites farces ! Comment ça, don ? Me semble, bâtard, que je mange pas plusse qu'avant.

— Non, t'as raison, tu manges pas plusse qu'avant, avait placidement concédé Évangéline tout en piochant dans un bol de bonbons clairs posé sur la table à café devant elle.

Pour Évangéline, la minceur était un concept oublié depuis longtemps.

— Y' est pas dans ton assiette, ton problème, ma pauvre Bernadette. C'est juste que tu bouges pas mal moins qu'avant. Y' en parlaient justement dans la tivi, l'autre jour. C'est pas juste le manger qui est important, dans la grosseur, c'est aussi notre manière de vivre. C'est de même qu'y' disaient ça. Des enfants qui sont gros, on en voit pas ben ben, hein ? Pourtant, viarge, y' mangent la même affaire que nous autres. Ben, tu sauras, Bernadette, que c'est pasqu'y' passent une grande partie de leur journée à courir pis à jouer que nos enfants sont pas trop gros. Pis ça a ben l'air qu'y' faudrait faire pareil, nous autres avec. Faudrait prendre le temps de courir pis de jouer comme des enfants. Ça se peut-tu ? Paraîtrait qu'en faisant ça, on vieillirait en santé pis plusse vieux. C'est de même qu'a' disait ça, la madame de la tivi, l'autre matin.

— Pasque vous trouvez que je bouge pas assez ? Bâtard, j'arrête pas !

— J'ai pas dit que tu faisais rien, Bernadette, j'ai dit que tu bougeais moins qu'avant. C'est pas pareil, ça ! Depuis que t'es en affaires avec Marcel, tu passes une grosse partie de tes journées assis sur ton derrière, ma pauvre fille, à faire tes comptes pis tes commandes. Tu peux pas dire le contraire. Tu cours pus d'un boutte à l'autre de l'appartement comme tu le faisais avant.

— Tant qu'à ça... Vous avez petête pas tout à fait tort, la belle-mère. C'est sûr que je me démène moins qu'avant. Pis vous pensez, vous, que c'est petête à cause de ça si je me suis mis à grossir de même ?

— Ouais, moé, je pense qu'y' est là, ton problème. Si la femme de la tivi dit vrai, comme de raison.

Bernadette avait poussé un soupir à fendre l'âme.

— C'est ben plate, ça ! Si ce que vous dites est vrai, où c'est que j'vas le trouver, le temps pour aller jouer au parc comme je faisais avant ? J'en ai pas, moé, du temps de lousse. Pas une maudite menute ! J'arrive même pus à faire mon grand ménage.

— Ben, essaye d'en faire moins pis garde-toé du temps pour toé.

— Comment ça, en faire moins ? Je peux pas en faire moins, verrat, ça commande de partout ! L'épicerie, mes clientes Avon, la maison…

— Demande à Marcel de t'aider, avait tranché Évangéline tout en fouillant dans les bonbons du bout de l'index. C'est toute. Y' s'est pas gêné, lui, pour te demander de l'aide quand l'épicerie tournait moins fort. Pis t'as tellement ben faite ça, ma chère enfant, avait ajouté Évangéline en regardant au creux de sa main pour vérifier si elle avait bien choisi ses bonbons préférés, que toute baigne dans l'huile, astheure. C'est-tu pas beau, ça ?

« Toute baigne dans l'huile, astheure… »

Au souvenir de cette discussion, Bernadette poussa un second soupir tout en essuyant son front couvert de fines gouttelettes de sueur.

— Ça baigne pas dans l'huile tant que ça, murmura-t-elle en jetant un regard désolé et inquiet vers le cahier comptable. Vraiment pas tant que ça !

Puis, avant de déprimer complètement, elle s'efforça de revenir à cette conversation qui, malheureusement, était à sa façon tout aussi décourageante.

— Pis pourquoi tu t'en ferais avec ton tour de taille, ma pauvre fille ? avait finalement demandé Évangéline, repoussant enfin le plat de bonbons avant de se tourner vers Bernadette. Quand on est mariées pis que notre avenir est rendu en arrière de nous autres, c'est pas si important que ça, la grandeur du pantalon qu'on porte. Pis dis-toé ben que Marcel est pas mieux que toé. Lui avec, y' fait de la brioche, pis tu l'aimes pas moins pour autant. Arrête don de t'en faire pour ça. De toute façon, ma pauvre enfant, quand ben même on virerait ça dans toutes les sens jusqu'à demain matin, y a rien, ici-bas, qui va te redonner tes vingt ans. C'est plate à dire, mais ces belles années-là, ça passe rien qu'une fois. Dans la vie, y a des choses, de même, qu'on a pas le choix d'accepter.

Revenant une fois de plus à son livre de comptes, Bernadette soupira:

— Pis là-dessus, la belle-mère a ben raison. Mes vingt ans sont loin en arrière de moé.

Cependant, elle n'osa s'attarder trop longtemps sur ce constat, ne sachant trop si c'était une bonne ou une mauvaise chose, puis essayant de faire abstraction de la chaleur ambiante, elle reprit ses calculs. Quinze minutes plus tard, par habitude, épuisée par la chaleur, elle se releva pour se diriger vers le réfrigérateur vitré de l'épicerie où elle attrapa machinalement une grosse bouteille de boisson gazeuse.

Ce n'est qu'après en avoir bu un bon quart, tout d'une traite, alors qu'elle revenait vers le cagibi, que Bernadette repensa à sa résolution.

— Tant pis, maudit verrat, murmura-t-elle, déçue d'elle-même et en reprenant sa place derrière le bureau. De toute façon, un régime, ça se commence pas en plein milieu d'une journée.

L'idée, bien que douteuse, était suffisamment logique, et tentante, pour l'adopter sur-le-champ.

— Promis, demain, je m'y mets. Je coupe dans les liqueurs pis les desserts, pis j'essaye de grouiller un peu plusse. Astheure, mes calculs…

Mais rien de pire que de prendre une telle résolution quand le travail déborde et que la faim nous tenaille. Incapable de se concentrer sur son ouvrage, ne voyant que tartes et gâteaux se superposant malicieusement à ses colonnes de chiffres, Bernadette referma sèchement le grand cahier.

— De toute façon, ça me servirait à rien de toute recommencer, bougonna-t-elle en s'étirant. Les chiffres changeront pas selon mon bon vouloir. Comme le dirait la belle-mère, ça sert à rien de revirer toute ça jusqu'à demain, y a rien qui va changer. C'est pas magique, c't'affaire-là! C'est juste un calcul. Pis quand les chiffres ont tendance à vouloir descendre vers en bas, ben, ça prend juste des ventes pour faire remonter toute ça par en haut. C'est pas sorcier, pis c'est pas les calculs qui peuvent changer ça!

Cela faisait des mois, maintenant, que les profits s'étaient mis à dégringoler. L'épicerie Lacaille faisait tout juste ses frais, et c'était grâce à la boucherie de Marcel qui continuait de s'attirer une bonne clientèle. Malheureusement, ce n'était pas toutes les clientes qui en profitaient pour faire leurs courses de la semaine.

L'accalmie entraînée par le retour de Marcel en arrière de son comptoir avait donc été de courte durée.

— Maudites grandes chaînes, aussi, grommela-t-elle tout en rangeant ses papiers. Des Steinberg, des Dominion pis des A&P, y en a partout, astheure. Dire que moé avec, y a pas si longtemps encore, fallait que je fasse ma commande chez Steinberg pour faire ma fraîche. Méchante bonne idée, ouais! Si ça continue de même pis que tout le monde pense comme moé dans le temps, les p'tits commerçants comme nous autres, on va toutes finir par crever de faim, bâtard!

Et comme Marcel s'en remettait aveuglément à sa femme pour la comptabilité et les achats, pour l'instant, seule Bernadette était au courant de la situation précaire où ils risquaient de se retrouver si l'hémorragie n'était pas arrêtée.

L'après-midi n'était pas fini, mais Bernadette, elle, en avait assez.

— Ça suffit pour aujourd'hui. Le temps de dire à Marcel que je m'en vas, pis je file à la maison. J'vas en profiter pour nous faire un bon gâteau à la... Ben non ! Même ça, ça va mal. Je peux toujours ben pas faire un gâteau que j'aurai pas le droit de manger à partir de demain, verrat !

Bernadette jeta un regard navré sur ses jambes enflées, puis soupira quand ce même regard remonta jusqu'à sa taille.

Elle sortit du bureau en claquant la porte.

Voir son mari occupé derrière son comptoir aida Bernadette à se calmer un peu. Tant que la boucherie fonctionnerait à plein régime, ils s'en sortiraient, cela ne faisait aucun doute.

Mais pendant combien de temps ?

Bernadette attendit patiemment que les clientes quittent le comptoir de son mari pour s'en approcher.

— Je te voyais, dans le fond, à attendre. Voyons don, Bernadette ! Tu dois ben savoir que tu passes avant tout le monde, icitte !

— C'est gentil de le dire, mon Marcel, mais moé, je trouve pas ça ben ben poli. C'est pas pasque chus ta femme que ça me donne le droit de passer devant le monde. Même si icitte, c'est notre épicerie à nous autres pis que t'es le grand boss de la boucherie, chus capable d'attendre comme les autres. On sait jamais, Marcel, c'est petête des p'tits détails de même qui vont faire que le monde va continuer de venir nous voir.

Marcel fronça les sourcils.

— Pourquoi tu dis ça ? T'aurais-tu peur que le monde décide d'aller ailleurs ? T'as-tu vu dans tes chiffres des affaires que je sais pas mais que je devrais savoir ?

— C'est pas ce que j'ai dit. Pas pour astheure, mais on sait jamais… En attendant, je voulais juste t'aviser que je m'en vas tusuite. Y fait trop chaud dans le bureau, j'ai l'impression d'être un poulet dans une casserole. À place, j'vas revenir ben de bonne heure demain matin.

— Comme tu veux. Moé, c'est le contraire, j'vas rentrer un peu plus tard, rapport que j'ai des livraisons à faire.

Bernadette ne put retenir le soupir d'impatience qui lui gonfla la poitrine.

— Parlons-en, des livraisons! Tu comprends-tu ça, toé, qu'Antoine nous aye laissés tomber raide de même? Pas dix jours d'avis, verrat! C'te maudit voyage-là, aussi! À croire qu'on a faite deux ingrats. Si on m'avait écoutée, aussi, on en serait pas là. Laura aurait pu nous donner un coup de main en attendant de commencer à travailler avec Angéline, à la fin du mois d'août, pis Antoine ferait les livraisons comme y' s'était engagé à le faire.

— Calvaire, Bernadette! T'es ben remontée. J'vois pas le rapport, moé. Pis chus pas sûr pantoute que Laura aurait accepté de nous aider. Chus pus sûr qu'a' l'aime encore ça, travailler icitte. Si ça avait été le cas, a' serait pas retournée à l'université, en janvier dernier, pis a' serait venue nous quêter une job comme a' l'a déjà faite par le passé. Maintenant qu'a' l'a son diplôme, c'est sûrement pas des patates pis du cannage qui vont y faire envie. D'un autre côté, pour la livraison, c'est sûr que ça dérange un peu, mais c'est pas si pire que ça. Pis Antoine nous a pas laissés tomber, comme tu dis. Y' nous a trouvé quèqu'un de fiable pour le remplacer. C'est toujours ben pas de sa faute à lui si le jeune André s'occupe d'une gang de p'tits morveux qui veulent jouer au baseball le jeudi soir. C'est juste un jour par semaine, pis le sport, c'est important pour des jeunes. Me semble que je l'ai assez dit, calvaire, pour pas avoir à revenir là-dessus. Si on avait annoncé qu'y' avait pus de livraisons c'te jour-là, y en aurait pas de problème. C'est toute. C'est toé qui as pas voulu que…

— Ah ouais ? C'est moé qui cause du trouble, astheure ? Laisse don faire, Marcel Lacaille. Toé pis les enfants, ça a toujours faite deux. T'as jamais pensé de la même manière que moé face à eux autres. T'as ton idée pis j'ai la mienne. Pis quand ça marche pas, c'est toujours de ma faute. J'en ai assez entendu. Salut ! On se reverra t'à l'heure à maison.

— Ben voyons don, toé…

À grands fracas de talons, Bernadette traversa l'épicerie et sans même saluer la tante Estelle, assise derrière la caisse, elle sortit sous le chaud soleil de l'après-midi.

Marcel en resta tout éberlué. Le temps de se remettre, d'essayer de trouver à quel moment leur conversation avait dérapé, puis, la patience n'étant toujours pas sa vertu première, il sentit la moutarde lui monter au nez.

— Que c'est j'ai dit, encore, qui faisait pas l'affaire ? Maudit calvaire ! Des fois, elle, est pas parlable.

Curieusement, Bernadette en était au même point concernant son mari. Tout en marchant d'un bon pas, du côté du trottoir à l'ombre, elle ruminait leurs dernières paroles.

— Maudit verrat ! Je sais pas ce qu'y' a, lui, mais depuis l'autre soir, y' est pus jamais d'accord avec moé. À croire que la belle-mère pis lui, y' s'étaient passé le mot pour m'ostiner. Devant les enfants, en plusse. Voir que ça se fait, des affaires de même. Moé, leur propre mère, je me suis faite ramasser par mon mari pis ma belle-mère, devant mes enfants, pour une histoire de voyage ! J'en reviens pas encore.

Bernadette s'en souviendrait longtemps, de ce souper où

Antoine avait annoncé, bien calmement, que sa sœur et lui partaient pour Londres à la fin de la semaine suivante. Les billets étaient réservés.

Bernadette avait failli s'étouffer avec sa bouchée, tellement elle était estomaquée par le sans-gêne de son fils. Ça partait bien mal une discussion quand on veut faire preuve d'autorité. De toute façon, n'avait-elle pas dit qu'elle était contre leurs projets ? Mais avant même qu'elle ait pu prendre la parole, Évangéline s'était empressée de le faire, argumentant que ce serait bien pratique que le petit logement du bas soit libre pour le mettre à la disposition d'Adrien et Michelle, qui avaient annoncé leur venue pour le milieu du mois de juillet.

— Comme ça, Bernadette, tu seras pas obligée de t'échiner pour eux autres, avait-elle expliqué avec une pointe d'indulgence dans la voix. Comme tu le disais si bien l'autre jour, t'arrêtes pas, ma pauvre fille. Deux bouches de plusse à nourrir, ça paraît !

— Oui, mais…

— La mère a raison, l'avait interrompue Marcel. Si Antoine est là, avec toute son attirail de peinture, ça serait pas ben ben vivable pour Adrien. Ça fait qu'y' serait obligé de venir s'installer icitte, en haut. Pis moé non plus, ça me tente pas pantoute d'être à l'étroit ici dedans à cause de mon frère pis de sa p'tite.

— C'est ça ! Dis don tusuite qu'y' sont de trop !

— Calvaire, Bernadette, commence pas à déformer toute ce que je dis pasque ça va mal aller. J'ai pas dit ça, pis je le pense pas non plus. Le frère a autant sa place icitte que moé. C'est pas pasqu'on est pas pareils, lui pis moé, que ça change de quoi là-dessus. Mais savoir qu'y' va être là, à Montréal, sans que je perde mes aises pis mes habitudes, ça me déplaît pas pantoute.

Ça fait que rien que pour ça, l'idée du voyage de nos enfants me déplaît pas non plus.

— Arrête de t'inquiéter pour toute, avait rapidement enchaîné Évangéline, étouffant toute envie de riposte de la part de Bernadette. Moé, chus allée à New York avec Antoine, pis laisse-moé te dire qu'y' a faite ça comme un grand! Y' se débrouille pas mal mieux que moé quand c'est le temps de demander des explications ou ben pour parler dans le télé- phône en anglais. Même si moé, quand chus revenue en anglais dans mon train, j'ai pas crevé de faim, pis que toute s'est ben passé, je dirais qu'Antoine est mieux que moé pour baragouiner l'anglais. Pis pour voyager, tu sauras, y' faut savoir un peu d'anglais. Chus ben placée pour le savoir, rap- port que j'ai quand même voyagé un peu plusse que toé. Chus allée jusqu'au Texas, si tu t'en souviens ben! Pis laisse-moé te dire que c'est pas à la porte, le Texas. Mais c'est pas de ça qu'on parle, c'est du voyage d'Antoine pis de Laura… Antoine, notre artiste! Je pense qu'y' a besoin de nouvelles inspirations, le p'tit! C'est ben beau les rues de Montréal, mais voir du pays, ça peut juste améliorer ses peintures. C'te voyage-là, c'est pour son avenir qu'y' le fait, notre Antoine. On peut toujours ben pas y reprocher de voir à son futur, viarge! Pis pour Laura, c'est encore mieux. Après avoir travaillé pour l'Expo, dans toutes sortes de langues, si on en croit ce que le monde a raconté, Laura est ben placée pour pouvoir voyager. Pis en plusse, a' s'en va chez une amie que tu connais pis tu connais sa mère avec. Que c'est tu veux de plusse?

— Pis l'Italie, elle? Que c'est que…

Péniblement, Bernadette avait réussi à placer ces quelques mots.

— Je savais que t'allais parler de l'Italie. Je le savais don!

Tout en parlant, Évangéline semblait prendre la tablée au grand complet à témoin de ses propos. Jamais Bernadette n'avait été aussi mortifiée. Comme si tout avait été tramé dans son dos.

— Ben justement l'Italie, avait poursuivi Évangéline, sans laisser la chance à Bernadette de s'expliquer. Parlons-en de l'Italie ! Si Laura est pour aller chez le cousin de la belle Elena qui vient nous visiter de temps en temps, celle qui parle ben comme c'est pas permis, pis qui est polie comme toute, ben ça m'inquiète pas une miette, tu sauras, que notre Laura se retrouve chez son cousin. Pis tu devrais en faire autant. Après toute, tu les as ben élevés, tes enfants, non ? C'est pas comme si c'était deux dévergondés qui ont pas d'allure. Voyons don, Bernadette ! Je te comprends pas. Fais-leur confiance, un peu ! Pis en plusse, ta fille, c'est pus exactement une enfant d'école. Laura, avec son âge, a' va surveiller son p'tit frère, pis Antoine, avec sa grandeur, y' va protéger la vertu de sa sœur. Pour moé, c'est le *deal* parfait. Non ?

Que répondre à cela ?

Bernadette avait ravalé sa colère avec un vieux restant de thé froid.

Mais chaque fois qu'elle repensait à cette discussion à sens unique où Évangéline avait eu le beau rôle, elle était partagée entre la colère et la tristesse. Sans parler de l'inquiétude qui la taraudait chaque fois qu'elle imaginait ses enfants seuls au bout du monde.

— Voir que chus aveugle ! Voir que je le sais pas que, dans le fond, Antoine ira pas en Italie avec sa sœur. Lui, c'est du Portugal qu'y' parlait, pas de l'Italie. Y' arrêtait pas de dire que Gabriel, le peintre, pis son fils que je me rappelle pas le nom l'avaient invité. Comme si c'était pour me rassurer. Pauvre

Antoine… Pis en plusse, l'argent qu'y' vont dépenser là, c'est de l'argent qu'y' auront pus. Pis si ça vire mal à l'épicerie, ben, nous autres non plus, on pourra pas compter dessus. Mais je pouvais toujours ben pas lancer ça au beau milieu de la table sans en avoir au moins parlé avec Marcel avant. Des plans pour que mon propre mari me parle pus jusqu'à la fin des temps! Déjà que c'est pas facile tous les jours.

Bernadette monta péniblement l'escalier qui menait à la porte arrière du logement. Un soleil de plomb dardait ses rayons sur le perron, et le linge que Bernadette avait mis à sécher était aussi raide que des biscuits secs.

— Bon, une autre affaire de plusse qui m'attend, verrat! J'vas être obligée de toute remouiller ça pis de le repasser pour faire ramollir les culottes de Charles.

Bernadette entra dans le logement en claquant la porte derrière elle. L'instant d'après, elle la rouvrait en ronchonnant. Avec le soleil qui plombait par la fenêtre, il faisait une chaleur d'enfer dans la cuisine.

— Veux-tu ben me dire comment ça j'ai chaud de même, moé, cet été? lança-t-elle au jardin qu'Antoine avait semé, mais dont personne ne s'occupait, faute de temps. Ça doit être pasque chus rendue grosse comme une baleine.

Consternée, Bernadette ouvrit tout grand les bras, observant, une fois de plus, l'ampleur de son ventre et de ses cuisses.

— Pis en plusse, Adrien qui arrive à la fin de la semaine.

Bernadette sentait les larmes lui monter aux yeux.

— J'ai-tu envie, moé, qu'y' me voye grosse de même, Adrien? murmura-t-elle pour elle-même en ajustant la moustiquaire de la porte. Non, j'ai pas envie qu'y' me voye de même. Pas pantoute à part de ça. J'ai pas envie de voir personne, finalement. C'est pas mêlant, la p'tite Michelle me reconnaîtra même pus! Pis j'ai même pas eu le temps de faire le ménage de l'appartement du bas. J'vas perdre encore une belle soirée à ramasser les bébelles des autres, verrat!

Bernadette renifla ses dernières larmes.

— Pis en plus, comme si j'avais besoin de ça, je viens encore de me disputer avec Marcel à propos de j'sais pus trop quoi… Ah ouais. Le maudit voyage! C'est comme rien que je tourne en rond depuis une couple de semaines, pis je commence à en avoir assez. C'est pas les enfants qui auraient dû partir, c'est moé. Me semble qu'un p'tit mois loin d'icitte, tuseule, ça me ferait du bien en verrat! C'est moé, tiens, qui aurais dû partir pour le Texas au lieu que ça soye Adrien pis Michelle qui viennent nous voir. Ça m'aurait faite du bien. Mais moé, j'ai pas d'argent pour voyager, rapport que l'épicerie va pas trop ben pis que je bouche les trous avec mes produits Avon… Maudite vie plate! Finalement, je pense que j'vas faire un gâteau pour souper. Après toute, c'est juste demain que chus supposée commencer mon régime. J'aurai juste à manger plusse de dessert à soir. Comme ça, y aura pas de restants pour demain, pis je serai pas tentée de tricher. C'est toute!

CHAPITRE 5

There's nothing you can do that can't be done
Nothing you can sing that can't be sung
Nothing you can say but you can learn how to play the game
It's easy [...]
All you need is love
All you need is love
All you need is love, love
Love is all you need

All you need is love
THE BEATLES (LENNON / MCCARTNEY)

Grande-Bretagne, mardi 16 juillet 1968

Antoine avait été séduit par la campagne anglaise, et c'est avec un regret sincère qu'il était reparti quelques jours plus tard, lesté d'une pile impressionnante de croquis et d'esquisses qu'il allait travailler au Portugal.

Quant à Laura, c'est grand-ma qui l'avait séduite sans la moindre équivoque, bien avant les paysages bucoliques du village où elles habitaient, Alicia et elle.

— Je n'en reviens pas, Alicia ! Jamais de toute ma vie je n'ai rencontré quelqu'un d'aussi gentil que ta grand-mère. Et on ne dirait jamais qu'elle est aussi âgée ! Sa peau est fine comme du satin.

Alicia avait accueilli cette remarque par un grand éclat de rire.

— Elle prétend que c'est l'humidité du climat anglais qui conserve la jeunesse des femmes. Tu comprends maintenant pourquoi je n'ai pas envie de repartir, avait-elle alors malicieusement répliqué tout en égrenant un petit rire.

La riposte ressemblait à une boutade, mais Laura avait quand même un peu hésité avant de répondre. Peut-être à cause du rire qui sonnait faux, elle avait eu l'impression qu'Alicia se cherchait des excuses, ou des prétextes, pour ne pas aborder le vrai problème, la vraie raison qui l'avait emmenée ici, en Angleterre.

— Oui. C'est vrai que c'est tentant de rester jeune tout le temps, avait-elle approuvé du bout des lèvres. Peut-être as-tu raison… Alors, tu viens ? J'aimerais marcher sur la lande pendant qu'il fait encore clair. Ça sent tellement bon, les roses et la lavande !

— Si ça continue, toi aussi tu vas vouloir rester ici !

Cette courte conversation s'était déroulée en début de voyage. Depuis, rien d'important n'avait été abordé entre les deux jeunes femmes, sinon qu'Alicia avait réitéré ses excuses pour sa longue bouderie.

— Je ne sais vraiment pas ce qui m'a pris. Sur le coup, j'étais tellement déçue. Tu comprends, je me faisais une telle fête de ce voyage ! Alors, j'ai eu l'impression que c'était toi qui me reniais. J'avais vraiment l'impression que tu me laissais tomber. Puis, avec le temps qui a passé, j'étais gênée de te relancer.

— Mais voyons donc ! Il me…

— Qu'importe les raisons, Laura. Moi, c'est l'impression que j'avais et je n'ai pas cherché plus loin. J'ai agi en enfant, je le sais. Et je regrette, je te l'ai dit. J'ai même ajouté que je comprenais ton attitude lors de notre rencontre à l'hôpital. Que veux-tu de plus ? C'est dommage, toute cette histoire, mais on ne peut rien y changer. Ce qui a été fait ne peut être défait.

Et Laura avait accepté les excuses de son amie pour une seconde fois. Ce n'était pas dans sa nature d'être rancunière. Elle avait donc promis de ne plus jamais en reparler. De toute façon, depuis son arrivée en Angleterre, elle comprenait à quel point Alicia lui avait manqué. Tout comme elle avait constaté la même chose quand elle avait retrouvé Francine. Quand elle y pensait sérieusement, jusqu'à maintenant, Laura n'avait eu que deux véritables amies, se permettant une petite exception pour Bébert, bien sûr. Mais dans l'esprit de Laura, Bébert n'était pas un ami comme les autres et curieusement, elle n'arrivait toujours pas à lui donner de statut précis. Peut-être avait-il été un ami de convenance, servant à remplir la solitude que Francine et Alicia lui avaient imposée bien malgré elle ? Peut-être resterait-il un ami fidèle sur qui elle pourrait toujours compter ? Laura ne le savait pas et n'avait pas envie de creuser la question. Pas pour l'instant. À l'image de Francine qui mordait dans la vie à belles dents depuis son arrivée à Montréal, Laura profitait de chacune des journées qui se présentaient à elle sans chercher plus loin. Elle n'était ici que pour deux semaines et le temps passait vite. Si Francine l'attendait impatiemment, comme elle le lui avait dit la veille de son départ, et qu'elle serait là jour après jour, indéfectiblement, dès son retour à Montréal, l'amitié avec Alicia, cependant, devrait se vivre par lettres interposées. Autant en profiter pleinement, le temps que durerait son séjour, car Laura n'aurait pas les moyens de revenir ici régulièrement. Quant à savoir si Alicia se montrerait le bout du nez à Montréal...

Dans cette foulée, cherchant à se réserver des moments privilégiés, tous les soirs après souper, les deux jeunes femmes traversaient le potager qu'Alicia entretenait minutieusement pour sa grand-mère et main dans la main, elles remontaient le sentier qui traversait la lande derrière la maison des Winslow.

C'est pourquoi, ce soir comme tous les autres soirs, elles marchèrent silencieusement vers le soleil couchant. Derrière elles, les ombres étaient longues et la brise charriait une senteur florale que Laura dégustait précieusement à longues inspirations gourmandes, les yeux mi-clos.

Et comme tous les soirs, une fois arrivées au sommet du button, elles s'installèrent sur une grosse roche plate, toujours la même, blottie derrière un bosquet épineux.

Une semaine avait passé. Déjà. Après quelques jours, Antoine était parti pour le Portugal en lui faisant un petit clin d'œil, car lors d'une longue promenade à deux, Laura avait osé confier ses espoirs face à Roberto.

— Ben coudon, la sœur! T'es moins empotée que je pensais.

— Empoté toi-même, Antoine Lacaille, avait-elle rétorqué, vexée. Je peux très bien te renvoyer la pareille. Quand est-ce qu'on va te voir avec une belle fille à ton bras?

Antoine s'était alors détourné, sentant la rougeur lui monter au visage. L'image d'Anne, une main tendue vers lui, la brûlure de son léger baiser sur sa joue ne le quittaient plus. S'il n'en avait tenu qu'à lui, c'est madame Anne qui serait pendue à son bras.

Était-ce de l'amour, était-ce autre chose? Antoine l'ignorait, de même qu'il n'avait jamais vraiment su ce qu'il ressentait à l'égard de monsieur Romain, sinon un immense malaise. Et ce mal d'être, aujourd'hui, c'était face à madame Anne qu'il l'éprouvait parce que chaque fois qu'il pensait à elle, la tentation du plaisir s'imposait à lui, incontrôlable, tentaculaire, et qu'il n'avait plus envie de la repousser.

Comme il l'avait ressenti avec monsieur Romain, Antoine savait que c'était mal d'avoir envie de la main d'Anne Deblois sur son corps.

Madame Anne…

Antoine avait de la difficulté à se débarrasser de cette appellation, ce qui rendait le désir encore plus coupable.

Parce qu'il le savait bien, qu'il n'avait pas le droit de la désirer. Ce plaisir-là lui était interdit, mais c'était plus fort que lui et il succombait chaque fois qu'il pensait à elle. Chaque fois…

Le scénario se répétait, comme jadis, quand, le samedi après-midi, il fermait les yeux et que, malgré le dégoût et la peur, les vagues de plaisir finissaient par l'emporter loin, si loin… Il en allait de même aujourd'hui quand il pensait à Anne Deblois.

Il était donc parti vers le Portugal avec son secret bien enfoui au fond de son cœur. Personne ne saurait jamais ce qu'il avait vécu, ce qu'il continuait de vivre. Il n'avait pas envie de parler de toute cette ombre qui obscurcissait son cœur, de tous ces questionnements, de tous ces déchirements. Pas envie, surtout, de parler des saletés qui entachaient sa vie. Il profiterait de son séjour au Portugal comme on profite d'une retraite fermée pour faire le point, pour tenter d'oublier.

Et puisqu'Antoine savait depuis fort longtemps comment jouer la comédie, Laura ne se douta nullement de toutes ces blessures qui déchiraient la vie de son frère. Elle n'entendit pas l'appel à l'aide qui se cachait derrière ses fréquents silences et ne vit pas la fragilité qui se camouflait derrière ses nombreuses blagues et ses rires forcés. Non, Laura ne vit rien de tout cela. Elle était ici pour Alicia et ce fut uniquement vers elle que se tournèrent toute son attention, toutes ses intuitions.

Il en était de même en ce moment alors qu'elles étaient assises l'une contre l'autre, face à un soleil de feu qui descendait lentement sur l'horizon.

Pourtant, jusqu'à maintenant, rien d'important n'avait encore été dit. Même si Laura se doutait qu'Alicia n'était pas venue s'installer ici sans raison, rien ne transpirait. Malgré tout, Laura était convaincue qu'un drame avait traversé la vie de son amie. Ce n'était pas uniquement pour tenir compagnie à une vieille dame qu'Alicia avait traversé l'Atlantique, mais à ce jour, Laura ignorait ce qui avait pu la pousser à tout laisser tomber, de la famille merveilleuse qui était la sienne à son cours de médecine, qu'elle adorait.

Alors que durant des années, elles avaient joyeusement discuté d'avenir et d'études, aujourd'hui, chaque fois que Laura tentait d'aborder ce sujet, Alicia se défilait. Quand elle lui parlait de Montréal, de l'Expo où elle avait travaillé, de Francine et de son passé difficile, Alicia se refermait. Quand elles venaient s'asseoir ici, le soir après le repas, Alicia restait silencieuse.

Après toutes les années d'étude qu'elle venait de faire en psychologie, Laura devinait qu'Alicia gardait en elle un secret qu'elle trouvait lourd à porter.

Mais comment l'amener à parler ?

À première vue, rien n'y paraissait. Alicia avait bien peu changé au cours des dernières années. Elle portait toujours les cheveux aussi longs, elle avait le même rire en cascades, elle aimait irrévocablement les longues jupes et les sandales plates.

Alors ? Qu'avait-il pu se passer pour que subitement elle quitte famille et patrie et vienne se cloîtrer dans la campagne anglaise ? Répéter que sa grand-mère ne vivrait pas éternellement ne suffisait pas à tout expliquer.

Laura prit une profonde inspiration, tant pour se gaver de cette senteur qui l'enivrait que par dépit de ne pas savoir mieux comment aider Alicia. Était-ce bien elle qui venait de terminer un cours en psychologie, avec mention « grande distinction » ?

Ce fut cette inspiration, qu'Alicia prit pour un long soupir, qui déclencha enfin les confidences.

— C'est ici que je venais avec maman quand j'étais toute petite...

Laura retint son souffle. Elle sentait que pour Alicia, ce moment était important, essentiel même. La voix de son amie était évasive, comme si celle-ci cherchait ses mots. L'accent que Laura avait trouvé si beau, si mélodieux, quand elle avait rencontré Alicia la première fois, était aujourd'hui plus marqué. Comme si Alicia était en train d'oublier son français tout doucement.

— C'est curieux tous les souvenirs qui me sont revenus depuis que je vis ici, poursuivit Alicia, le regard portant au loin devant elle, les jambes repliées et retenues entre ses bras. Des tas de souvenirs. Bien plus que ce qu'une gamine de trois ou quatre ans devrait se rappeler... C'est parce qu'en réalité, j'avais cinq ans... À cinq ans, à six ans, on peut se rappeler des tas de choses. D'un paysage à un autre, d'une parole de grandma à une autre, les souvenirs me sont revenus. Ma vie ici, avant notre départ, notre arrivée à Montréal, notre premier appartement avec Françoise, l'amie de ma mère. Oui, je me souviens de tout. Vois-tu, Laura, mon âge a été le premier mensonge. J'avais un an de plus que ce que je croyais. Un an de vie que ma mère m'avait enlevé pour répondre à ses besoins. Pour cacher tous les autres mensonges qu'elle avait élaborés pour sa famille.

Tandis qu'Alicia parlait, de grosses larmes s'étaient mises à couler sur ses joues, rondes comme des perles que le soleil couchant transformait en diamants.

Le chagrin silencieux d'Alicia troubla profondément Laura. Les larmes de son amie étaient émouvantes, bouleversantes, et la jeune femme en oublia toutes les notions de psychologie acquises au fil des années. Alicia n'était pas une patiente, une cliente quelconque.

Elle était son amie. Une amie malheureuse, et toute la scolarité du monde ne pourrait y changer quoi que ce soit.

D'un mot à l'autre, lentement choisi, péniblement confié, Alicia raconta ce que furent les deux dernières années de sa vie.

— Je savais que Jean-Louis n'était pas mon père et aujourd'hui encore, rien n'a changé dans l'affection que je lui porte. Absolument rien. C'est tout ce qui entoure cette réalité qui me fait mal. En fait, Jean-Louis est la seule vérité de ma vie. Pour le reste, tout le reste, ma mère m'avait menti.

— Et ton cours ? demanda alors Laura, ne sachant trop ce qu'elle devait dire pour amener Alicia à poursuivre.

— Je ne sais pas, avoua franchement Alicia en haussant les épaules lentement, marquant ainsi la grande indécision qui la portait. Ça fait deux ans que j'habite ici et je ne sais toujours pas ce que je veux. Certains jours, l'hôpital me manque, c'est vrai. Par contre, il arrive que je me dise que je faisais ce cours-là uniquement pour créer une sorte de lien d'appartenance avec Jean-Louis. Comme si d'être médecin allait me rapprocher de lui. Comme si de lui ressembler allait en faire mon vrai père. C'est ridicule, non ?

— Tu crois vraiment que c'est ridicule ?

Alicia souleva de nouveau une épaule tremblante.

— Je… je ne sais pas. En tous cas, au départ, c'était inconscient de ma part. J'avais sincèrement l'impression que devenir médecin était tout pour moi. C'est ce que je voulais faire dans ma vie.

— Oui, je me souviens. Tu disais vouloir soigner les enfants.

— Exactement… Comme Jean-Louis, finalement.

Volontairement, Laura laissa le silence se glisser entre Alicia et elle. Dans une conversation, à travers les confidences, il doit aussi y avoir des silences pour donner le temps de se retrouver, de mettre en place tous les morceaux de sa réflexion.

— Oui, comme Jean-Louis, répéta Alicia après quelques instants. C'est pour ça que j'ai voulu prendre du recul. Pour savoir si devenir médecin correspondait encore à ce que je voulais vraiment. Et pour m'éloigner de ma mère.

— Et ?

Alicia poussa un long soupir.

— Et je ne sais pas. Ici, il y a tout ça qui m'interpelle, précisa-t-elle tout en embrassant le paysage de ses deux bras grands ouverts. Il y a aussi grand-ma qui a de plus en plus besoin de moi… Et puis, il y a Jacob.

— Jacob ?

— Un… comment dire ? Un ami ? Je ne sais pas vraiment ce qui nous unit, Jacob et moi. Des tas de choses, finalement, et peut-être rien du tout.

— Je ne comprends pas.

— Y a-t-il seulement quelque chose à comprendre ? répliqua Alicia sur un ton qui enlevait toute intention de poursuivre sur le sujet. De toute façon, je n'en suis pas là.

Du revers de la main, Alicia avait essuyé son visage. Elle

renifla discrètement puis, d'une voix un peu plus lasse, elle enchaîna.

— Je penserai à Jacob quand il reviendra. Pour l'instant, il est dans sa famille en Écosse. C'est là qu'il passe tous ses étés. Tant mieux. Ça me laisse tout mon temps pour réfléchir.

— Réfléchir à quoi ?

— À tout, Laura, à tout. À ma famille, du moins pour le peu que j'en ai. À mon avenir. À la vie, tout simplement. Ici, j'ai tout mon temps, je viens de te le dire. C'est ce que j'aime du quotidien d'un village comme ici. On prend le temps de respirer, le temps de savourer chaque instant, si on le veut. Rien ne nous bouscule. Vois-tu Laura, c'est ici que j'ai commencé ma vie, avec grand-ma. C'est elle qui m'a enseigné la beauté des choses parce que ma mère travaillait pour subvenir à nos besoins. Cela fait partie des choses qu'on m'avait cachées et dont je ne me souvenais pas. Charlotte Deblois est venue dissimuler sa grossesse en Angleterre, et c'est grand-ma qui m'a élevée pendant plus d'un an. C'est probablement pour cela que mon instinct me pousse vers elle depuis toujours. Alors, quand je reviens ici, j'ai l'impression de retrouver mes vraies racines même si finalement, Andrew non plus n'est pas mon père. Malgré tout, j'aime le rythme de vie d'ici, il fait partie de mes plus vieux souvenirs. C'est peut-être pour cette raison que lorsque je pense à Andrew, j'ai l'impression qu'il était mon vrai père. Ça me fait du bien d'y croire.

— Alors, pourquoi chercher ailleurs ?

— Est-ce que je cherche vraiment ?

Alicia avait repris la pose qui lui était chère et le menton appuyé sur ses genoux, les bras autour de ses jambes, elle fixait l'horizon toujours aussi intensément.

— Quand je suis ici, poursuivit-elle, je n'ai pas l'impression de chercher quoi que ce soit. C'est à Montréal que la recherche de mes origines était comme une démangeaison. Pas ici. Avec grand-ma, je me sens bien. C'est tout. Même si je sais qu'Andrew n'a été qu'une illusion, je l'ai aimé comme une enfant doit aimer son père. Je n'en avais pas d'autre. Mais maintenant que je sais...

— Qu'est-ce que ça change, que tu saches ?

Laura était fascinée par tout ce qu'Alicia lui disait.

— Tout, Laura ! Ça change tout. Du moins, quand je suis à Montréal. Être à Montréal, c'est être proche de mon père. Parce que j'ai cette chance d'avoir encore un père, moi qui le croyais mort. N'est-ce pas merveilleux ? En autant que je puisse le rencontrer, par contre. Sinon, savoir que mon père est toujours vivant sans pouvoir le connaître, c'est comme si je vivais un autre deuil. Mais on dirait bien que ma mère ne veut pas le comprendre. Elle refuse de dire qui il est, où il vit, sous prétexte d'un vieux secret à garder. Je trouve ça ridicule.

Il y avait tellement d'amertume dans la voix et les propos d'Alicia, tellement de désenchantement, que Laura ne sut que dire.

Les deux jeunes femmes restèrent donc silencieuses, à regarder le soleil qui baissait de plus en plus rapidement sur la ligne d'horizon. La brillance qui enveloppait les arbustes et les foins, quelques instants auparavant, s'éteignit peu à peu, laissant une lumière délavée, puis une pénombre cendreuse qui annonçait la nuit.

Laura ne comprenait pas qu'Alicia puisse en vouloir autant à sa mère. À l'époque, Charlotte avait fait du mieux qu'elle le pouvait, avec les moyens qu'elle avait. Pourquoi lui garder rancune ? Après tout, Charlotte n'avait cherché qu'à se protéger, qu'à protéger le bébé qu'elle portait en elle.

Pourquoi Alicia ne voulait-elle pas accepter cette réalité ?

Non, Laura ne comprenait pas.

Pourquoi vouloir à tout prix rencontrer ce père qui, finalement, n'avait rien fait pour elle ? C'est Charlotte qui avait toujours été là, pas lui. Qu'importent les raisons invoquées, comme le disait si bien Alicia, il y a quelques jours, ce qui avait été fait ne pouvait être défait. Alicia devrait donc faire confiance à sa mère quand celle-ci prétendait que tout était infiniment mieux ainsi pour tout le monde.

C'est ce que Laura pensait avec sincérité et elle se promit d'en parler avec Alicia dès qu'elle en aurait l'occasion.

Du coin de l'œil, Laura regarda son amie. Elle fut heureuse de constater que le visage d'Alicia exprimait maintenant une certaine sérénité, un calme intérieur qu'elle n'avait pas quand Laura était arrivée en Angleterre. Pourtant, de tous les souvenirs que celle-ci avait gardés de leur amitié, c'était la quiétude que dégageait Alicia qui dominait. Peut-être Alicia anticipait-elle cette discussion qu'elles venaient d'avoir et que la confidence étant faite, elle respirait maintenant plus librement ? Probablement. Il y a certaines choses qui nous paraissent banales, alors que pour l'autre personne, elles sont d'une importance capitale. Le fait de savoir son père vivant devait faire partie de ces choses essentielles aux yeux d'Alicia même si Laura, elle, s'expliquait difficilement qu'on puisse y attacher autant d'importance. N'empêche qu'à cause de cela, elle sut qu'elle ne donnerait pas son opinion ce soir et qu'elle ne parlerait pas non plus de Clara, la jeune sœur d'Alicia qui vivait à Montréal et qui devait s'ennuyer terriblement.

— Merci de m'avoir écoutée, fit alors Alicia tandis que le jour s'éteignait sur la lande, laissant place à la nuit qui gagnait rapidement du terrain, faisant se rejoindre les ombres entre elles. Je ne sais toujours pas ce que je vais faire de ma vie, mais ça m'a fait du bien d'en parler. Et merci aussi de ne pas m'avoir sermonnée. Je n'en avais vraiment pas besoin… Maintenant, on va rentrer. Grand-ma n'aime pas que je sois dehors quand le soleil est couché.

À ces mots, Laura laissa filer un petit rire sarcastique. Brusquement, elle se retrouvait en terrain connu.

— Tiens, toi aussi !

— Comment, moi aussi ?

— Tu as une heure de rentrée comme si on était encore des gamines. Tu ne te rappelles pas ? Toutes les entourloupettes que je devais parfois inventer pour pouvoir te suivre en ville le vendredi soir. J'ai peut-être vieilli, mais ma mère, elle, n'a pas changé, tu sais. Elle pense toujours que je suis une petite fille et tous les soirs, à moins d'avoir une excellente raison, je dois rentrer avant dix heures. À mon tour de dire que je trouve ça ridicule.

Curieusement, Alicia avait l'air franchement surprise par les propos de Laura.

— Eh bien… Moi, c'est le contraire, vois-tu ! J'aime assez l'idée de savoir que quelqu'un s'inquiète pour moi. Ouais… Je trouve cela rassurant, réconfortant. Rappelle-toi, à ton tour ! Quand j'étais jeune, j'avais toujours quelques sous en poche pour pouvoir prendre un taxi. Ma mère exigeait cela pour que je puisse sortir. Malheureusement, la plupart du temps, quand j'arrivais à la maison, il n'y avait qu'une toute petite lampe laissée allumée dans le salon qui m'accueillait… Moi, vois-tu, j'aurais préféré que quelqu'un m'attende. Maintenant, viens. On rentre.

* * *

Antoine avait été un peu déçu d'apprendre que Miguel n'était pas chez lui.

— Un voyage de dernière minute, avait expliqué Gabriel, ce peintre ami de la famille Deblois qui vivait depuis des années au Portugal. Tu dois bien savoir ce que c'est, non ? Un groupe de copains avec qui il est parti en Espagne.

Non, Antoine ne savait pas ce que c'était, avoir une bande de copains. Mais il pouvait l'imaginer sans difficulté: il en avait tellement rêvé sans jamais être capable de faire les pas qui le séparaient de tous ces autres jeunes, dans sa classe ou à l'entraînement.

Inconscient de la réflexion qu'il venait de susciter, Gabriel poursuivait.

— Miguel a bien mérité ce voyage, tu sais. L'année a été longue, difficile, remplie d'études et de gardes à l'hôpital. Mais lui aussi a bien hâte de te revoir. Même qu'il a hésité avant d'accepter ce voyage. C'est moi qui ai insisté pour qu'il se décide à partir. Mais ne crains rien, il sera là pour la seconde partie de ton séjour. Et New York ? Paraîtrait-il que tu fais fureur chez vos voisins américains ?

À ces mots, fichue manie, Antoine avait senti le rouge lui monter aux joues.

— Pour ce qu'y' est de moi-même, j'sais pas trop si le monde a envie de me voir, avait-il avoué candidement. Mais mes peintures, par exemple, on dirait ben que le monde les aime. Pis pas mal, à part de ça ! Quand chus parti de chez nous, y en avait déjà plusse que la moitié de vendues !

— Merveilleux ! Et je ne suis même pas surpris. J'ai toujours su que tu réussirais. Ce n'est pas sans raison que je t'ai recommandé à cette galerie. Et maintenant que tu commences à être connu, j'espère que tu vas voir grand! Los Angeles, Tokyo, Rome, Paris, Londres…

— Arrêtez, vous là! J'aurai jamais assez de toute une vie pour faire toute ce que vous me proposez! Pis c'est pas pasqu'à New York y' aiment ça que ça va être pareil ailleurs. Me semble que…

La lueur amusée qu'Antoine avait aperçue à ce moment-là dans l'œil de Gabriel avait suffi à le faire taire, avant qu'il n'approuve quelques instants plus tard.

— Ouais, vous avez raison. Faut voir grand. Madame Émilie avec, a' me le dit assez souvent… En attendant, j'ai quand même envie d'un peu de changement. J'vas continuer à faire des ruelles de Montréal, c'est sûr, rapport que le monde aime ben ça. Mais pour moé, juste pour moé, j'aurais le goût d'essayer d'autre chose.

— Dans ce cas, suis-moi! On va déposer ta valise dans ta chambre et ensuite, on va aller dans l'atelier.

« Dans ta chambre… »

Ces quelques mots étaient le plus bel accueil que Gabriel pouvait faire à Antoine. Une façon merveilleuse de dire qu'il était ici chez lui! Le temps de déposer sa valise sur le lit et Antoine se sentait effectivement chez lui. Sans la moindre hésitation, il retrouva le chemin qui menait à l'atelier.

Gabriel lui avait réservé un chevalet et une petite table qu'il avait installés dans un coin de la pièce, celui qui était le plus vitré. Chaque fois qu'Antoine lèverait les yeux ou détournerait la tête, ce serait l'immensité de la mer qui s'offrirait à lui, avec en prime, aujourd'hui, un ciel à l'azur sans défaut.

— Je me rappelais pas à quel point c'était beau, ici, murmura-t-il, ébloui, presque ému. C'est beau sans bon sens…

Puis, il tourna les yeux vers Gabriel.

— On finit-tu par se tanner de toute ça ? demanda-t-il en montrant la mer d'un large mouvement du bras. On finit-tu par pus la voir, la mer, pasqu'est toujours là ? Ou ben on vient-tu par se fatiguer d'avoir tout le temps du soleil ?

Gabriel regardait le jeune homme avec la même lueur mi-amusée, mi-moqueuse au fond des prunelles.

— Qu'est-ce que tu en penses ?

Antoine n'eut même pas à réfléchir avant de lancer sa réponse avec une spontanéité désarmante.

— J'en pense que pour moé, c'est petête ce que j'ai vu de plusse beau dans toute ma vie, affirma-t-il avec conviction. Pis quand on fait de la peinture comme moé, à peu près toutes les jours, ben, de la beauté, on en a jamais assez.

— Alors tu viens de répondre toi-même à ta question !

Antoine approuva d'un vigoureux hochement de la tête.

— Ben vous êtes chanceux en mautadine. Ouais, vous êtes ben chanceux d'avoir ça, toute à vous, jour après jour.

Et sur ces mots d'envie, Antoine reporta les yeux sur l'océan qui offrait, aujourd'hui, une mer étale.

Pendant ce temps, Gabriel esquissa un grand sourire tout en haussant les épaules.

— Je sais que je suis chanceux... C'est un peu pour cela que je ne suis jamais retourné vivre à Montréal.

Sur ce, Gabriel garda un moment de silence, tourné vers ses souvenirs, puis il poursuivit, avec une note d'enthousiasme dans la voix.

— Il n'en tient qu'à toi pour venir t'installer ici, tu sais ! Avec Miguel à l'université, parti durant de longs mois chaque année, ça ne me déplairait pas du tout d'avoir un compagnon d'atelier, tu sais.

— Hé ben…

De toute évidence, Antoine était ravi par la proposition même s'il savait qu'il ne pourrait y donner suite.

— Je sais pas trop ce que les parents diraient de ça, de me voir partir loin de même, expliqua-t-il, mais moé, c'est sûr que ça me tenterait… Petête plus tard, suggéra-t-il en ramenant les yeux sur le paysage grandiose qui s'offrait à lui. Pour astheure, mon père pis Bébert, y' comptent ben gros sur moé pour faire leurs p'tites jobines. Je peux pas les laisser tomber comme ça, juste sur une *peanut*. Déjà que je prenne plusse qu'un mois cet été, c'était pas mal embêtant pour eux autres…

— Dans ce cas… Mais n'oublie jamais qu'ici, il y a une place pour toi. Maintenant, qu'est-ce que tu dirais d'une petite promenade pour nous mettre en appétit ? J'ai quelques beaux poissons pour le dîner, frais pêchés du matin et dont tu vas me donner des nouvelles, j'en suis certain !

Antoine afficha un sourire gourmand.

— J'aime ben ça, le poisson. Mais chez nous, c'est juste le vendredi qu'on en mange. Pis ça, c'était dans le temps ousque j'étais p'tit. Astheure, à part du pâté au saumon pour faire plaisir à ma grand-mère pis de la truite une fois de temps en temps, quand notre voisin Gérard Veilleux nous en donne, on en mange pus jamais. Quand je demande à ma mère de nous en faire, pour un peu de changement, a' répond que pour elle, c'est un repas de pénitence pis que ça y tente pus d'en manger. Pis a' rajoute toujours que ça pue le diable dans maison quand on fait cuire du poisson. Vu que mon père est boucher, a' finit son sermon en disant que c'est juste normal que chez nous, on mange de la viande à tous les jours, pis même deux fois par jour ! Moé, je trouve ça un peu plate, rapport que j'aime ça, le poisson. J'aime ça, ben gros !

— Ne t'inquiète pas ! Ici, tu vas rattraper le temps perdu, compte sur moi. Maintenant, va te changer. Il fait une chaleur torride ! On pourrait peut-être profiter de la mer. Qu'est-ce que tu dirais d'une bonne baignade avant la promenade ?

— J'osais pas vous le demander !

Malgré une certaine déception devant l'absence de Miguel, la journée passa rapidement et agréablement. Gabriel était un homme de peu de mots mais d'une présence chaleureuse, bien que discrète.

Le lendemain, Antoine sortit tous les croquis faits en Angleterre et il s'installa devant son chevalet. À quelques pas derrière lui, il sentait la présence de Gabriel et rien n'aurait pu lui faire plus plaisir. Antoine n'aimait pas travailler seul et les plus belles années de sa vie, jusqu'à maintenant, avaient été celles où il peignait dans l'atelier de madame Émilie. Souvent, quand les enfants faisaient leur sieste ou quand son mari était à la maison, elle en profitait pour se joindre à lui et côte à côte, avec comme seul bruit de fond le chant des oiseaux et le frottement des pinceaux sur la toile, ils pouvaient passer des heures à travailler, sans dire un seul mot.

Pour Antoine, c'était le bonheur à l'état pur.

C'est ainsi que, depuis son arrivée, tous les matins après un petit déjeuner frugal, Antoine s'installait dans l'atelier, face à la fenêtre. Il sentait la présence de Gabriel dans son dos, entendait le bruit du fusain ou du pinceau, et il était bien. Ce fut donc facile, dans de telles conditions, d'arriver à mettre une certaine distance entre lui et Anne Deblois.

Et contre toute attente, il arriva à poser un bémol sur ce qu'il voyait comme une note discordante dans sa vie.

Depuis toujours, ou presque, Antoine n'avait qu'à se laisser guider par les formes et les couleurs pour tout oublier, et c'est ce qu'il fit avec une certaine détermination qui ne tarda guère à se transformer en ferveur.

Alors, il dessina comme un forcené, de l'aube au crépuscule, se laissant emporter par un monde imaginaire, le sien, qu'il savait si bien transposer sur une toile.

Il peignit délicatement la campagne anglaise avec ses brumes et son ciel délavé; il reproduisit à grands traits de pinceau des couchers de soleil extraordinaires où la mer et le ciel s'embrasaient en parfaite communion; il confia minutieusement à la toile des marines qu'il n'aurait jamais pu imaginer à Montréal tant le paysage, ici, était éloigné de tout ce qu'il côtoyait quotidiennement.

Et quand il se couchait le soir, épuisé, il n'avait plus la force de penser à madame Anne. Il s'endormait la tête sur l'oreiller et ne s'éveillait que le lendemain après une nuit sans rêve. Soulagé, Antoine osait croire qu'il finirait par guérir de cet amour impossible.

Il espérait, d'un même souffle, que la peinture réussirait là où lui semblait échouer. Elle finirait bien par envahir complètement sa vie, par l'inonder, à un point tel qu'il n'aurait plus besoin de rien d'autre pour être heureux.

Il n'avait pas le choix.

Il fallait qu'il apprenne à se contenter de l'art, puisque toute autre forme d'amour lui serait désormais interdite, lui qui n'arrivait pas à contrôler ses pulsions, lui qui détestait qu'on le touche même s'il en rêvait, lui qui se faisait horreur à lui-même tant son corps pouvait être imprévisible.

Puis vint le matin où, au réveil, il se surprit à espérer le retour de Miguel.

Hier, au souper, Gabriel avait parlé de lui.

— Normalement, Miguel devrait être ici demain.

Cela faisait maintenant plus de dix jours qu'Antoine vivait ici. La présence silencieuse de Gabriel, les longues heures devant la toile, l'immensité de l'océan devant lui avaient été salutaires. Antoine se sentait, à présent, impatient à l'idée de revoir son ami.

Cette amitié lui était précieuse. C'était la seule qui lui restait, puisque d'un refus à un prétexte, il avait de lui-même éloigné Ti-Paul, l'indissociable de son enfance. Comment aurait-il pu en être autrement? Antoine détestait la promiscuité, elle lui faisait peur. Alors, par instinct, il fuyait les bars, ignorait les arénas, se refusait le cinéma, toutes choses que Ti-Paul, par contre, lui proposait régulièrement. Devant les esquives répétées d'Antoine, peu à peu, les appels de son ami d'enfance s'étaient donc faits plus rares jusqu'à disparaître complètement.

Antoine ne lui en voulait pas. C'était la vie qui l'avait décidé ainsi…

Avec Miguel, c'était différent. Tout se jouait sur papier, d'une lettre à une carte de vœux pour les Fêtes ou pour l'anniversaire. L'amitié de Miguel ne comportait aucun risque et elle était sincère.

Un incident entre eux, alors qu'Antoine avait violemment repoussé son ami, avait scellé leur amitié plutôt que de la détruire. Sans rien connaître du passé d'Antoine, à la force du coup qu'il venait de recevoir, Miguel avait deviné que quelque chose ou quelqu'un avait fait très mal à Antoine. Alors, il avait pardonné ce coup de poing dans le ventre, sans chercher à comprendre, et pour cela, Antoine avait énormément de respect pour lui.

Ainsi, Miguel était devenu son unique ami.

Bien sûr, il y avait aussi Bébert. Mais à l'instar de sa sœur,

Antoine n'arrivait pas à qualifier le lien qui l'unissait à Bébert. Ce voisin de toujours était à la fois son patron, bien sûr, quand il était au garage, mais il était aussi son mentor à certains égards, comme pour la mécanique.

Et, malgré la différence d'âge entre eux, il était son *alter ego* pour tout le reste.

En effet, Bébert aussi avait connu monsieur Romain, et Antoine n'avait pas eu besoin de parler pour qu'il comprenne l'enfer dans lequel il avait vécu. Alors, parce que Bébert était le seul à tout savoir du passé d'Antoine, ce dernier se sentait en sécurité avec lui.

Bébert était le seul à qui il tendait la main, de qui il acceptait une accolade, à qui il disait presque tout.

Bébert, c'était l'amitié sans risque, l'amitié facile.

Bébert, c'était presque un frère, alors…

Miguel arriva en fin d'après-midi, à cette heure où le soleil, ici, commence tout juste à baisser, très lentement, éclaboussant encore allègrement les murs blancs de l'atelier de milliers d'éclats lumineux.

— Papa ? Je suis là !

La voix venait de loin. Il y eut quelques bruits dans la maison, une course dans l'escalier, et un jeune homme bronzé, barbu et aux cheveux longs parut dans l'embrasure de la porte à l'instant précis où Gabriel se retournait.

Antoine ne put faire autrement que de remarquer l'intensité du regard que les deux hommes échangèrent. Il en fut presque jaloux.

Lui, Antoine Lacaille, il n'avait jamais eu de liens assez forts, assez soutenus et partagés, avec qui que ce soit pour que tout, absolument tout, puisse se jouer dans un simple regard, comme en ce moment.

Gabriel délaissa alors sa toile et s'essuyant les mains sur une guenille, il vint jusqu'à Miguel pour le serrer contre lui.

— Heureux de te voir, mon fils ! Très heureux. Et regarde qui nous est arrivé !

Miguel détourna la tête pour afficher aussitôt un large sourire.

— Antoine !

Spontanément, il fit quelques pas en direction de son ami, une main tendue pour lui souhaiter la bienvenue. Antoine regarda la main, longuement, sans faire un geste. Pourtant, il aurait voulu la prendre entre les siennes, la serrer avec affection parce que c'est vraiment ce qu'il ressentait pour Miguel, une grande affection. Mais il en fut incapable, tout comme l'autre jour il avait été incapable d'aider madame Anne à se relever.

Enfonçant profondément ses mains dans ses poches, au risque de tout salir, il fit cependant quelques pas, lui aussi, en direction de Miguel.

— Miguel ! Chus ben content de te revoir…

Avec un naturel désarmant, Miguel avait copié le geste d'Antoine, comprenant que ça n'allait pas nécessairement mieux dans la vie de ce dernier. Les deux mains dans les poches, il le regarda avec un immense sourire.

— Moi aussi, je suis content. Si tu savais à quel point ! J'ai plein de choses à te raconter ! Ça fait combien de temps, au fait, qu'on ne s'est pas écrit ?

Antoine fit mine de chercher. Pourtant, il savait fort bien que cela faisait plus de trois mois. Ces lettres trop brèves, trop rares, il les attendait avec tellement d'impatience !

— Longtemps, fit-il enfin. Ouais, ça fait un sapré bon bout de temps. C'était la lettre où tu m'invitais à venir ici… Hé ben ! Me v'là !

— Alors laisse tout ça là, répliqua joyeusement Miguel en montrant la toile inachevée sur le chevalet. À ce que je vois, tu n'as rien perdu de ton talent, mais tu continueras plus tard. Pour l'instant, on va se promener.

Puis Miguel se tourna vers son père.

— Tu permets, n'est-ce pas ? Je te raconterai mon voyage durant le dîner, d'accord ?

— D'accord, Miguel. Profitez bien de votre promenade. Emmène-le prendre une bière ou un verre de vin, proposa-t-il en désignant Antoine avec le pouce. Depuis qu'il est arrivé, c'est un véritable bourreau de travail. Amusez-vous ! C'est l'été et c'est de votre âge !

Antoine ne connaissait rien au monde des bars et de l'alcool. Hormis quelques bières sirotées en compagnie de Bébert, dans le salon de ce dernier, il n'avait pas vraiment eu l'occasion de sortir et il s'en portait fort bien. Il se rabattait sur le principe qu'il n'avait pas l'âge légal pour tout refuser en bloc.

En compagnie de Miguel, il fit donc la tournée de quelques petits bars à tapas et autres terrasses où, pour une première fois, il but du vin. Alors que la bière le laissait indifférent, déclarant qu'elle lui gonflait inutilement l'estomac, comme il l'avait déjà dit à Bébert, il trouva un charme certain à ce liquide rosé et frais qui piquait le bout de la langue et qui accompagnait à merveille les olives et autres petites bouchées présentées avec abondance dans de jolis plats de poterie.

Miguel le surveillait du coin de l'œil en riant.

— Attention, Antoine ! Ce n'est pas de la limonade ! Et arrête de manger, tu n'auras plus faim pour dîner !

— Je le sais que c'est pas de la limonade, inquiète-toé pas ! Pis laisse-moé te dire que je trouve ça pas mal meilleur que de la limonade. Un dernier verre pis j'arrête, promis. Pis pour le souper, tu t'en fais pour rien. Tu demanderas à ma mère: j'ai toujours faim! A' dit que j'ai pas de fond!

Une légère euphorie s'était emparée de lui et il ne voyait plus le monde ambiant du même œil. Les barrières que la vie avait érigées autour de lui semblaient tomber les unes à la suite des autres.

Il se sentait tout léger, alors qu'il avait l'habitude de porter le poids du monde entier sur ses épaules.

Il avait l'impression d'être partie prenante de cette foule bigarrée, alors qu'en temps normal il l'aurait fuie.

Le soleil était plus brillant que jamais et pour une toute première fois, il s'autorisa à regarder les filles autour de lui, du bout du regard, craintif.

Il les trouva jolies sans ressentir l'embarras habituel.

Alors, Antoine osa lever la tête un peu plus haut, autorisa même son regard à être plus insistant.

Jamais il n'aurait eu l'audace de les aborder; il n'en était pas encore là. N'empêche que prendre plaisir à les regarder était déjà un pas immense. Comme un soulagement qui montait du plus profond de son être, lui donnant envie de prendre une longue, une bonne inspiration.

Antoine se permit alors de croire qu'il était peut-être en train de faire un pas dans la bonne direction.

S'il venait de trouver une façon de se sentir libéré de ses hantises, peut-être arriverait-il à s'en sortir.

Antoine leva son verre, regarda le soleil à travers le vin. C'était joli.

Peut-être arriverait-il, un jour, à fonctionner comme tout le monde. Et tant pis si ça prenait du vin pour y arriver.

Vivre normalement, sans crainte, c'était là le plus grand rêve d'Antoine.

Être capable de relations normales avec les gens sans paniquer. Être capable d'aimer et d'être aimé sans perdre le contrôle.

Capable de donner la main à quelqu'un sans angoisser, de faire une accolade sans arrière-pensée, de toucher et être touché sans se sentir sale, sans l'éternelle appréhension que le moindre rapprochement conduisait inévitablement à autre chose.

Vivre sans la phobie que tout ce que l'on fait peut porter à conséquence.

Peut-être, un jour, oui, y arriverait-il…

En attendant, Antoine leva sa coupe un peu plus haut et la tint entre ses doigts. Il fit miroiter le vin au soleil de six heures. Le rose se colora aussitôt d'une pointe d'oranger et Antoine se demanda quelles couleurs il utiliserait pour en rendre à la fois la teinte et la brillance. Incapable de répondre clairement à cette question, d'une longue gorgée, il vida son verre. Puis, il tourna la tête vers Miguel.

— J'ai faim, déclara-t-il sans ambages en déposant bruyamment son verre sur la table. On rentre-tu à la maison ?

Les dernières heures de cette journée furent à l'image de ce qu'il venait de vivre. Un repas de fête pour le retour de Miguel, copieux et joyeux, suivi d'une longue promenade sur la plage, à trois, parce que Gabriel s'était joint aux deux jeunes.

On parla voyage. On discuta peinture. On projeta une excursion et une balade en bateau pour le samedi suivant.

La soirée se termina par un concours de galets, lancés à la surface de l'eau qui flambait de mille feux allumés par les dernières lueurs du soleil couchant. Antoine adorait ces journées qui n'en finissaient plus.

Il se souviendrait longtemps de cette merveilleuse soirée où la normalité des choses s'était laissé entrevoir à travers la robe abricot d'un simple verre de vin et l'amitié réservée, toute en simplicité et en respect, de deux hommes de qualité.

Le lendemain, il peignit de mémoire la terrasse du petit café où il s'était rendu avec Miguel. Sous l'auvent rayé rouge et vert, de dos, on pouvait y voir une jeune femme accoudée nonchalamment sur le plateau d'une table. Elle portait une robe toute simple qui lui dénudait les épaules et à la main, elle tenait une coupe de vin à moitié pleine. Du vin rosé qui annonçait l'été et la chaleur.

Et comme le soleil, en retrait, courtisait toute la toile, la couleur du vin passait du rose à l'orange, chatoyant comme le ventre d'un saumon, et le verre brillait comme une boule de cristal.

Jamais Antoine n'avait peint aussi rapidement, avec autant de flamme. Avec autant de talent.

Et pour un regard familier, même si on ne la voyait que de dos, on pouvait reconnaître madame Anne. Mais ici la chose était permise. Personne ne connaissait Anne Deblois, et comme elle était loin, si loin, Antoine ne risquait pas de trébucher.

Mais ce fut le lendemain, quand quelques nuages imprévus s'amusèrent à couvrir le soleil et que, stupéfait, Antoine s'aperçut que la journée tirait déjà à sa fin, ce fut à ce moment-là que les habitudes d'une vie de faux-fuyants le retrouvèrent et se jetèrent sur lui sans crier gare.

Pourtant, Antoine se croyait à l'abri dans l'atelier de Gabriel.

Malheureusement, il suffit d'un regard pour tout ramener au point de départ.

Elle s'appelait Isabella. Miguel lui avait parlé d'elle hier, et Antoine avait envié sa facilité à le faire.

Elle était très belle, de ce genre de beauté un peu sauvage, avec des yeux de braise et de longs cheveux noirs.

La jeune femme tenait la main de Miguel, visiblement heureuse de le revoir après deux semaines d'absence, et à ses côtés, il y avait sa sœur, Marina.

Les présentations furent un moment difficile.

Pour éviter de donner la main ou de faire la bise, comme tout le monde semblait le faire ici, Antoine s'agrippa à sa guenille.

— Je m'excuse, j'ai les mains ben sales. Pis je pue la térébenthine sans bon sens. Approchez-vous pas trop de moé !

Miguel traduisit. Il y eut quelques rires un peu gênés.

Puis, Miguel demanda :

— Qu'est-ce que tu dirais d'aller manger ensemble tous les quatre ? Papa va au théâtre ce soir.

Sans répondre, et s'excusant en montrant ses mains maculées de couleurs, Antoine se précipita vers l'évier tout taché qui trônait dans un coin de l'atelier.

Les choses allaient trop vite et il n'aimait pas cela. Pourquoi Miguel ne lui en avait-il pas parlé avant ?

Ouvrant le robinet à plein régime, il demanda par-dessus son épaule, d'une voix assez forte pour enterrer le bruit de l'eau :

— Aller manger ?

— Oui, manger. Au restaurant.

— Je sais pas trop… En fait, j'ai pas vraiment faim.

Antoine tourna brièvement la tête et fit la moue. Puis, du menton, il montra la toile presque terminée qui séchait sur le chevalet.

— Comme tu vois, la journée a été pas mal remplie, pis chus ben fatigué. Je pense que j'vas me faire un sandwich, tout simplement. Pis je pense, surtout, que j'vas me coucher ben de bonne heure, rapport que je veux être en forme demain pour finir ma peinture… Est pas pire, hein ?

Tout en parlant, Antoine frictionnait vigoureusement ses mains sous l'eau. Puis, prenant une serviette propre, il revint à pas lents vers Miguel et ses amies.

— C'est plate pour vos projets, mais je serais pas ben ben parlable à soir. Je serais pas d'adon, comme dirait ma grand-mère. On pourrait petête se reprendre une autre fois ?

De toute évidence, Miguel était déçu, mais il n'insista pas.

— Comme tu veux.

— Bon ben, vous allez m'excuser. Moé, j'vas commencer par prendre une bonne douche. J'en ai besoin.

Et sans autre forme de discussion, sur un bref signe de tête, Antoine quitta l'atelier et fila vers la maison pour se réfugier dans sa chambre.

Pour cette fois-ci, l'excuse avait été facile à trouver.

Mais qu'en serait-il demain, après-demain, la semaine prochaine ?

Antoine l'ignorait, mais la perspective de se retrouver coincé aux côtés d'une femme, ou d'un homme d'ailleurs, le terrorisait.

Autant hier l'idée de se confier à l'euphorie du vin pour régler ses problèmes semblait tentante, autant ce soir, la même idée lui semblait traître.

S'il fallait, à frôler quelqu'un, même par inadvertance, s'il fallait qu'il perde le contrôle et que la colère se joignant à ses phobies lui donne le goût de frapper pour se défendre comme il l'avait déjà fait ?

Être sous l'influence du vin y changerait-il quelque chose ?

Antoine se souvenait fort bien de ce qui s'était passé chez monsieur Romain il y a quelques années. Il n'avait pas eu du tout l'intention de frapper son ancien professeur quand il s'était présenté chez lui. Il voulait tout simplement lui dire qu'il l'avait à l'œil et qu'il ferait mieux de ne pas toucher à son petit frère. C'est tout. C'est quand monsieur Romain avait posé sa main sur son bras qu'Antoine avait perdu la tête et c'est là qu'il l'avait frappé à grands coups de poing dans le ventre puis à coups de pied dans le visage. Heureusement, Bébert l'accompagnait et c'est lui qui l'avait arrêté, sinon, Antoine aurait pu battre monsieur Romain à mort, tellement il n'avait plus le contrôle sur ce qu'il faisait.

Et ce n'était pas uniquement parce que c'était monsieur Romain. Le coup porté à Miguel avait été tout aussi spontané, comme un réflexe, parce que celui-ci avait osé mettre la main sur son épaule en gage d'amitié.

Et ce n'était pas tout.

S'il fallait que le désir d'un moment de plaisir naisse en lui, à cause d'un regard ou d'une main trop douce posée sur son bras ? S'il fallait que ce désir grandisse à devenir incontrôlable, comme cela lui arrivait parfois ?

Peut-être valait-il mieux, après tout, vivre à Montréal et souffrir à l'occasion quand il verrait madame Anne de loin, sans plus jamais oser l'approcher. À Montréal, il avait ses repères, ses habitudes, et personne ne s'occupait de lui.

On était habitué de le voir taciturne, casanier, renfermé. À Montréal, il était l'artiste, avec ses manies, ses lubies, et personne ne le dérangeait.

Déçu, peiné, Antoine comprenait surtout que l'amitié avec Miguel serait désormais de celles qui se vivent à distance s'il ne voulait pas donner d'explications.

Et Antoine n'avait surtout pas envie de donner d'explications.

En dernier recours, quand il avait décidé de partir en voyage, Antoine avait défendu sa cause auprès de sa grand-mère en disant qu'il avait besoin d'inspiration, qu'il voulait voir des paysages nouveaux et travailler de nouvelles techniques avec Gabriel. C'était en grande partie vrai et c'est à cela qu'il allait consacrer la fin de son séjour ici. Il ferait des tas de croquis, prendrait des centaines de photos et ferait quelques toiles. Oh oui! Il ferait surtout d'autres toiles.

Parce que lorsqu'il était malheureux, déstabilisé et rempli de doutes, Antoine avait toujours envie de peindre. C'était la seule façon qu'il avait trouvée pour se rassurer, pour oser croire qu'au fond de lui, il y avait un fond d'humanité qui ressemblait à celle de tous les autres. Il n'était pas un monstre, il était tout simplement malhabile.

Antoine quitta le Portugal à la fin de la semaine suivante. La relation avec Miguel avait ressemblé à toutes celles qu'Antoine avait eues dans sa vie, faite d'apparence et d'ombre, de discussions superficielles et de déceptions. Fidèle à lui-même, Miguel n'avait rien demandé et il avait attendu une confidence qui n'était pas venue.

Alors, Antoine quitta le Portugal en emportant son secret et en laissant derrière lui les plus belles toiles qu'il ait jamais faites.

— Je les envoie à New York en même temps que les miennes, promis!

Gabriel non plus n'avait pas questionné Antoine à propos de cette ombre de femme que l'on voyait parfois apparaître dans certains tableaux. Lui, il avait eu sa dame en rouge, à une certaine époque de sa vie, la belle Charlotte qui n'aurait été, finalement, qu'un beau rêve inaccessible.

Comme convenu avec Laura, Antoine se rendit à Paris.

Le frère et la sœur s'étaient donné rendez-vous au pied de la tour Eiffel. Ils feraient une visite éclair de la Ville lumière et ils en profiteraient pour peaufiner le mensonge qui prouverait, sans l'ombre d'un doute, qu'Antoine aussi avait visité l'Italie.

Et de là, trois jours plus tard, ils repartiraient en direction de Montréal.

CHAPITRE 6

Je t'ai cherchée à mon réveil
Où étais-tu ? Il ventait fort dans mes oreilles
J'achèterai le camion blanc
Qui nous emportera au printemps
En Californie, en Californie, in California

California
ROBERT CHARLEBOIS

Québec, vendredi 2 août 1968

Assise dans la cour arrière de sa maison, Cécile profitait de quelques instants de détente avant de partir pour l'hôpital. Après un an de soins réguliers prodigués à l'oncle Napoléon et d'encouragements répétés à sa chère tante Gisèle, elle reprenait son service à temps plein à la clinique externe de l'hôpital dès lundi prochain et cet après-midi, elle remplaçait un collègue.

— Finalement, on a réussi, murmura-t-elle en inspirant profondément. Mononcle Napoléon va assez bien et matante Gisèle s'en sort à merveille. Mais que de patience, seigneur, que de patience !

Un an ! Cela lui avait pris un an pour convaincre sa tante qu'un salon n'était pas nécessaire pour être heureux et que de s'y installer pour dormir avec son mari serait la meilleure solution pour tous les deux. Elle avait même appelé ses cousins

Fernand et Raoul à la rescousse devant l'entêtement de la pauvre tante Gisèle, qui ne savait plus à quel saint se vouer.

— Voir que ça a de l'allure! Une maison pas de salon! On aura tout vu. Je recevrai toujours ben pas ma visite dans ma chambre!

— Quelle visite, matante?

La vieille dame avait dardé un index colérique sur la poitrine de Cécile.

— À commencer par toi pis ta famille, ma pauvre enfant, avait-elle fulminé, pis en continuant par mes deux gars pis leurs enfants. Quand y' ont le temps de descendre à Québec, y' viennent nous voir, leur père pis moi. C'est pas des ingrats. Pis y a Laura, aussi, qui vient faire sa petite visite de temps en temps. Pis avec un peu de chance, on va ben finir par retrouver notre Francine, non? Elle pis son p'tit Steve, y' sont chez nous ben régulièrement, tu sauras, Cécile... Au moins une fois ou deux par semaine. Non, non, non... Une maison pas de salon, ça se fait pas! Aussi ben s'en aller dans un foyer, tant qu'à y être!

— Est-ce que j'ai dit ça?

— Non, mais c'est tout comme!

On était encore en hiver, un hiver rigoureux, et les conditions de vie de ce vieux couple que Cécile aimait comme ses propres parents se détérioraient. Les courses à faire sur une chaussée parfois glissante, la neige à déblayer régulièrement sur les balcons et devant les portes d'entrée... Depuis son attaque, l'oncle Napoléon n'était plus d'aucun secours à la maison. Il se déplaçait avec une certaine difficulté et tous les matins, Charles, le mari de Cécile, devait faire un détour par la rue Saint-Olivier pour aider le vieil homme à descendre l'escalier afin qu'il puisse s'installer au premier étage durant la journée. Bien entendu, le même détour s'avérait nécessaire, le soir venu, pour aider le vieil homme à regagner sa chambre. Dans cette curieuse maison où le rez-de-chaussée était occupé par un immense vestibule et une pièce de rangement qui donnait sur la cour arrière, l'oncle Napoléon n'aurait plus souvent la chance de prendre l'air ailleurs que sur son balcon, à moins d'avoir quelqu'un aux bras solides capable de le soutenir dans les escaliers. Pour Cécile, éliminer un de ces fameux escaliers casse-cou s'avérait nécessaire pour faciliter la vie de tout le monde. Et l'unique solution était de transformer le salon en chambre à coucher.

— Tu nous recevras dans la cuisine, avait vivement rétorqué Cécile qui, même si elle était la patience incarnée, commençait à en voir assez des toquades de sa vieille tante. De toute façon, avait-elle ajouté, malicieuse, c'est bien connu: tous ceux qui viennent te voir, c'est uniquement pour manger une pointe de tes fameuses tartes aux pommes ou un morceau de ton non moins fameux sucre à la crème. Alors, la cuisine fera très bien l'affaire.

— On verra, avait ronchonné la tante Gisèle. Dans le temps comme dans le temps, chus pas pressée.

Et ça lui avait pris six mois de plus pour consentir, du bout des lèvres, à un changement de vocation du salon.

— On va essayer. Mais je te promets rien, par exemple. Si j'aime pas ça, on revient comme c'était avant. Pis dis-toi ben que c'est pour te faire plaisir que j'accepte de revirer ma maison boutte pour boutte! Juste pour te faire plaisir.

Le gros du déménagement avait eu lieu samedi dernier, alors que Denis, le fils de Cécile, était en congé. À trois, Cécile, Charles et Denis, ils avaient procédé à la ronde des meubles. Divan, fauteuils et tables basses avaient trouvé refuge à l'étage tandis que lit, commodes et tables de chevet descendaient au salon.

— Regarde, matante! Ce n'est pas si mal, finalement! Il reste même suffisamment d'espace pour mettre deux petits fauteuils près de la fenêtre. Pour regarder la télévision, ça va être parfait.

— Parfait, parfait... Ça, c'est toi qui le dis. Pas sûre, moi, que ça va être agréable de regarder la télévision pendant que ton oncle fait sa sieste. Avec ses ronflements... Pis y a pas de garde-robe... Ça, ça m'achale, tu sauras. Ton oncle Napoléon aura petête pus besoin de se servir de l'escalier, mais moi, par exemple, j'vas le faire pour deux! Non, Cécile, chus pas sûre que c'est une bonne idée. Pas de garde-robe, pis une télé qui est rendue devant notre lit...

Témoin de cette petite discussion, le jeune Denis avait quitté la maison sans prévenir. Une demi-heure plus tard, il était revenu avec une petite télévision portative qu'il avait installée au bout de la table de la cuisine, sous le regard inquisiteur de la tante Gisèle.

— Comme ça, tu vas pouvoir regarder tes programmes préférés même en pelant tes patates. Et les ronflements de mononcle Napoléon ne te dérangeront pas!

La tante Gisèle avait l'air sceptique.

— Où c'est que t'as pris ça, toi là, c'te télévision-là? Tu l'as toujours ben pas achetée sans m'en parler? Parce que si c'est le cas, tu vas me retourner ça d'où c'est que ça vient. J'ai pas ces moyens-là, moi, de me payer deux appareils.

— Inquiète-toi pas. Elle était dans ma chambre et finalement, je ne m'en sers pas. Je te la donne! Ça me fait plaisir.

Une telle délicatesse avait enfin réussi à clore le bec de la tante Gisèle qui n'arrêtait pas de bougonner depuis le matin.

Sans dire un mot, elle avait tourné les talons pour remonter l'escalier afin de vérifier si tous les meubles avaient été placés dans son ancienne chambre exactement comme elle l'avait demandé. Quelques instants plus tard, on entendait un reniflement jusque dans la cuisine.

Cécile avait alors montré le plafond du doigt et elle avait dit à son fils, avec un sourire plein de tendresse:

— Ça, mon grand, c'est sa façon bien personnelle de te dire merci. Elle en a les larmes aux yeux. C'est gentil, ce que tu as fait là. Dis-toi bien que ce n'est pas facile pour une vieille dame comme elle, tout ce chambardement!

Le lendemain, par un superbe dimanche d'été tout en brise chaude et en senteur de soleil, Cécile avait décidé de faire une bonne promenade et elle était retournée voir comment ça se passait chez la tante Gisèle.

— Coucou, Cécile! On est là, ton oncle pis moi!

Cécile avait à peine tourné le coin de la rue que la tante Gisèle l'interpellait depuis son balcon, les deux bras brassant l'air au-dessus de sa tête.

— Y fait-tu assez beau, hein? Viens nous rejoindre, ma belle, on va se faire des cornets de crème à glace.

Devant ce bel enthousiasme, Cécile avait compris que la tante Gisèle faisait amende honorable. Elle reconnaissait que Cécile avait eu raison. Et elle avait ajouté:

— On a bien dormi, tu sais. Comme des chérubins! Avec la porte du balcon qu'on peut laisser ouverte, on a pas eu trop chaud, ton oncle pis moi... Penses-tu que Charles serait capable de nous installer un moustiquaire à place de la vitre?

C'est alors que Cécile avait compris que la reddition était totale.

— Charles, je ne le sais pas trop, avait-elle admis tout en

approchant de la maison à grands pas. J'ai connu plus habile que mon mari pour les bricolages et les rafistolages. Mais si vous pouvez attendre un peu, Gérard et Marie doivent venir nous voir en fin de semaine prochaine. Lui, c'est certain qu'il va pouvoir vous arranger quelque chose de pratique et de beau en même temps. Donne-moi le temps de monter et on va en parler.

Cécile n'avait pas mis les deux pieds sur le balcon que la tante Gisèle reprenait là où la conversation avait été rompue.

— On n'a pas besoin d'en parler, ma belle. Je viens d'en glisser un mot à ton oncle pis ça va être comme tu dis, on va attendre une semaine. Je connais l'habileté de mon neveu Gérard, on devrait pas le regretter… Astheure, la crème à glace! C'est pas aussi bon que dans le temps où je la faisais moi-même, mais ça va faire l'affaire quand même. Tu comprends, j'ai pus le bras assez fort pour tourner la manivelle. Pis? À quoi tu le veux, ton cornet? À la fraise ou ben à la vanille?

À ce souvenir, Cécile poussa un profond soupir de satisfaction et de soulagement. Cette semaine, pour une première fois depuis près d'un an, elle n'était pas allée chez sa tante et son oncle. Quelques appels téléphoniques avaient suffi à rassurer tout le monde. Demain, en compagnie de son frère Gérard, elle irait faire un tour et tandis que ce dernier rafistolerait la porte du balcon, elle en profiterait pour faire un brin de ménage avec Marie.

— Et dans une heure, je pars pour l'hôpital, murmura-t-elle en consultant sa montre. Mon doux que j'avais hâte que ce jour-là arrive!

Puis Cécile ferma les yeux et offrit son visage aux chauds rayons du soleil qui s'amusaient à la taquiner à travers le feuillage d'un gros érable poussant depuis toujours dans le fond de la cour.

Cela faisait longtemps qu'elle n'avait pas été aussi bien, aussi détendue.

Tous ceux qu'elle aimait se portaient à merveille.

— Pour un médecin, que demander de plus? murmura-t-elle d'une voix nonchalante.

Ayant encore un long moment devant elle, Cécile se cala confortablement dans sa chaise de parterre pour faire l'inventaire des siens. C'était là un petit exercice qu'elle aimait bien répéter de temps en temps.

Son fils, Denis, allait entreprendre sa dernière année au collège Saint-Charles-Garnier, à quelques rues de chez eux. Ensuite, et c'était maintenant tout à fait officiel, il voulait devenir médecin.

— Comme son père, avait fanfaronné Charles quand il avait appris l'heureuse nouvelle.

— Comme sa mère aussi, peut-être? avait aussitôt répliqué Cécile, sourcils froncés.

— Bien sûr, avait approuvé Charles. Mais comme c'est un garçon, la comparaison me semblait plus évidente avec moi, avait-il ajouté, contrit.

Donc, pour Denis, tout allait pour le mieux dans le meilleur des mondes.

Charles, quant à lui, semblait rajeunir de jour en jour depuis qu'ils avaient pris la décision de partir tous les deux pour l'Europe en septembre. Le temps du voyage, Denis s'était engagé à prendre la relève auprès de la tante Gisèle et de son mari qui, pour sa part, allait de mieux en mieux.

— Ça va me faire une bonne pratique, avait lancé le jeune homme, sous le regard offusqué de sa mère. Ben quoi?

Qu'est-ce que j'ai dit de pas correct, encore ?

Voilà pour la famille immédiate. Que du bon en perspective.

Cécile poussa un long soupir de satisfaction.

Quant à ses nombreux frères et sœurs, ainsi que son père, aux dernières nouvelles, ils se portaient bien. Eugène Veilleux ne rajeunissait pas, loin de là, mais il arrivait encore à aider les plus jeunes sur la ferme familiale.

— Pas de souci à se faire de ce côté-là, murmura Cécile. Pour Gérard et Marie, on va tout savoir dans les détails demain. J'ai hâte de les voir, d'ailleurs, et de voir leurs enfants.

Puis, invariablement quand elle s'offrait ce petit tour d'horizon familial, Cécile eut une pensée pour les Cliche, ces voisins de son enfance dont le fils aîné, Jérôme, avait été son fiancé avant de disparaître à la guerre.

Jérôme était aussi le père de cette petite fille qu'elle avait eue quand elle n'avait que dix-huit ans. Une petite fille qu'elle avait été obligée de confier à l'adoption à cause des pressions de son père, Eugène. Bien peu de gens étaient au courant de cette naissance, d'ailleurs. Même Charles, son mari, ignorait tout de l'existence de cette enfant. En fait, à l'exception des parents de Cécile, de ceux de son fiancé de l'époque, de son frère Gérard qui avait toujours eu les yeux clairs et de la famille de Gisèle, qui l'avait accueillie durant sa grossesse, personne ne connaissait l'existence de celle qu'elle aurait appelée Juliette.

Juliette…

Comme chaque fois qu'elle pensait à elle, et elles étaient nombreuses, Cécile prit une longue inspiration un peu tremblante. Que faisait-elle ? Où habitait-elle ? Était-elle heureuse ?

Aujourd'hui, sa fille n'était plus une enfant. Vingt-cinq ans… Vingt-cinq ans déjà. La petite Juliette était devenue une jeune femme. Alors, peut-être bien que Cécile était aussi une grand-maman sans le savoir.

Cécile fit la moue. Ce serait quand même un peu jeune pour être grand-maman, non ? À peine quarante-trois ans...

Puis, tout aussi naturellement qu'elle pensait à Juliette, Laura s'imposa à sa réflexion. Laura et Juliette avaient sensiblement le même âge et, selon l'imagination de Cécile, devaient se ressembler. Son attachement pour Laura venait de là.

Quand Cécile avait rencontré Laura pour la première fois, tout de suite elle avait pensé à sa fille qu'elle n'avait jamais vue puisqu'elle était sous sédatif lors de sa naissance et qu'à peine quelques heures plus tard, son bébé était déjà parti rejoindre sa famille adoptive. D'un coup d'œil, Cécile avait évalué l'âge de Laura qui devait être sensiblement le même que celui de sa fille. Et comme Laura ressemblait un peu à Cécile, mêmes cheveux châtains, même taille délicate, le rapprochement avait été facile à faire.

Laura habitant la même rue que son frère Gérard, les occasions de rencontre s'étaient donc multipliées d'elles-mêmes. Aujourd'hui, Laura était devenue une jeune femme dont Cécile était fière, un peu comme si elle avait été sa propre fille. Cécile savait bien que c'était un petit peu ridicule de la considérer comme telle, mais peu lui importait. Personne n'était au courant, à l'exception de sa tante Gisèle à qui elle n'avait jamais rien caché. Mais pour Cécile, cette rencontre avait été providentielle. La présence de Laura l'avait aidée à tourner enfin la page sur une période de sa vie qui n'avait pas été facile. Aujourd'hui, de beaux liens d'amitié l'unissaient à Laura, qui était toujours la bienvenue dans sa famille. Les liens de confiance étaient forts à ce point que Laura avait songé à elle quand son amie Francine s'était retrouvée enceinte et dans le pétrin puisque ses parents l'avaient mise à la porte. Sans le savoir, Laura n'aurait pu trouver mieux que Cécile pour aider son amie à passer à travers ce moment difficile.

— Et me voilà presque grand-mère de ce côté-là aussi, lança Cécile en s'étirant avant d'ouvrir les yeux. Je m'ennuie de Steve… Je vais en parler à Charles. Peut-être pourrions-nous aller faire un petit tour à Montréal un de ces jours ?

Aujourd'hui, Francine était revenue de son escapade involontaire en campagne et le petit Steve avait enfin retrouvé sa maman.

— Donc, là aussi, tout va bien !

Cécile croisa puérilement les doigts.

— Pourvu que ça dure !

Puis se relevant d'un coup de rein encore juvénile, Cécile s'étira longuement.

— Et maintenant, à l'hôpital !

Cécile retrouva avec plaisir l'atmosphère qui régnait à l'Hôtel-Dieu, et c'est avec un plaisir encore plus grand qu'elle remarqua qu'il y avait de nombreux enfants dans la salle d'attente.

L'après-midi et le début de la soirée seraient agréables et devraient passer assez vite. Non qu'elle aimait savoir un enfant malade, mais comme elle avait toujours rêvé avoir une ribambelle de petits autour d'elle, Cécile prenait toujours plaisir à les côtoyer, à parler avec eux.

Les premières heures passèrent, effectivement, assez rapidement. Un jeune bambin qui s'était fendu le front en tombant lui fit penser à Steve, un autre, avec une vilaine toux, ressemblait à son fils, Denis, quand il était petit. Puis il y eut une vieille dame qui s'exprimait un peu comme Évangéline, sur un ton bourru.

Cécile l'aimait bien, cette Évangéline au franc-parler. À sa manière, elle lui faisait penser à la tante Gisèle.

C'est donc avec un sourire attendri qu'elle regarda cette patiente aux cheveux blancs s'éloigner à petits pas, une prescription scrupuleusement pressée sur son cœur. « Un bon jour, il faudrait bien que je présente matante Gisèle à Évangéline, pensa-t-elle en regagnant la petite salle d'examen. Je suis certaine qu'elles s'entendraient bien toutes les deux et qu'elles auraient des tas de choses à se raconter, des tas de souvenirs à partager. »

C'est au moment où elle allait prendre le dossier suivant qu'elle entendit la sirène d'une ambulance qui approchait de l'hôpital. Cécile fronça les sourcils en hochant la tête. Ce bruit sinistre était normal, routinier même, dans un grand hôpital comme l'Hôtel-Dieu, mais Cécile ne s'était jamais tout à fait habituée à l'entendre.

— Tout médecin que nous sommes, on ne peut pas s'accoutumer à la souffrance et à la mort. C'est pour cette raison que cet appel lancinant et lugubre nous déplaît, lui avait déjà expliqué Charles. Moi non plus, tu sais, je ne l'aime pas et ce n'est pas une simple question de sentimentalisme mal placé, crois-moi.

Alors, par réflexe, Cécile tourna la tête pour regarder les ambulanciers qui arrivaient justement à la porte de l'urgence, un peu plus loin dans le corridor. À voir la civière, le cœur de Cécile se serra. Non, décidément, elle ne s'y ferait jamais. Le temps d'une pensée pour l'inconnu, comme une prière, le temps d'espérer que ça ne soit pas trop grave et Cécile revint à son travail. Elle prit le dossier suivant sur une pile qui semblait ne jamais vouloir baisser, et tout en jetant un rapide coup d'œil sur la feuille remplie par l'infirmière, elle se dirigea vers la salle d'attente. Cette fois-ci, ce serait une petite fille…

Cécile eut tout juste le temps d'appeler l'enfant et de la faire entrer dans une petite salle d'examen avec sa mère qu'elle entendait son nom.

— Docteur Veilleux ? Docteur Cécile Veilleux !

Cécile tourna aussitôt la tête et une main levée, elle s'identifia.

— Oui ! C'est moi.

Une jeune infirmière se dirigeait déjà vers elle.

— Je m'excuse de vous déranger, docteur, mais on vous demande à l'urgence.

— À l'urgence ?

Le cœur de Cécile sursauta et tout de suite, elle imagina le pire. Denis, son fils Denis, avait eu un accident. Il s'était trouvé un emploi dans la construction pour l'été et il lui était arrivé quelque chose de grave. C'était lui, sur la civière tout à l'heure. Elle eut heureusement la présence d'esprit de se dire que ça ne devait pas être trop sérieux puisqu'il l'avait fait demander.

Puis le nom de son oncle Napoléon s'imposa en lettres de feu dans son esprit. Pourquoi chercher plus loin ? Il y a un an à peine, il arrivait ici de la même manière, peut-être sur la même civière.

— Mon oncle Napoléon ? lança-t-elle sur un ton interrogateur.

— Non, c'est une dame, mais je n'en sais pas plus. Suivez-moi.

Une dame ?

Sans comprendre, Cécile s'excusa auprès de la mère de la petite fille et confiant le dossier à une infirmière, elle emboîta le pas à la jeune fille qui était venue la chercher. Toutes les deux, elles marchaient à la limite d'un pas de course, la pre-mière parce qu'elle était attendue et la seconde, parce qu'elle avait le cœur en émoi.

Une dame?

C'est en poussant le rideau qui isolait la patiente du brou-haha de la salle des urgences que Cécile comprit. Avant même de l'avoir vue, elle savait que la tante Gisèle serait là.

Qui d'autre?

Elle entra sur la pointe des pieds.

Sa vieille tante avait le teint livide, les narines pincées. Cécile sut tout de suite qu'elle venait d'avoir un infarctus. La grande Gisèle Veilleux, solide comme le roc, un peu à l'image de son frère Eugène, le père de Cécile, venait de trébucher.

Pêle-mêle avec les couvertures de la civière, Cécile reconnut le vieux chapeau à voilette que la tante Gisèle s'entê-tait à porter dès qu'elle sortait de chez elle.

Retenant ses larmes, Cécile se glissa à côté de l'infirmière qui ajustait le goutte-à-goutte, puis elle se pencha vers la malade tout en posant doucement sa main sur le bras flétri.

— Mais qu'est-ce que tu fais là, toi?

Du bout du doigt, Cécile caressait la peau parcheminée. La tante Gisèle tourna lentement la tête. Son regard était vitreux et sa bouche sèche.

— Ah Cécile… Ma Cécile… Je voulais pas te déranger, mais…

— Tu ne me déranges pas du tout. Mais toi? Qu'est-ce qui se passe?

— Je le sais pas, ce qui se passe… Chus comme toute mêlée… J'sais même pas où c'est que j'étais quand chus tombée dans les pommes…

La tante Gisèle avait le souffle court, le regard voilé.

— Chut ! Fatigue-toi pas. On parlera de tout ça plus tard, quand tu iras mieux.

— J'veux savoir ce que j'ai…

La vieille dame s'agita sur son lit.

— Je sais même pas où j'étais, ça se peut-tu ? Napoléon le sait-tu que chus ici ? Y' est où, lui, Napoléon ? Faut pas qu'y' reste tuseul.

— Chut ! Calme-toi, matante. Si tu veux guérir, il faut rester calme.

— Je veux savoir ce que j'ai…

— On va attendre que les médecins t'examinent.

— Napoléon… Faut pas qu'y' reste tuseul, mon Poléon. Ça a été un bon mari, tu sais. Pis un bon père pour nos deux gars.

À ces mots, Cécile dut avaler sa salive avant d'être capable de répondre.

— C'est encore un bon mari, matante.

— Faut pas qu'y' reste tuseul.

— Je le sais… On va demander à Charles de s'occuper de lui.

— Charles… Oui, c'est une bonne idée. Poléon l'aime ben gros… Tu diras à Raoul pis Fernand de ben s'occuper de leur père.

— Parle pas comme ça, matante. C'est toi qui vas t'occuper de mononcle Napoléon. Pendant encore longtemps.

— Tu penses ?

La tante Gisèle hocha la tête comme si elle était en train de soupeser différentes possibilités. Puis elle poussa un grand soupir qui fit sursauter Cécile.

— J'ai pas besoin de savoir ce que j'ai, fit la tante Gisèle dans un souffle… Faut juste que Napoléon reste pas tuseul… Y' le sait-tu, Napoléon, que chus ici ? J'étais où, moi, quand c'est arrivé ?

Le regard de la tante Gisèle se promenait de l'infirmière à Cécile comme celui d'un petit animal effrayé. Cécile ne se rappelait pas l'avoir déjà vue malade. Chez les Veilleux, on était bâtis solides, comme le disait son père.

Mais on n'était pas éternels. Personne ne l'est.

— Faut pas laisser Napoléon tuseul, répéta la tante Gisèle en fixant intensément Cécile. Y' est pus capable de rester tuseul, mon mari.

Curieusement, le regard de la tante Gisèle avait retrouvé toute sa vivacité. Interpellée trop personnellement, Cécile ne sut comment l'interpréter. Elle ravala sa peine avant que les larmes paraissent.

— Promis, matante, arriva-t-elle à articuler. Charles et moi on va s'occuper de mononcle Napoléon aussi longtemps qu'il le faudra. Quitte à le réinstaller chez nous pour quelques jours ou quelques semaines, le temps que tu te remettes sur pied. Mais toi, pour l'instant, il faut que tu te reposes.

— Ouais… Me reposer… C'est vrai que chus fatiguée… ben fatiguée. T'as raison Cécile, j'vas me reposer pis toi, tu vas voir à mon Poléon. Va, va Cécile, va téléphoner à ton Charles, pis allez dire ensemble à Napoléon que chus ici pour me reposer. Dites-y surtout de pas s'inquiéter pour moi. J'vas me reposer, c'est toute.

Cécile détourna la tête pour cacher sa tristesse. Elle n'était pas prête à voir partir sa vieille tante. La grande Gisèle, c'était sa deuxième mère. Elle avait été la complice de sa grossesse et la seule personne de la famille à avoir vu sa petite Juliette.

Qui pourrait se souvenir de Juliette si la tante Gisèle partait? Qui pourrait lui répéter que sa petite fille avait les cheveux tout frisés et un joli petit nez retroussé?

Qui pourrait faire ce lien si fragile, mais combien tangible, entre sa vie d'hier et celle d'aujourd'hui ?

Cécile prit une profonde inspiration et ramena les yeux sur sa tante qui semblait s'être endormie.

— Elle est stable, murmura l'infirmière, un œil sur le moniteur et un autre sur la vieille dame. Si vous avez des appels à faire, je crois que c'est le temps. Moi, je vais rester encore un peu avec elle.

— Deux minutes. Le temps d'appeler mon mari qui travaille ici, au laboratoire, et je reviens. Ma tante a raison, vous savez: on ne peut pas laisser son mari tout seul très longtemps. Il a été victime d'un accident cérébral l'an dernier. Promis, ça ne sera pas long !

Quand Cécile revint, tout était fini. Un dernier souffle, comme un long soupir après une vie bien remplie, et la tante Gisèle n'était plus.

— C'est une belle mort, vous savez, lui dit le médecin accouru à son chevet.

Oui, Cécile savait: elle était médecin. Mais ça n'enlevait pas la douleur de la perte, l'hébétement de la soudaineté.

— Demain, on devait aller chez elle pour installer une moustiquaire à la porte de son balcon, murmura-t-elle comme si c'était d'une importance capitale de le préciser.

Tout médecin qu'elle était, Cécile essayait de se faire toute petite dans la pièce pour ne déranger personne.

— C'était sa condition pour transformer son salon en chambre à coucher, ajouta-t-elle sur le même ton retenu, attendri.

Puis, quand le médecin lui fit signe, Cécile s'approcha du lit et prit la main de sa tante entre les siennes, émue au-delà de tous les mots qu'elle connaissait.

La tante Gisèle était morte comme elle avait vécu, essayant

de tout contrôler, tout en restant discrète et respectueuse. Pensant aux autres avant elle-même, amoureuse de son Poléon jusqu'à la dernière minute.

Fidèle à elle-même, elle avait attendu que Cécile s'en aille pour tirer sa révérence. Elle était partie à sa façon, sans faire de bruit, sans trop déranger.

— Tu vas me manquer, murmura Cécile en replaçant une mèche de cheveux. Tu vas me manquer autant que maman m'a manquée quand elle est morte. Peut-être même encore plus.

De grosses larmes se mirent à couler sur les joues de Cécile, et c'est ainsi que Charles trouva sa femme: hébétée, une main de sa tante dans la sienne et pleurant toutes les larmes de son corps.

Entourant les épaules de Cécile d'un bras protecteur, Charles la laissa pleurer un long moment, se recueillant lui aussi, ému, attristé. Il aimait bien la tante Gisèle. Puis, quand il sentit que Cécile reprenait lentement sur elle, il suggéra:

— Il faudrait peut-être partir. Il y a plein de choses à faire, tu sais. À commencer par parler à ton oncle.

Cécile tenait toujours la main de sa tante entre les siennes, incapable de se résoudre à la laisser.

— Encore un peu.

Charles se fit insistant.

— Je comprends, ma chérie, mais il faut prévenir son mari, ses garçons. Il faut savoir aussi ce qu'on doit faire du corps. Ont-ils prévu quelque chose en…

« Ce qu'on doit faire du corps… »

Cécile frissonna de la tête aux pieds, n'écoutant plus ce que son mari disait.

— Il suffit d'un souffle, murmura-t-elle, et nous ne sommes plus qu'un corps…

Elle leva les yeux vers Charles.

— On tient à bien peu de choses, n'est-ce pas ?

— Oui, à bien peu de choses… Mais en attendant, il faut savoir ce que l'on doit faire.

— Je comprends, oui, interrompit Cécile en reniflant. Quand mononcle a été malade, l'an dernier, matante m'a tout dit de leurs dernières volontés. Tu la connais, n'est-ce pas ? Les tombes sont même choisies et payées. Il faut appeler chez Cloutier. En donnant leurs noms, ils devraient retrouver le dossier.

Charles intensifia alors la pression de sa main sur le bras de Cécile.

— Dans ce cas, je m'en occupe. Je vais prévenir les infirmières du poste… Si tu veux, reste ici. Je viendrai te chercher quand tout sera réglé.

Cécile remercia son mari d'un sourire un peu triste et elle le regarda s'éloigner. Puis, elle tira sur une chaise pour l'approcher du lit et elle s'installa comme si elle s'apprêtait à faire la conversation. Durant un long moment, elle se contenta de regarder sa tante. C'était bien la première fois qu'elle la voyait si paisible.

Cécile esquissa un sourire ému.

Puis elle reprit la main de la tante Gisèle entre les siennes, sans la quitter des yeux. Elle ne se lassait pas de la regarder, sachant que la prochaine fois qu'elle la verrait, ce serait au salon funéraire et que, probablement, elle ne se ressemblerait pas.

Au loin, comme dans un brouillard, elle entendait la voix de son mari, mais c'est comme si elle, Cécile, n'appartenait plus à ce monde, comme si une partie d'elle-même cherchait à rester avec la tante Gisèle.

Alors, Cécile posa sa tête sur l'oreiller, tout près de celle de la tante Gisèle, et elle lui murmura à l'oreille:

— Je ne le sais pas s'il y a quelque chose après. Personne ne le sait vraiment. Mais si jamais c'était le cas, si jamais tu me voyais et que tu m'entendais, je veux te dire merci pour tout ce que tu as fait pour moi. Il me semble que je ne l'ai pas assez dit et toi, tu es partie trop vite. Merci pour ta présence, pour tes mots, pour tes grognements, parfois. Et si par hasard tu me vois, peut-être peux-tu voir aussi ma petite Juliette? Alors, je te la confie. Veille sur elle à ma place. Dis-lui que, malgré les apparences, je l'aime, que je l'ai toujours aimée. Pis si tu rencontres Jérôme, de l'autre côté, tu pourras lui dire que je pense encore à lui souvent, très souvent. Voilà… Je pense que je n'ai rien oublié. Comme tu l'as si bien dit tout à l'heure, tu peux te reposer maintenant. Tu l'as bien mérité. Et compte sur moi pour voir à mononcle Napoléon. On va bien s'occuper de lui.

Le mardi suivant, les funérailles furent à l'image de la grande Gisèle Veilleux, sobres mais émouvantes. Toutes générations confondues, la famille des Veilleux était immense. Alors, l'église était remplie. Les Cliche aussi avaient fait la route, tout comme Laura, qui arrivait tout juste d'Europe et Francine, qui pleurait comme une Madeleine.

Napoléon, quant à lui, avait appris la triste nouvelle avec dignité.

— À nos âges, ça arrive, avait-il dit en soupirant, avec une lucidité grave. Je me demandais aussi comment ça se faisait qu'elle revenait pas de l'épicerie… Faut bien qu'y' en aye un qui parte avant l'autre, hein, ma Cécile? Pis, dans le fond, c'est mieux de même. J'aurais don pas voulu que ma femme aye de la peine à cause de moi.

Si la tante Gisèle avait aimé sincèrement son mari, cet amour était partagé.

Quand vint le temps de partir pour l'église, Napoléon refusa le fauteuil roulant que son fils Fernand, croyant bien faire, avait loué pour lui.

— Chus moins solide que j'étais, le jeune, c'est ben certain, mais avec ma canne, ça va aller. Pour une dernière fois, j'vas me tenir debout pour votre mère, pour ma Gisèle. J'aurai tout le temps pour me reposer par après. Tout le temps qu'y' me faut.

Comme Gisèle avait signifié qu'elle voulait être enterrée dans sa Beauce natale, la mise en terre se ferait uniquement le samedi suivant. Cécile avait donc convié parents et amis à un léger goûter chez elle.

La grande maison de l'avenue Bougainville grouilla de monde jusque dans les moindres recoins. La belle pelouse que Cécile entretenait jalousement fut piétinée par des centaines de chaussures. Il y avait des adultes, des enfants, des jeunes. Ça riait, discutait, se rappelait, mangeait.

Puis, vers la fin de l'après-midi, il y eut des claquements de portières, des promesses de se revoir lancées d'un bord à l'autre de la rue, des rendez-vous donnés pour le samedi suivant, au cimetière de Sainte-Marie.

Et enfin, ce fut le silence.

Napoléon, brisé de fatigue, décida de repartir tout de suite pour chez lui.

— À soir, y' est pas question que je dorme ailleurs que dans mon lit. Je t'appelle demain, Cécile. On n'a pas de testament, Gisèle pis moi. On n'est pas assez riches pour ça. Mais j'veux te parler quand même… Pis merci pour tout. La semaine a dû être dure pour toi. Mais t'as faite ça comme ta tante Gisèle l'aurait faite pour toi.

Appuyé sur sa canne, soutenu par ses deux fils, Napoléon

quitta la maison la tête haute. Il aurait fait honneur à sa Gisèle jusqu'au bout.

Ne restaient plus, chez Cécile et Charles, que les intimes, les proches, ceux qui avaient bien connu la tante Gisèle.

— Je ne pensais jamais qu'il y aurait autant de monde que ça, lança Cécile en se laissant tomber sur le premier fauteuil venu. Je pense bien que toute la paroisse de Saint-Jean-Baptiste était là au grand complet. Je ne me doutais pas que matante avait autant d'amis. Pourtant, je la connaissais bien.

Elle jeta un regard navré autour d'elle. Le salon avait l'air d'une zone sinistrée.

— Tu parles d'une pagaille ! Charles avait raison: on aurait dû prendre un traiteur. Mais j'ai fait ma tête dure ! Je disais que d'être occupée m'aiderait à moins penser… Maintenant, même si je n'en ai pas la moindre envie, il faut faire le ménage.

— On va t'aider, Cécile !

Francine était déjà debout. Cécile lui renvoya un sourire.

— C'est gentil d'être venues, Laura et toi. Ça aurait fait plaisir à matante de vous voir, tu sais. Elle m'a parlé de vous deux pas plus tard que la semaine dernière.

— Ben moé avec, je pensais souvent à elle quand j'étais pognée dans ma campagne. A' m'a manqué, par bouttes. Même si a' parlait sec, a' l'avait un grand cœur… Mon frère Bébert a été pas mal fin de nous passer son char pour qu'on puisse venir à ses funérailles. Pis ma mère avec, a' l'a été ben fine quand a' l'a accepté de garder le p'tit… Bon ? Que c'est qu'on attend pour ramasser ?

— On attend d'avoir le courage de se relever.

— C'est juste ça qui t'arrête, Cécile ? Bonté divine, reste assis ! J'vas m'en occuper tuseule, du ménage. Chus ben bonne là-dedans.

— Pas question !

Cécile était en train de se relever péniblement.

— Les hommes nous donnent l'exemple en ramassant la cour. Va jeter un coup d'œil par la fenêtre de la cuisine. Ça en vaut la peine. C'est pas mal beau de voir ça. Charles, Gérard, Denis, le petit Daniel, avec des sacs à vidanges, des râteaux… À nous de faire pareil en dedans et dans moins d'une heure, rien ne paraîtra plus !

Ce qui fut dit fut fait, et à l'instant où le gong de l'horloge de l'entrée sonnait six heures, la maison avait repris son allure normale. Les hommes s'étaient retirés dans le bureau de Charles pour fumer et prendre un petit cordial, Denis avait emmené Daniel et sa sœur Nicole dans sa chambre pour jouer au Monopoly et à la cuisine, on entendait les voix de Laura et Marie qui terminaient la vaisselle en jasant.

Cécile regarda tout autour d'elle. Francine s'était installée dans le fauteuil devant le foyer et Cécile décida de la rejoindre. Même s'il faisait encore assez chaud, Charles avait décidé de faire une belle flambée pour créer un peu d'atmosphère et curieusement, Cécile eut un petit frisson. « Probablement la fatigue », pensa-t-elle en s'installant près de Francine. Elle tourna la tête vers la jeune femme.

— Voilà ! C'est fait…

Cécile poussa un soupir tremblant.

— C'est quand même un peu fou, tu ne trouves pas, toi ? En moins d'une semaine, on efface toute une vie. Encore une petite demi-heure samedi prochain et tout va être fini ! Plus de tante Gisèle, sinon dans nos souvenirs. Quand j'étais plus jeune, je ne m'attardais pas à des considérations comme celle-là, mais aujourd'hui, je t'avoue que ça me fait un peu peur, tout ça.

Francine haussa les épaules.

— Pourquoi ? Moi, au contraire, je trouve que c'est la vraie justice. Riche ou pauvre, tout le monde meurt. L'éternité, ça s'achète pas, pasqu'y en a pas. Sauf au ciel, comme de raison, mais là, ça s'achète pas avec des sous.

— C'est une belle façon de voir les choses.

— Pour moi, sainte bénite, c'est la seule manière de voir les choses. On est icitte pour faire sa vie pis quand c'est fini, on s'en va. C'est toute. Y a pas de quoi avoir peur, pasque chus sûre qu'au ciel, c'est plus beau qu'icitte. Toute ce que j'espère, c'est de rester assez longtemps pour que mon Steve soye devenu un homme pis qu'y' aye pus besoin de moé. Pour le reste… Quand je pense à Jean-Marie qui nous racontait des peurs à n'en pus finir à propos de l'enfer, ça me rend folle. Voyons don ! Voir que le Bon Dieu nous a faites à son image pis à sa ressemblance, comme c'est écrit dans la bible, pour nous envoyer brûler en enfer. Ça se peut pas, des affaires de même. Pas pantoute. J'ai eu assez de temps à moé pour ben y penser, perdue dans ma campagne à réfléchir à journée longue, pis chus sûre que j'ai raison. Le Bon Dieu, Y' est bon, sinon on l'appellerait pas de même. Ça fait que l'enfer pis toutes ces histoires-là, ben, moé, j'y crois pas. C'est ben triste de voir quèqu'un qu'on aime s'en aller, chus d'accord avec toé, Cécile, mais matante Gisèle, elle, est ben. Est dans le ciel avec le Bon Dieu pis est ben. Si on pleure, c'est pasqu'on s'ennuie, c'est pasqu'on la verra pus, pas pasqu'a' l'est malheureuse…

— Quand on voit la situation comme ça, c'est évident que c'est plus facile à accepter.

— On a-tu le choix d'accepter ou pas ? Non, hein ? Ben autant le faire du bon bord, en gardant l'espoir que toute va ben se passer quand ça sera notre tour. Mais toute ça m'empêchera pas d'avoir de la peine quand j'vas me dire que je verrai pus matante Gisèle, pis que je l'entendrai pus me donner ses conseils en bougonnant. C'est sûr que j'vas m'ennuyer d'elle…

— On va tous s'ennuyer. Une femme comme elle, ça ne s'oublie pas.

— Pis son mari, lui ?

— Quoi, son mari ?

— Que c'est qu'y' va faire, lui ? Dans le fond, le pire là-dedans, c'est lui. C'est sa vie à lui qui va être le plusse changée. Y' s'en vient-tu vivre icitte avec vous autres ? Y' s'en va-tu s'installer chez un de ses gars ? Y' veut-tu rester dans sa maison ?

— Tu viens de le dire. Il veut rester chez lui, dans ses affaires, comme il l'a répété à plusieurs reprises depuis vendredi.

— T'as pas l'air d'accord ?

— Comment veux-tu que je sois d'accord avec une idée comme celle-là ? Et je ne suis pas la seule. Raoul et Fernand non plus ne sont pas d'accord. Il a peut-être encore toute sa tête, mononcle Napoléon, tout son jugement, cela n'empêche pas qu'il est diminué physiquement. Comment veux-tu qu'il arrive à tout faire, seul ? Juste le fait de descendre les ordures va devenir un véritable casse-tête pour lui. Et je ne parle pas des rendez-vous chez le médecin, des courses à faire… En même temps, le déraciner de chez lui, c'est pratiquement lui mettre un pied dans la tombe. J'en suis consciente et ses fils aussi… Mais qu'est-ce qu'on peut y faire ? Matante Gisèle a bien mal choisi son moment pour partir.

— Tu parles d'une idée, de dire ça ! Comme si a' y était pour quèque chose là-dedans, la pauvre matante Gisèle ! Chus sûre qu'elle avec, a' l'aurait préféré partir un p'tit peu moins vite que ça… Mais ça change rien au problème. Que c'est vous allez faire pour monsieur Napoléon?

Cécile écoutait Francine parler et elle ne la reconnaissait plus. La jeune fille dépendante qui avait toujours eu de la difficulté à s'exprimer faisait place, en ce moment, à une jeune femme décidée.

— Aucune idée. Ses fils habitent tous les deux à l'extérieur de la ville et je serais bien surprise qu'il finisse par accepter d'aller vivre chez l'un ou chez l'autre. Venir ici, il dit qu'il n'en est pas question. Il ne veut pas déranger notre intimité. Non, ce qu'il veut, c'est rester chez lui. À son âge, ce n'est pas facile de casser les habitudes de toute une vie. Je le comprends, n'empêche que…

— N'empêche qu'y' faudrait trouver une solution! trancha Francine, assise maintenant sur le bord de son fauteuil. Y' a ben assez d'avoir perdu sa femme sans perdre sa maison en plusse, sainte bénite!

Cécile ébaucha un sourire. Avec sa manière directe de dire les choses, Francine résumait assez bien la situation.

— Qu'est-ce qui se passe avec toi, ma belle Francine?

Celle-ci fronça les sourcils.

— Comment ça, qu'est-ce qui se passe avec moé? Je comprends pas…

— C'est pourtant simple! La Francine que je connaissais n'aurait jamais autant parlé. Et non seulement tu parles plus facilement, mais tu fais une analyse bien structurée de la situation, alors qu'avant, j'avais l'impression que tu te laissais porter par le cours des choses sans trop te poser de questions.

— C'te Francine-là, je pense qu'est restée pognée à quèque part sur le bord d'un rang. Ouais… Pis c'est petête une bonne affaire, finalement.

Francine regardait fixement Cécile.

— T'as pas tort quand tu dis que j'étais pas de même avant. Je le sais ben, va, que j'étais pas de même. C'est comme si la Francine capable de parler, a' l'avait toujours été en dedans de moé, mais qu'a' trouvait jamais les bons mots pour dire ce qu'a' pensait. C'est fou, hein ? Mais depuis que chus chez Bébert, j'ai le temps de penser, de penser à moé. Chus ben chez Bébert. Y' est fin avec moé pis mon p'tit. Chus tellement ben que je me rends compte que ma vie d'avant, ben j'en veux pus. Ça me tente pus d'être obligée de me lever avant le soleil pour aller travailler dans une shop. Pis une fois rendue là, ça me tente pus de me faire pousser dans le dos par des boss qui sont jamais contents de moé, qui trouvent toujours que j'vas pas assez vite. C'te genre de boss-là, y' me feraient trop penser à Jean-Marie. Ça fait que j'en veux pus, des boss de même. Pis j'veux pus avoir affaire avec des hommes qui vont me dire quoi faire, pis qui vont me chialer après tout le temps. Ça, tu sauras, y en est pus question. Pus jamais.

Ce discours plaisait à Cécile. La jeune femme qui réfléchissait à voix haute, assise à côté d'elle, avait fait un long cheminement pour en arriver là où elle était. Finalement, malgré les souffrances, le temps vécu auprès de Jean-Marie, même si lui-même ne semblait pas particulièrement équilibré, n'aurait pas été du temps perdu.

— Mais qu'est-ce que tu vas faire ? demanda Cécile après un bref silence. Tu as toujours dit que la couture était tout ce que tu connaissais ?

— Pis je le dis encore: la couture, j'aime ça ben gros. Pis avec le travail que j'ai été obligée de faire sur les meubles de Jean-Marie, je me suis ben rendu compte que j'étais pas juste bonne pour faire des coutures droites toujours pareilles. Chus bonne pour toute faire avec un moulin à coudre, pis je finis toujours par me débrouiller dans le sens du monde pour arriver à de quoi de beau, de quoi de solide. Pis laisse-moé te dire, Cécile, que les meubles que Jean-Marie trouvait, y' étaient pas toutes ben d'équerre! Des fois, c'est pas mêlant, même moé qui est ramasseuse, je les aurais jetés aux vidanges. Ben tu sauras que même ces meubles-là, j'arrivais à les retaper. Toute ça pour te dire que la couture, c'est mon domaine à moé, pis c'est avec ça que j'vas gagner ma vie. D'une manière ou ben d'un autre... Mais on parlait pas de moé, me semble? On parlait de monsieur Napoléon.

— Oui, mononcle Napoléon... Pour lui, ce ne sera pas aussi simple que pour toi. Et il n'y a pas à dire, va falloir se décider et vite! Raoul et Fernand ont pris une semaine de congé pour être avec lui, mais à partir de lundi prochain, il n'y aura plus que Charles et moi pour y voir... Dire que j'étais tout heureuse de reprendre mon travail à l'hôpital... J'ai bien l'impression que...

— Attends don une menute, toé...

Le regard fixé sur les flammes mourantes du foyer, Francine semblait réfléchir intensément.

Puis, avec un sourire incertain sur les lèvres, elle se tourna à nouveau vers Cécile.

— Pis si j'y allais, moé, chez monsieur Napoléon?

— Toi?

— Ouais, moé. Pourquoi pas? Si y' est d'accord, comme de raison. Tu vois, j'ai pour mon dire que même si on est rendus vieux, c'est pas toujours aux autres à prendre les décisions à notre place. Tu penses pas, toé?

— Dans le meilleur des mondes, oui. Tu as tout à fait raison. Mais parfois...

— Laisse-moé finir ma pensée…

Francine avait ramené les yeux sur le feu qui déclinait.

— Si monsieur Napoléon est d'accord avec mon idée, reprit alors Francine d'une voix plus lente, comme si elle réfléchissait à voix haute, je pourrais m'installer chez eux. Moé pis mon p'tit, on prendrait pas grand place. Juste une chambre pour nos deux. De toute façon, mon Steve arrête pas de me dire qu'y' s'ennuie de Québec. Après toute, y' est né icitte, lui… Pis moé avec, j'étais ben dans mon p'tit logement.

Sur ce, Francine poussa un long soupir de soulagement et se tourna vers Cécile.

— Pis? Que c'est t'en dis de mon idée? Ça serait petête une bonne solution pour tout le monde, non?

— Avec Steve?

Francine poussa un soupir insulté, exaspéré.

— C'est sûr avec Steve. M'en vas toujours ben pas le laisser tuseul encore une fois, sainte bénite! Pis viens pas me dire qu'un p'tit, ça mène trop de train, pasque j'vas te répondre que chus pas d'accord avec ça. D'abord, mon gars, y' est pas si pire que ça, pis j'ai pour mon dire que dans sa situation, ça y fera pas de tort, à monsieur Napoléon, d'avoir un peu de jeunesse autour de lui. Pis en plusse, Steve commence l'école dans pas longtemps. C'est juste une question de quèques semaines. L'inscrire icitte ou ben à Montréal, ça change pas grand-chose. Une école, c'est une école. Pis moé, durant le jour, pour pas être une charge pour personne, ben je pourrais me trouver des travaux de couture. J'aurais juste à faire passer une p'tite annonce, pis me trouver un moulin pas trop cher. Chus sûre que Bébert m'aiderait un peu pour ça. Faire de la couture, ça dérangerait personne pis ça m'empêcherait pas de faire l'ordinaire de la maison de monsieur Napoléon pis son manger…

Ouais, me semble que ça aurait de l'allure, ça.

À ces mots, Francine esquissa un sourire rempli de fierté.

— Pis ? Que c'est t'en penses, toé, de ma solution, Cécile ?

Cécile en avait les larmes aux yeux. Incapable de parler, elle se détourna un moment pour s'essuyer le visage.

— Ben voyons don, toé… Que c'est j'ai dit pour te faire de la peine de même ? Je voulais pas. On a ben assez de pleurer pour matante Gisèle…

D'un geste de la main, Cécile fit signe à Francine de se taire. Puis, d'une voix enrouée par l'émotion, elle la rassura.

— Tu n'as rien dit pour me faire de la peine, Francine. C'est simplement le soulagement. Cette possibilité qu'il y ait une solution… Comme tu le disais si bien tout à l'heure, c'est mononcle Napoléon qui va décider. Mais mon petit doigt me dit que ta suggestion ne devrait pas lui déplaire.

Cécile renifla un bon coup, et, à travers ses larmes, elle offrit un sourire de gratitude à Francine.

— Et à moi non plus, ton idée ne déplaît pas. Avec toi, mononcle serait très bien, j'en suis certaine. Et savoir que cette grande maison pourrait à nouveau résonner de plaisir et de vie, c'est le plus beau cadeau qu'on pourrait faire à ce vieux monsieur-là. Laisse-moi lui en parler demain et je te rappelle. Mais j'ai l'intuition que tu peux commencer à faire tes valises.

Puis levant les yeux au plafond, Cécile ajouta.

— Me semblait aussi que tu ne pouvais pas nous laisser tomber comme ça. Merci de continuer de veiller sur nous. Merci, matante.

* * *

Assise sur la galerie, Évangéline profitait d'un bref moment de détente avant de rentrer faire le souper.

Comme toujours, l'été avait passé trop vite et la visite d'Adrien et de Michelle avait été trop brève.

— Deux petites semaines au lieu du mois habituel. Malgré ses promesses, si ça continue de même, y' viendront pus pantoute, viarge ! grommela-t-elle en donnant un vigoureux coup de talon pour mettre sa berceuse en branle. Pis si y' viennent pus, moé, j'vas me morfondre à journée longue en pensant à eux autres. Pasque c'est pas Bernadette pis sa famille qui vont me désennuyer : sont jamais là ! Pis ma sœur, elle, a' travaille à l'épicerie...

Ces derniers mots étaient dits sur un ton de pure jalousie.

Évangéline, qui comptait sur son fils Adrien pour la sortir un peu, avait vite compris qu'elle avait pris des vessies pour des lanternes. À peine arrivé, il passait les deux premières journées de ses vacances à l'hôpital avec Michelle.

— Voyons, maman ! Le médecin qui l'a opérée veut la voir régulièrement, tu le sais. Tu ne me reprocheras toujours pas de m'occuper de ma fille.

— J'ai jamais dit ça !

— Je le sais bien. Mais à voir ton regard plein de reproches, j'ai vite compris que...

— D'abord, t'étais supposé rester un mois. Pas juste quinze jours. Ça fait pas long, ça, pour voir ma p'tite-fille, surtout si tu pars avec elle passer tes grandes journées ailleurs !

— Je suis désolé, maman. Un changement de dernière minute. Un voyage organisé par Chuck pour toute la famille. Il a réservé une maison à South Padre Island. C'est une île dans le golfe du Mexique.

— Pis ça ? T'avais juste à tenir ton boutte comme un homme pis rien changer à ton programme.

— Je te jure que je ne pouvais pas refuser.

— On dit ça, ouais. Mais on sait ben ! C'est sûr qu'une maison au bord de la mer, sur ton île de je-sais-pas-trop-quoi, c'est pas mal plusse tentant qu'un logement dans un deuxième étage sur l'île de Montréal, hein, mon gars ?

— Qu'est-ce que tu vas t'imaginer là !

— J'ai pas à me forcer, Adrien. Ta manière d'agir permet d'imaginer toute ce qu'on veut. Quand quèqu'un est pas sitôt arrivé qu'y' nous annonce qu'y' va repartir betôt, j'ai pas à me travailler le ciboulot ben longtemps pour comprendre des tas d'affaires. Si ça te tanne tant que ça de venir icitte, dis-le don clairement, pis arrête de nous faire perdre notre temps, à Bernadette pis moé. C'est de l'ouvrage, tu sauras, préparer le logement pour toé pis Michelle. Pis que ça soye le logement d'en bas, ça change rien au fait qu'y' faut faire du ménage pareil.

— Je le sais.

— Ben si tu le sais, pourquoi tu restes juste deux semaines, d'abord ?

Adrien avait hésité un moment. Ils étaient seuls à la maison, Bernadette ayant emmené Michelle à l'épicerie pour la gâter un peu.

— Peux-tu garder un secret, maman ?

À ces mots, Évangéline s'était redressée tout d'un coup, comme piquée par une abeille, et avait asséné une bonne tape sur sa cuisse.

— Ça, c'est le boutte ! Tu viendras pas m'insulter icitte en plusse de toute le reste. À t'entendre parler, je serais juste une bavasseuse ? Un panier percé ? Si t'as peur tant que ça que je parle, mon p'tit garçon, ben garde-lé don pour toé, ton secret. Je t'ai rien demandé, moé. Rien en toute !

— Je m'excuse. Je ne voulais pas t'offenser. Si j'ai dit ça

comme ça, c'était simplement une manière de parler. Je le sais, va, que t'es capable de garder un secret. J'ai confiance en toi. J'ai toujours eu confiance en toi.

— Ben la prochaine fois, mon gars, choisis tes mots comme faut. Pasque ça avait pas l'air de ça pantoute, ton affaire.

— Promis.

Évangéline était peut-être d'une discrétion sans reproche, elle n'en restait pas moins d'une curiosité qu'elle élevait au rang de vertu.

— Pis? avait-elle demandé, mine de rien, voyant que son fils s'enfonçait dans un silence méditatif.

Adrien avait levé les yeux vers elle.

— C'est à propos de ce voyage offert par mon beau-père.

— Ouais… Que c'est qu'y' a de spécial, c'te voyage-là, pour que t'en fasses toute un mystère? Pis qu'en plusse y' vienne toute chambarder notre été à nous autres?

— C'est à propos d'Eli, ma belle-mère. C'est pour elle que Chuck a réservé une immense maison au bord de l'eau. Il veut réunir la famille sous un seul toit.

— Pourquoi? Me semble que vous vivez ben assez collés les uns sur les autres dans votre espèce de grand domaine. Pas besoin d'aller au boutte du monde pour que vous soyez toutes ensemble.

— C'est vrai. Mais Chuck voulait autre chose. Il voulait surtout que les enfants et les petits-enfants gardent un beau souvenir…

— Comment ça?

— Eli va mourir, maman. Elle a un cancer du foie.

— Viarge!

Évangéline avait porté une main à son cœur, visiblement bouleversée.

— T'as ben dit un cancer ?

— Oui, maman, un cancer. Du foie. Il n'y a plus rien à faire. Et les enfants comme les petits-enfants ne le savent pas encore. Si Chuck me l'a dit, c'était justement parce que je ne voulais pas annuler mon voyage. Tu comprends maintenant pourquoi je n'ai pas le choix de repartir plus tôt ?

Évangéline avait approuvé d'un lent hochement de la tête, le regard vague. Après un moment d'intériorité, elle avait levé les yeux vers son fils.

— Je comprends… Comme ça, ta belle-mère va mourir, mais personne de la famille, à part toé pis ton beau-père, est au courant. C'est ben ça ?

— C'est en plein ça. C'est pour cette raison que je te demande de ne pas en parler.

— Compte sur moé, Adrien. Chus capable d'être muette comme une tombe quand y' faut. Comme une tombe… Mais ça, ça veut-tu dire que l'an prochain, je peux compter sur une visite qui va durer plus longtemps ?

— Ça peut vouloir dire ça, oui !

— Ben là, tu me fais plaisir. Pis promis, je dirai rien.

Encore une fois, Évangéline avait secoué la tête, perdue dans ses pensées. Puis, elle avait poussé un long soupir.

— Astheure que c'est dit, viens m'aider à sortir le hibachi, Adrien. Je le trouve ben pesant pis j'haïs ça me salir les mains avec les briquettes, pis en plusse j'arrive jamais à l'allumer dans le sens du monde. Comme Bernadette a parlé de faire des hamburgers pour souper, ça serait ben que toute soit prêt quand a' va arriver. Icitte, la plupart du temps, c'est Marcel qui fait cuire la viande sur le charcoal. C'est-tu pareil dans ton Texas ? C'est-tu les hommes qui s'occupent du charcoal ?

La visite d'Adrien, aussi brève avait-elle été, restait quand même un beau moment dans l'été. Cependant, la perspective de la mort prochaine d'Eli bouleversait Évangéline et avait assombri cette visite qui, habituellement, était un moment de joie pour elle.

— Ouais, murmura Évangéline, se berçant de plus belle. C'est pas des maudites farces, la belle-mère d'Adrien est décomptée. Est supposée mourir d'icitte à Noël, ça se peut-tu ? C'est pas loin ça, Noël. On pourrait quasiment compter ça en jours. Pis en plusse, y a la tante de Cécile la docteure qui est morte, elle avec. D'un coup, comme ça, sans avertissement. Toute va ben, tu te sens en forme, t'es dans la file à l'épicerie pour avoir une couple de tranches de jambon pour souper, pis la menute d'après, t'es quasiment morte, viarge ! Ça fait peur. J'aime pas ça vieillir, que j'aime don pas ça !

Évangéline souleva ses deux mains et les fit pivoter pour les examiner avant de les poser sur son ventre et de s'ausculter rapidement, pesant par-ci, par-là.

— On dirait ben que j'ai rien, soupira-t-elle. On sait ça comment, si on a un cancer ? Ça fait-tu mal, c'te maladie-là ? Pis le pire, c'est que je peux même pas en parler à Bernadette. J'ai promis de me taire. Mais des fois, la langue me démange… Surtout que ça changerait pas grand-chose, rapport qu'Adrien est parti dans son Texas depuis un boutte… Mais j'ai promis, fait que… Finalement, je pense que j'vas y en parler, à Adrien, la prochaine fois qu'y' va nous téléphôner. D'une manière discrète, comme de raison. Jamais je croirai que je peux pas en jaser avec Bernadette. En jaser au moins avec elle…

Et de donner un autre coup de talon pour intensifier le balancement de la chaise en se demandant brusquement ce qu'elle allait bien pouvoir faire pour souper. Même si le soleil brillait de plus belle, le fond de l'air, lui, commençait à fraîchir.

Le hibachi était probablement rangé dans le cabanon pour de longs mois.

Si la pauvre Évangéline avait su que Bernadette était dans la confidence, elle aurait pu partager ses inquiétudes et mieux dormir le soir. Mais tout comme elle, Bernadette avait promis de se taire, alors elle ne disait rien, d'autant plus qu'elle avait bien d'autres choses en tête pour s'occuper et de ce fait, il lui était facile de mettre de côté l'inquiétude suscitée par la maladie d'Eli, la belle-mère d'Adrien. Après tout, elle ne connaissait pas Elizabeth Prescott et se souciait fort peu d'elle même si par charité chrétienne, elle était triste pour elle.

Non, ce n'était pas tout à fait exact. Si Bernadette était triste, c'était surtout pour la petite Michelle, qui allait perdre une de ses grand-mamans. Et encore ! Eli n'avait jamais vraiment accepté le handicap de sa petite-fille, alors…

Alors, la maladie d'Eli avait rapidement déserté l'esprit de Bernadette, qui avait bien assez du commerce qui vivotait, de ses clientes Avon qui se faisaient plus rares depuis le début de l'été et de ses enfants partis au bout du monde en gaspillant du bel et bon argent qui aurait pu servir. Elle s'inquiétait surtout de la réaction de son mari quand elle se déciderait enfin à lui parler à propos de l'épicerie qui n'allait pas si bien que ça.

Allait-il dire que tout était de sa faute puisque c'était elle qui voyait aux finances et aux commandes depuis des mois ?

C'est pourquoi, en plein mois de juillet, durant la visite d'Adrien et de Michelle, alors qu'il faisait chaud comme dans un four et qu'elle s'interdisait les jolies robes sans manches si confortables parce qu'en plus, selon sa perception des choses, elle était grosse à faire peur, Bernadette n'avait pas vraiment eu le temps de s'inquiéter d'une femme qui vivait à l'autre bout de l'Amérique et qu'elle ne connaissait ni d'Ève ni d'Adam !

Laura, par contre, même si elle était au même moment à l'autre bout du monde, continuait de l'inquiéter grandement.

Que faisait-elle ? Avec qui était-elle ? Antoine avait-il vraiment accompagné sa sœur en Italie ou n'était-il pas plutôt au Portugal ?

Bernadette doutait grandement des bonnes intentions de l'un comme de l'autre dans ce dossier.

— N'importe quoi, ouais, pour nous arracher la permission de partir !

Parce que si elle se fiait à l'horaire sommaire que ses enfants lui avaient laissé avant de prendre l'avion, le pauvre Antoine, qui voulait améliorer sa technique auprès de Gabriel, n'y consacrerait, en tout et pour tout, qu'une petite semaine. Et encore !

Alors, oui, Bernadette s'inquiétait pour Laura et elle se posait de sérieuses et inquiétantes questions.

Elle se demandait, surtout, qui était ce fameux Roberto.

— Un Italien, Marcel ! Notre fille est allée s'enticher d'un Italien.

La rengaine revenait à peu près tous les soirs quand Marcel et Bernadette se retiraient dans leur chambre.

— C'est pas ça qu'a' l'a prétendu, Bernadette. Laura nous a ben dit que c'était juste un ami, je m'en rappelle comme si c'était hier. C'est juste le cousin de la belle Elena avec qui a' l'a travaillé à l'Expo.

— Ben justement ! Ça augure mal, toute ça. Je l'avais dit, je l'avais don dit, que c'était pas une bonne idée, c'te verrat de travail-là, à l'Expo.

— Calvaire, Bernadette, reviens-en ! Ça fait quasiment un

an que c'est fini toute ça. Si Laura avait été en amour avec c'te gars-là, comme tu sembles le penser, a' nous en aurait parlé ben avant ça.

— Pas sûre, moé.

— Pourquoi ?

— Y a des affaires, de même, qu'une femme parle pas tant qu'est pas ben certaine de son coup.

— Ah ouais ? Si tu veux mon avis, c'est pas mal cave d'agir de même !

— Marcel !

— Ben quoi ?

— T'es pas une femme, tu peux pas comprendre pis t'as pas à juger.

— Calvaire que c'est compliqué, des fois, avec toé ! Si y' faut, en plusse, que Laura se mette à faire pareil…

— C'est sûr qu'est comme moé, notre fille, c'est une femme astheure. Pis pour une femme, les affaires de cœur, tant que c'est pas officiel, on parle de ça juste avec nos bonnes amies. Pis comme Laura en avait pas, d'amies, l'hiver dernier, rapport qu'y en a une qui était perdue dans sa campagne pis que l'autre était en Angleterre, ben a' l'en a pas parlé.

Sentant que riposter ou demander des précisions l'aurait probablement mis dans une fâcheuse position, Marcel n'avait rien dit. Bernadette en avait donc conclu qu'il était d'accord avec le principe et elle avait aussitôt enchaîné en soupirant :

— Voir qu'a' l'aurait pas pu choisir un bon p'tit gars de chez nous ! À l'âge qu'est rendue, me semble que ça aurait été moins compliqué.

— Je vois pas le rapport.

— Ben moé, je le vois.

— Tant mieux pour toé, Bernadette. Mais pour moé, si y a

un rapport à faire entre l'Italien pis l'âge de notre fille, c'est qu'est rendue ben assez vieille pour décider par elle-même de qui c'est qu'a' va choisir.

— C'est de même que tu vois ça, toé?

— En plein ça!

— Pis que c'est tu vas dire si jamais notre fille décidait d'aller de l'avant avec cette histoire-là pis qu'a' nous annonçait, en revenant de son voyage, qu'a' s'en va vivre là-bas? Hein? Ça te tente-tu de voir tes p'tits-enfants juste une fois par année? Pis ça, c'est si on est chanceux. L'Italie, c'est pas mal plus loin que le Texas, tu sauras, avait signalé Bernadette, faisant ainsi allusion à Évangéline qui se plaignait régulièrement de ne pas voir la petite Michelle assez souvent.

Ce à quoi Marcel avait aussitôt rétorqué, jugeant que sa femme mettait la charrue devant les bœufs:

— Dans le temps comme dans le temps! Je pense pas qu'on soye rendus là.

— Ben voyons don, toé! On dirait que ça te fait rien de savoir que notre fille va petête s'en aller vivre au boutte du monde.

Marcel avait levé les yeux au plafond.

— Ça a rien à voir pis j'ai jamais dit ça. Je pense surtout que tu penses trop, pis que tu vas un peu vite en affaires. Attends qu'a' revienne, notre fille, pis on pourra se faire une idée claire sur la situation après.

— Pis si y' est trop tard?

— Trop tard pour quoi, calvaire? Arrête un peu, OK? Dis-toé ben qu'y' sera jamais trop tard pour faire entendre raison à Laura si son plan a pas d'allure. Moé, j'y fais confiance à notre fille. C'est pas une girouette pis...

— Justement, Marcel, justement!

— Justement quoi ? Calvaire, Bernadette, je te suis pas pantoute !

— C'est pas une girouette. La plus belle preuve, c'est que c'est la première fois qu'a' tombe en amour pis c'est…

— Ça suffit !

Cela faisait longtemps que Marcel n'avait pas haussé le ton, mais là, il trouvait que Bernadette exagérait.

— Ça suffit, perdre notre temps à discuter sur quèque chose qu'on sait pas. Je veux pus entendre un mot là-dessus… Parle-moé don de l'épicerie, à place ! Avec toute le monde qui passe à boucherie, ça fait un bail que j'ai pas jeté un coup d'œil sur les livres de comptes… Pis, ça balance-tu, notre affaire ?

Marcel avait eu l'air tellement fier que Bernadette n'avait pas osé briser ses illusions.

— Oh ! Pour balancer, ça balance, pas de doute, avait-elle répondu avec une légère hésitation dans la voix.

Hésitation qui était passée inaperçue et Marcel, heureusement, s'était contenté de cette réponse sibylline.

— Ben tant mieux, avait-il dit après avoir longuement bâillé. Astheure, tu vas m'excuser, mais chus ben fatigué pis demain, je reçois deux carcasses à dépecer. M'en vas te dire bonne nuit, Bernadette… Pis arrête de t'en faire pour Laura. C'est toé-même qui disais, l'autre jour, que notre fille, c'était une bonne fille, fiable pis ben avenante. Rappelle-toé que je t'avais pas ostinée là-dessus, t'avais raison. Ça fait que c'est pas un voyage en Europe, avec son frère, oublie pas ça, qui va nous la changer, fie-toé sur moé ! Tu vas voir ! A' va nous revenir comme si de rien n'était, avec plein de photos à nous montrer, plein de choses à nous raconter, pis tu vas te rendre compte que tu t'es faite du sang de nègre pour rien. Astheure, ferme la lumière que je dorme.

Marcel n'avait pas eu tort.

Jusqu'à un certain point.

Certes, Laura était revenue et de prime abord, il semblait bien que Bernadette s'en était fait pour rien. La jeune femme avait des tas d'anecdotes à raconter et, effectivement, des centaines de photos à montrer.

— Tu vois ben que j'avais raison, Bernadette !

Cette dernière avait préféré ne pas répondre à son mari, réservant ses commentaires pour plus tard…

Tant qu'à se faire reprendre et contredire…

Car, pour elle, rien n'était clair, rien n'était sûr. Les anecdotes étaient trop bien ficelées, le frère et la sœur se lançaient la balle avec trop de facilité, comme un spectacle bien orchestré.

Trop d'enthousiasme, trop d'entrain, trop de zèle pour être vrai.

Bernadette connaissait suffisamment ses enfants pour ne pas se laisser prendre aussi facilement à leur jeu.

Donc, Laura était revenue, soit, mais bien différente de celle qui était partie un mois auparavant. Du moins, selon l'avis de Bernadette qui, cette fois-ci, s'entêtait à garder pour elle opinions, impressions et jugements.

Néanmoins, elle était persuadée que le voyage n'avait pas été à la hauteur des attentes de sa fille. Peut-être une bonne chose, finalement. Si tout avait été trop bien, ses pires prédictions se seraient peut-être réalisées.

Et ce n'était pas en Angleterre que le bât avait blessé, Bernadette en aurait mis sa main au feu.

Par contre, pas moyen de savoir ce qui n'avait pas été dans ce fichu voyage. Mi-septembre, Bernadette avait toujours l'impression de nager dans la mélasse.

Depuis une quinzaine de jours, Laura avait commencé à travailler avec la cousine Angéline. Trois jours par semaine, ce n'était pas beaucoup, mais, sans déborder d'enthousiasme, Laura semblait satisfaite.

— Ça ressemble un peu à ce que je m'attendais.

— Pis ?

— Pis quoi, maman ?

— Comment tu trouves ça ?

— Je viens de le dire ! Ça ressemble à ce que je m'attendais.

— Ah bon… Pis le reste, lui ?

— Quel reste ?

— Ben le reste… Toute le reste de ta vie, bâtard ! Me semble que c'est pas compliqué à comprendre, ça !

— Ça va. Là aussi, ça va.

Bernadette dut se retenir pour ne pas lancer à la tête de sa fille qu'elle manquait indéniablement d'entrain. Pendant ce temps-là, Laura poursuivait.

— À part le fait que Francine soit repartie à Québec, ça va… Maintenant tu vas m'excuser, j'ai un dossier à travailler.

Exaspérée, Bernadette leva les yeux au ciel tandis que Laura quittait la cuisine. Avant, c'était un examen à préparer, maintenant c'était un dossier à travailler.

— A' va-tu passer toute sa vie enfermée dans sa chambre, verrat ? grommela-t-elle en ouvrant le garde-manger où elle gardait sa plus grosse marmite. Tu parles d'une maudite vie plate, si c'est ça… Me semble que les jours de congé comme aujourd'hui, a' pourrait se trouver d'autres choses à faire, non ? Voir du monde, sortir de sa cachette. C'est pas en restant dans sa chambre qu'a' va se trouver un cavalier, maudit bâtard !

Car autant Bernadette avait paniqué à l'idée d'un Italien vivant au bout du monde comme amoureux, autant aujourd'hui, elle se désespérait de voir sa fille encore toute seule à vingt-cinq ans.

— Si au moins a' voulait m'en parler, se lamenta-t-elle en attrapant le sac de carottes dans le bac à légumes du réfrigéra-teur. Me semble que ça a pas d'allure, encore tuseule à son âge. Est pas si mal que ça, notre fille. Pas grande, c'est vrai, mais c'est pas un défaut... Bon, le souper, astheure... Un bouilli de légumes avec du porc salé pis un gros poulet. Ça va cuire durant toute la journée pis à soir, ça va être parfait. C'est Marcel qui va être content, c'est son souper préféré. En plusse, ça va sentir bon quand on va rentrer, lui pis moé. J'aime don ça que ça sente bon dans la maison quand je reviens de l'ou-vrage... Bon! Astheure, ça me prend les patates, le navet, les oignons pis le chou... J'vas mettre la viande à cuire tusuite, j'vas préparer toutes les légumes que la belle-mère va rajouter plus tard, pis j'vas demander à Laura d'aller casser des p'tites fèves pour les rajouter en fin d'après-midi. Jamais je croirai qu'a' l'aura pas le temps de faire ça pour moé durant sa journée. Pis ça va y faire du bien de sortir de son coqueron... Y' fait petête pas ben chaud, mais y' fait beau. Autant en pro-fiter pendant que ça passe : la belle saison achève.

Selon une habitude acquise au fil des années, souvent seule devant les fourneaux, Bernadette parlait à voix haute. Et ce matin, justement parce qu'elle voulait mettre le bouilli à cuire, elle partait plus tard pour l'épicerie.

— Ça va juste me faire du bien de marcher un peu, avait-elle dit à Marcel qui lui offrait de l'attendre. Faut que je perde une couple de livres.

À ces mots, Marcel avait levé les yeux par-dessus les lunettes qu'il portait maintenant pour lire.

— Comment ça, perdre du poids? Je les aime, moé, tes

rondeurs. Arrête de t'en faire avec ça. T'es ben correct de même, ma femme.

« Ma femme… »

C'était sa façon de dire à Bernadette qu'il l'aimait. Habituellement, elle lui faisait un petit sourire quand il l'appelait ainsi.

Mais pas ce matin.

Se faire dire que ses rondeurs — quel euphémisme ! — avaient un certain charme ne correspondait pas du tout à ce que Bernadette ressentait intimement. Elle, elle ne s'aimait pas. Pas du tout. Elle s'était même détestée tout au long de l'été, se camouflant sous de grands vêtements amples, sombres et longs, alors que le soleil et la chaleur appelaient les jolies robes fleuries et les vêtements courts.

Alors, ce matin, se faire dire qu'elle était belle ne la réconfortait pas le moins du monde. Bien au contraire, ces quelques mots gentils l'agressaient. Bernadette aurait bien été en peine d'expliquer ce qui l'impatientait ainsi, mais c'était un fait. La mauvaise humeur était devenue le lot de la majorité de ses journées, sans qu'elle sache d'ailleurs pourquoi. Elle n'arrêtait pas de se répéter que si tout allait mal dans sa vie, partant de l'épicerie qui faisait tout juste ses frais et se terminant avec ses enfants revenus maussades de leur voyage, en passant par ses clientes qui étaient nettement moins nombreuses, c'était à cause de son poids.

Si elle était encore mince et toujours jolie, tout irait pour le mieux. Non ?

Oui !

Alors, ce matin, se faire dire qu'elle était belle ne passait pas. Elle n'était pas belle, elle était grosse et elle en était profondément malheureuse.

Surtout quand Adrien avait été en ville.

Jamais Bernadette ne s'était sentie aussi laide, aussi peu attirante. Pourtant, quand elle se donnait la peine d'y réfléchir longuement, ce qui l'unissait à Adrien s'apparentait maintenant beaucoup plus à une belle amitié qu'à autre chose. Fini les grands sentiments, les attirances qui font trembler le cœur et les mains. Du moins, c'est ce que pensait sincèrement Bernadette quand Adrien était au loin.

Jusqu'au jour où elle l'avait vu apparaître dans l'embrasure de la porte de sa cuisine. Elle avait alors caché son émoi en se précipitant sur la petite Michelle.

— Ma belle chouette. Enfin te v'là! Si tu savais comment c'est que je me suis ennuyée de toé, ma belle. Tellement ennuyée de toé.

Tout en serrant Michelle contre son cœur, Bernadette avait néanmoins jeté un regard furtif sur Adrien.

Était-ce possible d'aimer deux hommes à la fois? Deux frères, de surcroît?

Le regard de Bernadette s'était fait plus incisif.

En un an, son beau-frère avait vieilli. Beaucoup. Surprise, Bernadette avait alors constaté qu'il ressemblait de plus en plus à sa mère.

Le visage d'Adrien était maintenant sculpté par les rides. «Gravé par les inquiétudes», avait alors pensé Bernadette.

Bien que moins beau que dans son souvenir, elle l'avait trouvé émouvant, sans penser que ses rondeurs pouvaient, elles aussi, avoir quelque chose d'attendrissant dans le regard d'un homme amoureux.

Tout ce qu'elle avait retenu de cet instant, c'était qu'elle était toujours aussi vulnérable face à Adrien et qu'elle se trouvait laide.

Alors, pour éviter les rencontres en tête-à-tête, durant les deux semaines du séjour d'Adrien, Bernadette en avait profité pour s'inventer des heures supplémentaires.

— Tu comprends, c'est le temps des vacances pour les employés. C'est l'été pour eux autres, avec! J'ai pas le choix de travailler un peu plusse pour les remplacer. Tu m'excuseras, hein, mon Adrien? Quand t'es là plusse longtemps, je peux toujours m'arranger, mais cette année... On se reprendra à ton prochain voyage pour se piquer une bonne jasette. Profite de ta mère un peu, a' s'est tellement ennuyée de vous deux, toé pis la p'tite.

Durant deux semaines, Bernadette avait fui la maison le plus souvent possible, comme si le fait d'être plus ronde lui enlevait tout le reste de ses qualités!

Puis Adrien était reparti et elle avait regretté son attitude.

Heureusement, quelques jours plus tard, les enfants étaient revenus de voyage et le centre d'intérêt de Bernadette avait changé de cible.

C'était presque avec soulagement qu'elle avait renoué avec ses inquiétudes.

Laura qui semblait malheureuse, ou, à tout le moins, blasée.

Antoine qui vivait de plus en plus souvent enfermé dans le petit logement du bas. À un point tel que Marcel avait suggéré à Bernadette d'enlever son lit de la chambre des garçons pour donner plus d'espace à Charles, qui était devenu un grand adolescent.

— Un grand adolescent encombrant, tu veux dire!

— Comment ça, encombrant? C'est toujours ben pas de sa faute si y' est grand de même, pis bâti comme un vrai Lacaille!

— Mettons... Mais pour astheure, on va laisser le lit d'Antoine à sa place habituelle. On sait jamais.

— On sait jamais quoi ?

— Je le sais-tu, moé… Mettons que ta mère, pour une raison ou ben un autre, décidait de louer le logement, hein ? T'as-tu pensé à ça ? Ça pourrait arriver, tu sais.

— Ouais… M'en vas y en parler, à la mère, pis on décidera après.

— C'est ça, mon Marcel. On verra à ça plus tard. En attendant, j'ai des commandes à préparer. Je pense que j'vas retourner à l'épicerie pour faire ça. J'vas être plus tranquille.

— À l'épicerie ? Le soir ?

— Ouais, pourquoi pas ? Pis c'est une chose qu'y' faudrait petête penser.

— Quoi don ?

— Ouvrir plus tard le soir.

— Tu trouves que nos journées sont pas assez longues comme ça ?

— Ça a rien à voir. C'est juste qu'en restant ouvert plus longtemps que les grandes chaînes comme Steinberg pis Dominion, on irait petête chercher une autre sorte de clientèle.

À ces mots, une lueur d'intérêt s'était allumée dans le regard de Marcel. Comme ses yeux d'un bleu glacier dégageaient habituellement une impassibilité sans égale, cela signifiait que, pour lui, l'idée avait du bon. En fait, tout ce qui pouvait jouer contre les grandes chaînes était digne d'intérêt.

— C'est pas fou… M'en vas y penser.

Et Bernadette aussi allait y penser, à cette idée venue de nulle part et qu'elle avait lancée à l'improviste, se surprenant elle-même.

Et si c'était là la solution à leurs problèmes ? Plus de clients voudrait dire plus d'argent, non ?

— Quitte à mettre le grand flan mou à Charles en arrière de la caisse pour quelques heures chaque jour, murmura Bernadette en marchant d'un bon pas pour se rendre à l'épicerie. Ça y ferait juste du bien de travailler, pis ça éviterait les frais. De toute façon, y' étudie jamais le soir, y' aime pas ça. C'est ben beau jouer au ballon ou au hockey, mais c'est pas avec ça qu'y' va gagner sa vie, notre gars. Des Maurice Richard pis des Jean Béliveau, ça court pas les rues. Va ben falloir que Marcel finisse par s'ouvrir les yeux, bâtard.

CHAPITRE 7

Il a neigé à Port-au-Prince
Il pleut encore à Chamonix
On traverse à gué la Garonne
Le ciel est plein bleu à Paris [...]
Fais du feu dans la cheminée
Je reviens chez nous

Je reviens chez nous
JEAN-PIERRE FERLAND

Montréal, mercredi 15 janvier 1969

Durant tout l'automne, Laura avait attendu une lettre qui n'était pas venue. Puis, à l'approche de Noël, elle avait espéré au moins une carte de vœux. En vain. Ce qu'elle avait redouté à la suite de son voyage en Italie était en train de se réaliser: Roberto s'était désintéressé d'elle. Le voyage avait eu comme résultat exactement le contraire de ce qu'elle avait espéré.

— Et tout ça, à cause de mon manque d'intérêt pour la politique, j'en suis sûre! Voir que des événements qui se sont passés à l'autre bout du monde auraient pu capter mon attention! Que des étudiants de Paris descendent dans la rue pour revendiquer je ne sais pas trop quoi, je m'en fiche un peu. Voyons donc! En plus, ça s'est passé en plein mois de mai quand j'étais en période d'examens. C'est bien certain que j'en ai pas entendu parler, maudite marde! De toute façon, ça paraissait même plus quand on est passés par là, Antoine et moi. Tout avait été ramassé. Pis c'est pas ça l'important, quand on est en amour.

Toutes les raisons semblaient bonnes à Laura pour justifier son manque d'inclination pour la politique, au même titre que Roberto avait semblé choqué que Laura ne soit pas plus attentive qu'il ne le faut aux mouvements sociaux qui soulevaient le monde depuis quelque temps.

— Pour moi, la France, Paris, c'est dans ma cour. Essaie de comprendre, Laura! Tous les pays d'Europe sont à côté de chez moi. Ce qui se passe chez eux peut venir influencer ce qui se passe chez nous. Alors…

D'accord, Laura pouvait comprendre, mais de là à vouloir en discuter durant des heures, il y avait un monde. Parlait-elle, elle, de ce qui se passait aux États-Unis? De toute façon, elle n'était certainement pas venue jusqu'ici pour discuter de la politique internationale avec Roberto.

Pourtant, malgré cette divergence entre eux, Laura avait eu sans contredit l'impression que le jeune homme était heureux de la voir, heureux de la présenter à son père et à ses nombreux amis et cousins. Et puis l'Italie était si jolie!

Malheureusement, au fil des conversations, la discussion finissait toujours par glisser vers quelques enjeux importants de l'échiquier politique planétaire, et le ciel de Laura s'assombrissait irrémédiablement au fur et à mesure que le ton de Roberto montait.

À croire qu'à lui seul, il allait régler le sort de l'humanité!

Par moments, Laura avait eu envie de trépigner tellement l'attitude de Roberto l'exaspérait. Par contre, l'instant d'après, il s'excusait gentiment et la prenait par la main pour l'amener manger une glace, une *gelato,* qui fondait de plaisir contre le palais de Laura.

Tant et si bien qu'au moment de son départ, la jeune femme ne savait plus trop ce qu'elle devait retenir de ce séjour en Italie, sinon que le baiser échangé à l'aéroport, au moment des adieux, avait semblé moins intense que certains autres.

Pourquoi ?

Elle ne s'était questionnée que le temps de passer de Rome à Paris en train, car, aussitôt sortie de la gare, Paris l'avait séduite. Les longues promenades le long de la Seine, les marchés publics, les petits cafés et les Puces, le tout partagé avec son frère qui semblait, lui aussi, très heureux de la retrouver avait comblé cette sensation de vide ressentie en prenant le train à Rome. Ainsi, grâce à ces trois derniers jours de vacances, de la tour Eiffel à l'avenue des Champs-Élysées, de Montparnasse aux jardins du Luxembourg, de la cathédrale Notre-Dame à Montmartre, épuisée mais ravie, Laura conserverait un souvenir impérissable de ce voyage qui avait si bien commencé en Angleterre, un mois plus tôt.

Roberto oublierait leurs brèves disputes sur les politiques mondiales et ne garderait en mémoire que les merveilleux moments à deux, à glaner dans les rues de Rome, à visiter la campagne italienne, à parler d'avenir tout simplement, comme ils avaient si bien su le faire à Montréal, l'année précédente.

N'est-ce pas ?

L'enthousiasme démontré au retour à Montréal n'avait donc pas été feint parce que Laura y croyait vraiment. Elle vivait à la fois de ses beaux souvenirs et d'un espoir bien ancré au cœur. Demain, dans quelques jours, la semaine prochaine, peut-être, une lettre viendrait lui donner raison.

Cette foi en l'avenir l'avait même motivée à apprendre quasiment par cœur l'article de fond traitant de l'invasion de Prague, paru dans *La Presse*, quelques semaines à peine après son retour. Si jamais Roberto lui donnait signe de vie, et il finirait bien par lui donner signe de vie, elle pourrait en discuter avec lui ou, à tout le moins, elle saurait de quoi il parle parce qu'il lui en parlerait, c'était évident! Alors, devant la nouvelle attitude de Laura, Roberto comprendrait qu'elle pouvait faire preuve d'ouverture d'esprit. N'était-ce pas là ce qu'il lui avait dit, ce qu'il souhaitait?

Laura avait donc passé l'automne, puis la période précédant les fêtes de fin d'année, dans l'attente d'un mot de sa part, oubliant qu'autour d'elle, il y avait une famille et des amis bien réels.

En parallèle à tout cela, Laura avait appris à apprécier son travail auprès d'Angéline, qui avait eu la délicatesse de lui confier surtout des enfants comme patients. Mais d'un autre côté, Laura n'avait pas ressenti le besoin d'en parler autour d'elle. Elle n'avait surtout pas envie de se lancer dans une discussion qui risquait de bifurquer dans une direction non désirée. Ni avec sa mère, ni avec sa grand-mère, ni avec qui que ce soit. Le prétexte d'avoir à travailler ses dossiers la servait donc à merveille et elle cachait ses désillusions, qui allaient croissant, derrière la porte close de sa chambre. L'entêtement d'Alicia à ne pas vouloir reparler à sa mère, le silence persistant de Roberto et la gêne qu'elle ressentait devant son père pour lui demander, encore une fois, de travailler avec eux à l'épicerie, puisqu'elle avait du temps à y consacrer, étaient autant d'éléments qu'elle voyait comme des échecs personnels. Seul le récent départ de Francine pour Québec n'était pas perçu comme un recul même si elle se désolait d'être à nouveau séparée de son amie. En effet, lors d'une récente visite, à l'occasion de Noël, Francine était tellement épanouie que Laura n'avait pu faire autrement que de se réjouir pour elle. Francine avait profité d'un bref tête-à-tête au casse-croûte de monsieur Albert pour lui confier combien sa vie était maintenant simple et heureuse.

— Moé, j'ai jamais eu besoin de grand-chose pour être heureuse, sainte bénite ! Une bonne job, du manger plein le frigidaire, un toit sur la tête, pis mon p'tit, comme de raison, ça me suffit. Malgré ça, j'arrivais jamais à être vraiment bien. Y avait toujours de quoi pour me contrarier. Pis là, tout d'un coup, j'ai toute ce qu'y' me faut !

Francine était resplendissante en disant cela et le temps d'un battement de cœur, Laura l'avait farouchement enviée. Elle avait envié cet abandon confiant face à la vie, cette simplicité un peu naïve que parfois elle avait décriée.

— Mon p'tit aime l'école comme moé je l'ai jamais aimée, pis c'est une saprée bonne affaire, lui avait alors expliqué Francine. Comme couturière, je commence à avoir pas mal de clientes, pis monsieur Napoléon a recommencé à rire. Que c'est je pourrais demander de plusse ? J'aime ça, l'entendre rire, monsieur Napoléon. Je pense que ça y fait du bien d'avoir un p'tit gars dans sa maison. Y' arrête pas de dire que mon Steve y rappelle des tas de beaux souvenirs du temps que ses deux gars à lui étaient p'tits. Ça fait que moé, Laura, chus ben contente de ma vie. Ouais, ben contente ! C'est sûr qu'un vieux monsieur, ça demande du temps dans une journée. C'est même du trouble, par bouttes, avec les escaliers pis les soins à y donner. Mais c'est fou, hein, j'aime ça m'occuper de monsieur Napoléon. J'aime ça jaser avec lui. Y' sait des tas d'affaires, y' a connu plein de monde, pis je trouve ça intéressant quand y' m'en parle. C'est pas mêlant, j'vois pus mes journées passer !

Oui, Laura était capable de se réjouir pour son amie, mais de la voir si sereine, si confiante en l'avenir ne faisait que creuser un peu plus le fossé de ses déceptions personnelles.

Pourquoi ? Pourquoi n'arrivait-elle pas à être heureuse aussi facilement, aussi simplement que Francine pouvait l'être ? Que lui manquait-il pour y arriver ?

Sa vie et son bonheur ne tenaient-ils donc qu'à une lettre venue d'Italie ?

Malheureusement, la lettre n'était jamais venue, la carte non plus et hier, de la bouche d'Elena, la conclusion de son beau roman d'amour était tombée, irrévocable.

— Je ne sais trop comment te le dire…C'est Roberto… Il a appelé pour nous annoncer ses fiançailles… Je crois qu'il a compris que tu n'irais jamais t'installer en Italie et comme toute sa vie est là… Tu sais, quand l'autre est loin, il se peut que…

D'un geste de la main, Laura avait mis un terme définitif aux explications laborieuses de son amie.

— Ne cherche pas d'excuse, Elena. Je crois que j'avais compris dès les premiers jours de mon séjour là-bas qu'entre lui et moi, ça resterait une histoire d'amitié.

— Je suis désolée.

Le cœur dans l'eau, Laura avait haussé lentement les épaules tout en baissant les yeux, car elle avait de la difficulté à soutenir le regard d'Elena.

— Pourquoi dis-tu cela ? Tu n'as pas à être désolée. Tu n'y es pour rien et tu avais raison. Probablement depuis le début. C'est moi qui n'ai pas voulu regarder la réalité en face.

Laura n'osa demander qui était l'heureuse élue; elle ne

tenait pas particulièrement à le savoir. Probablement l'avait-elle même croisée quand elle était à Rome. Il y avait tellement d'amis dans l'entourage de Roberto!

Maintenant, tout était clair et ça expliquait l'absence de lettres et de carte. Au fond, Laura s'y attendait, mais ça faisait mal quand même de se dire qu'elle avait eu raison.

Voilà donc où elle en était en ce mercredi matin glacial où elle n'avait pas à se lever puisqu'elle ne travaillait pas aujourd'hui.

— Une autre journée à trouver le temps long, marmonna-t-elle en remontant frileusement la couverture sur ses épaules.

Les bruits habituels de la maisonnée qui se préparait à quitter le domicile familial, soit pour le travail, soit pour l'école, la rejoignirent jusque dans son lit, l'empêchant de se rendormir. Comme elle n'avait pas spécialement envie de parler avec qui que ce soit, Laura attendit que le silence revienne pour se lever. S'il ne restait que sa grand-mère à la cuisine, ça pouvait toujours aller. Depuis des mois maintenant, Laura partageait, chaque semaine, quelques déjeuners en tête-à-tête avec Évangéline. Les silences étaient acceptés entre elles sans que ni l'une ni l'autre s'en formalisent. Si parfois une blague ou une question donnaient lieu à un bel échange, en contrepartie, un grognement en guise de réponse donnait le ton aux heures qui allaient suivre et personne ne passait de remarque désagréable sur l'attitude de l'autre.

Donc, ce matin, avant même d'avoir mis les pieds en dehors du lit, Laura avait déjà décidé qu'elle s'en tiendrait aux grognements.

Sauf qu'elle n'avait pas prévu retrouver une Évangéline au visage aussi triste. Assise à sa place habituelle au bout de la table, la vieille femme fixait la fenêtre sans sembler la voir. Elle ne tourna pas la tête vers sa petite-fille, quand celle-ci entra dans la pièce, ni ne lui souhaita bonjour, ce qu'elle faisait habituellement, quelle que soit son humeur.

La curiosité et l'inquiétude eurent tout de suite préséance sur la maussaderie et l'amertume de Laura.

— Mais qu'est-ce qui se passe, grand-moman ? As-tu reçu une mauvaise nouvelle ? Pourtant, il me semble que le téléphone n'a pas sonné.

Évangéline poussa un long soupir.

— Pas toujours besoin d'un téléphône, tu sauras, ma Laura, pour recevoir des mauvaises nouvelles.

Laura, qui était en train de remplir la bouilloire, se retourna vivement.

— Ben voyons donc ! Es-tu malade ? Tu m'inquiètes.

— Ben faudrait pas ! Pasque c'est pas des inquiétudes, non plus.

— C'est quoi, d'abord, qui te donne l'air aussi triste ?

— Pasque tu trouves que j'ai l'air triste ?

— Ben…oui. On dirait.

Évangéline s'agita sur sa chaise.

— Y a petête de ça, ouais. Un peu, entécas. Mais y a aussi de la colère pis du découragement.

— De la colère, je comprendrais, répliqua alors Laura, taquine, tout en prenant une tasse dans l'armoire près de l'évier, mais du découragement… Me semble que ça ne te ressemble pas, ça, grand-moman.

— Ben tu sauras, ma p'tite-fille, que chus pas différente des autres. Moé avec, des fois, chus découragée. Ben gros. Pis ça m'arrive à moé comme aux autres de pus savoir par quel boutte prendre les affaires pour arriver à me faire comprendre.

Tout en parlant, Évangéline hochait vigoureusement la

tête et du bout de son couteau, elle poussait et repoussait les graines de pain dans son assiette comme si elle avait besoin de ce prétexte pour ne pas lever la tête.

— Non, je le sais pus pantoute quoi dire pis quoi faire pour que ton père finisse par comprendre.

— Parce qu'il s'agit de popa ?

Tout en parlant, Laura s'était préparé une tasse de café instantané, ce qui, depuis qu'elle travaillait aux côtés d'Angéline, était devenu une habitude quotidienne. Elle s'installa à l'autre bout de la table.

— Ouais, ton père, poursuivait Évangéline durant ce temps-là. Pis ta mère avec, par la même occasion, rapport que ça les concerne tous les deux.

— Et si tu essayais d'être plus claire pour que je puisse te suivre…

— Si tu veux…

Évangéline continua de gratter le fond de son assiette durant un court moment avant de se décider à lever les yeux. À ses paupières rougies, Laura comprit tout de suite que sa grand-mère avait pleuré et elle sentit son cœur se serrer. Elle ne se rappelait pas avoir vu Évangéline pleurer. Qu'est-ce que son père avait pu dire ou faire pour la blesser à ce point ? Habituellement, c'était plutôt sa grand-mère qui avait le dernier mot dans les innombrables discussions qui l'opposaient à Marcel.

— Alors ? demanda-t-elle d'une voix très douce. Est-ce que tu veux me parler ou…

— C'est sûr que j'vas te parler.

Évangéline semblait reprendre sur elle. Elle renifla longuement, s'essuya les yeux et repoussa son assiette.

— Depuis le temps que ça me pèse sur le cœur, viarge,

y' est temps que ça sorte… C'est à propos de l'épicerie de ton père, tu sauras, si j'ai de la peine, pis si chus en beau maudit, faut pas avoir peur des mots !

De son silence attentif, d'un bref signe de tête, Laura invita Évangéline à poursuivre, ce que celle-ci fit avec vigueur.

— Imagine-toé don, Laura, que pas plus tard qu'à matin, Marcel, ton père, m'a fait l'affront de refuser mon aide. Déjà qu'y' me l'aye jamais demandé, ça m'achalait ben gros, pis je comprenais pas. Mais qu'en plusse, y' vienne refuser que j'y donne un coup de main, ça, ça dépasse les bornes, tu sauras. C'est quasiment insultant.

— Et c'est à propos de quoi ? demanda prudemment Laura, voyant que, d'un mot à l'autre, le naturel de sa grand-mère semblait vouloir reprendre le dessus.

— À propos de sa maudite caisse enregistreuse qu'y' s'imagine que je saurais pas faire marcher. Ça se peut-tu ? Chus pas née d'hier, pis des caisses de magasin, je connais ça, rapport que c'est justement dans un magasin que je travaillais quand c'est que j'ai rencontré mon Alphonse. J'étais plusse souvent du bord de l'atelier de couture à faire des altérations, c'est ben normal, c'était mon métier. Mais ça m'arrivait de remplacer des vendeuses, à l'occasion, pis j'ai jamais fait d'erreurs dans le calcul du change. Jamais, pas une maudite fois. Mais pour ton père, ça compte pas, ça. Ben non ! « C'est ben gentil, la mère, mais c'est pus comme dans votre temps, que Marcel m'a répondu t'à l'heure. Pis à matin, calvaire, j'ai pas le temps de toute vous montrer ça. »

La voix haut perchée, sur un ton mielleux, sarcastique, Évangéline avait parodié son fils. Puis, elle poussa un second soupir avant de poursuivre de sa voix habituelle, rocailleuse et brusque.

— Ça fait qu'y' est parti d'icitte sur le gros nerf, à cause de ma sœur Estelle qui a été malade la nuit dernière pis qui peut pas rentrer travailler à matin. Tu voulais savoir pourquoi j'avais de la peine pis pourquoi j'étais en maudit? Ben tu le sais, astheure. On dirait ben que tout le monde est assez bon pour travailler dans c'te maudite épicerie-là sauf moé. Tu comprends-tu ça, toé? Je me fais-tu des accroires ou ben j'ai raison de pas être de bonne humeur? Pis si je dis que ça concerne aussi ta mère, ben, c'est pasqu'a' l'a laissé Marcel parler sans rien dire. A' m'a pas défendue. Ça avec, c'est bizarre. Ça y ressemble pas, à Bernadette, de pas prendre ma défense face à ton père.

— C'est vrai que vous avez plutôt l'habitude de faire front commun, moman et toi. Surtout contre popa.

— Justement. Mais à matin, rien. Pas une miette de gentillesse ou de complicité. Même pas un regard, viarge! À croire qu'a' l'a rien entendu de ce qui se disait entre ton père pis moé.

— À moins qu'elle ne voulait pas entendre.

Évangéline fronça les sourcils et fixa Laura d'un regard interrogateur.

— Que c'est tu veux dire par là?

— D'après ce que tu m'as dit, j'ai l'impression que moman ne voulait pas s'en mêler, alors elle a fait semblant de ne rien entendre.

À cette supposition, Laura eut l'impression que les sourcils d'Évangéline remontaient jusqu'au beau milieu de son front.

— Pourquoi c'est faire qu'a' l'aurait faite ça? demanda la vieille dame, franchement surprise. T'es-tu en train de me dire que ta mère m'en voudrait pour quèque chose que je saurais pas?

— Non. Pas plus à toi qu'aux autres…

Laura hésita, cherchant ses mots.

— Je ne le sais pas trop, mais depuis quelque temps, on dirait que moman est différente. En tout cas, elle ne veut plus parler de l'épicerie, ça, j'en suis certaine. Chaque fois que quelqu'un mentionne le mot *épicerie*, c'est automatique, elle change de sujet. Tu n'as pas remarqué, toi?

À son tour, Évangéline fit mine de chercher. Mais ce n'était que pour étirer le temps. Elle avait eu tout le loisir pour se faire une opinion. En fait, Évangéline avait eu tout un été pour réfléchir à leur situation familiale, et les indices ne manquaient pas pour se faire une idée assez claire.

— Petête, ouais… C'est sûr que ta mère a changé depuis un boutte. Mais j'ai pour mon dire que c'est pas juste à cause de l'épicerie qu'est de même, ta mère. C'est à cause de son poids qui arrête pas d'augmenter. Ça la fatigue ben gros, tu sauras, de se voir grossir de même. J'ai beau y dire que c'est petête normal à son âge, ça change pas son idée là-dessus. C'est devenu une vraie obsession pour elle. Pis je dirais que ses clientes Avon qui se font plusse rares, ça aide pas pantoute à y améliorer le caractère. A' l'en a pas parlé, c'est ben certain, a' l'a son orgueil comme tout le monde, mais j'ai des yeux pour voir. Les livraisons de ses grosses boîtes remplies de rouges à lèvres pis de parfum sont pas mal moins nombreuses qu'avant, tu sauras, pis ça, chus sûre que ça l'achale ben gros. Pis y a vos deux, Antoine pis toé, qui avez eu la mauvaise idée de partir en voyage à un moment ousqu'y' aurait été…

À ces mots, Laura se redressa sur sa chaise, en colère. L'inquiétude ressentie pour sa grand-mère, quelques instants auparavant, n'était plus qu'un vague souvenir.

— Comment ça, la mauvaise idée? fulmina-t-elle en

tapant sur la table pour interrompre sa grand-mère. C'est toi-même qui disais que...

— J'ai pas dit que l'idée était mauvaise, rétorqua Évangéline sans permettre à Laura de terminer sa pensée. J'ai dit que pour ta mère, l'idée était pas bonne. C'est pas pareil. C'est le *timing* qui était pas bon. Ça, je le savais à l'instant où vous nous avez dit que vous partiez, toé pis Antoine, sans la permission de personne. T'aurais dû y voir les yeux, toé ! Si ça avait été des fusils, je te jure qu'Antoine pis toé, vous seriez morts à l'heure qu'y' est. Mais tu te rappelleras, malgré toute, que je me suis pas gênée pour vous soutenir quand même. N'empêche que, dans l'état où a' se trouvait, ta mère en a profité pour vous faire porter le poids de toutes ses problèmes. Pis a' l'a mis sa mauvaise humeur sur le compte de ses inquiétudes.

— Pour ça...

Laura poussa un long soupir de découragement, entremêlé d'une bonne dose d'impatience.

— Moman a jamais su gérer ses inquiétudes comme il faut ! S'il fallait arrêter de bouger à chaque fois qu'elle s'inquiète pour quelque chose, on finirait par être transformés en statue, maudite marde !

— Reste polie, ma fille !

— Je ne suis pas impolie. C'est vrai ce que je dis là !

Assises chacune à un bout de la table, du regard, les deux femmes se mesurèrent l'une l'autre durant un bon moment. Ce fut Évangéline qui, la première, esquissa un sourire en coin.

— On serait-tu en train de se chicaner, nous autres, là ?

La tension retomba aussitôt et Laura répondit au sourire de sa grand-mère par une petite grimace polissonne.

— Pantoute, grand-moman, pantoute ! On discute, c'est pas pareil.

— Me semblait aussi… Malheureusement, c'est pas notre discussion qui va changer quèque chose aux problèmes que j'ai avec ton père. Tu le sais-tu, toé, pourquoi c'est faire qu'y' veut pas de moé à son épicerie?

Laura resta silencieuse un moment, se rappelant toutes les fois où elle avait essuyé un refus qui ressemblait à celui encaissé par Évangéline ce matin.

— Non, je ne le sais pas, soupira enfin la jeune femme. Mais si ça peut te consoler, dis-toi que tu n'es pas la seule.

— Comment ça, pas la seule? Je vois pas personne d'autre, à part Charles, comme de raison, mais y' est petête encore un peu jeune.

— Et moi?

— Comment ça, toé? T'as déjà travaillé avec ton père, me semble. Pis durant deux étés en plusse. Pis y a pas si longtemps, t'as remplacé Antoine, non? Que c'est qui te fait dire que…

— Justement, tu viens de le dire: j'ai remplacé Antoine. Mais ça s'arrête là. J'ai peut-être travaillé à l'épicerie durant deux étés, c'est vrai, mais j'ai bien l'impression que c'était parce que popa n'avait pas le choix. Depuis, chaque fois que j'ai parlé d'aller l'aider parce que j'avais un peu de temps libre, ça a toujours été non.

Le menton appuyé sur ses deux mains jointes, Évangéline écoutait attentivement tout ce que sa petite-fille disait.

— Ben voyons don, toé, murmura-t-elle au moment où Laura se tut. Comment ça se fait que j'ai pas entendu parler de ça, moé?

Que quelque chose d'aussi important ait pu se produire sous son toit sans qu'elle en prenne conscience dépassait l'entendement, selon l'idée qu'Évangéline se faisait d'une saine gestion familiale.

Serait-elle rendue vieille au point d'en perdre des bouts ?

— Parce que je ne m'en suis jamais vantée, expliquait Laura, inconsciente du questionnement qu'elle avait suscité. Comme toi, ça m'a déçue que popa ne veuille pas de moi et je préférais ne pas en parler.

— Hé ben…

Évangéline resta un long moment silencieuse, le regard perdu dans le vide, ressassant ce que Laura venait de lui dire. Puis elle secoua vigoureusement la tête et, passant du coq à l'âne, elle demanda:

— On est là qui parle de l'épicerie comme si y avait rien que ça dans notre vie ! Pis toé, ma belle fille, comment c'est que ça va ? Me semble que tu parles pas ben ben de ta job quand on a l'occasion de jaser ensemble. Pis ? C'est-tu un peu comme tu espérais que ça soye ?

Laura esquissa une moue.

— Ça ressemble à ça. Je ne peux pas dire que je n'aime pas ça, ça ne serait pas vrai. J'aime ce que je fais. Mais c'est drôle, hein, je ne crois pas que je serais capable de faire uniquement ça à la semaine longue. Trois jours, comme présentement, c'est parfait.

— Pis le reste du temps ? Ça fait pas un gros salaire, ça, travailler juste trois jours par semaine.

— Je le sais. Mais pour l'instant, comme ma vie est ici, fit Laura en ouvrant les bras pour englober toute la cuisine, ça me suffit. C'est sûr que ça serait mieux de travailler cinq jours par semaine, mais je ne voudrais pas que ça soit tout le temps dans un bureau. Non, ce que j'aimerais, c'est avoir un travail dans le public pour faire changement. Quand j'étais au casse-croûte de monsieur Albert, j'aimais ça rencontrer les gens, jaser avec eux. Quand j'étais à l'épicerie aussi.

— C'est drôle hein, mais j'ai l'impression que toé pis moé, on vit la même chose. On se ressemble un peu, tu sais. On aime le monde, on aime jaser, on aime discuter, on aime bouger... T'as pas voulu travailler à l'Expo pour rien, hein ? Me semble que c'est clair comme le nez au beau milieu de la face, que t'aimes le public ! Ouais, toé pis moé, on se ressemble... Pis dire qu'à pas dix menutes d'icitte, y a un beau commerce ous-qu'on pourrait faire toute ce qu'on aime, pis on rendrait service en même temps, mais y a personne qui veut le comprendre, viarge !

— Oui, c'est vrai. J'aimais vraiment ça travailler avec popa, ajouta Laura, songeuse, tout en fixant sa tasse de café qu'elle faisait tourner entre ses mains.

— Maintenant que tu m'as dit toute ce que tu viens de me dire, on dirait ben que tu t'ennuies de l'épicerie, hein, Laura ?

Laura posa un regard inquiet sur sa grand-mère. Sans le savoir, la vieille dame venait de mettre le doigt sur une des réalités de la vie de Laura. Une de ces vérités sur ses objectifs de carrière qu'elle ne savait comment gérer. Puis elle comprit que plus jamais, peut-être, elle n'aurait l'occasion d'exprimer sur l'épicerie ce qu'elle ressentait vraiment, intimement. Alors, elle demanda, quand même prudente:

— Et si je te disais que oui, je m'ennuie du travail que je faisais à l'épicerie, qu'est-ce que ça te ferait ?

Évangéline ne prit pas le temps de réfléchir et elle haussa aussitôt les épaules avec une visible indifférence.

— Que c'est tu veux que ça me fasse, à moé ?

— Ça ne te choque pas ? insista Laura.

— Me choquer ? Pourquoi c'est faire que je serais fâchée après toé pasque t'as envie de travailler à l'épicerie de ton père ?

Laura hocha la tête lentement, avec une certaine hésitation.

— Comme ça… Toutes mes années d'étude, l'argent que ça a coûté…

Évangéline balaya l'air devant elle du bout de la main, exprimant ainsi un certain détachement sur le sujet.

— Pis ? C'est-tu de ta faute si en cours de route t'as connu d'autre chose pis que t'as aimé ça ?

— Ouais…

Laura se sentit brusquement toute légère.

— C'est vrai, tu as raison, approuva-t-elle d'une voix pétillante, chargée de soulagement. Je m'ennuie de l'épicerie. Mais on dirait bien que t'es la seule personne à t'en rendre compte. Chaque fois que j'ai essayé d'en parler avec popa, y' m'a toujours répondu qu'y' avait rien pour moi.

— Pis ça te déçoit, hein ?

— Oui, pas mal. J'avais cru que popa avait aimé ça travailler avec moi. On dirait bien que je me suis fait des accroires, comme tu le dis si bien parfois.

— C'est ben ce que je disais y a pas deux menutes: on se ressemble, toé pis moé. Pis ben plusse que ce que le monde pourrait penser. Astheure, comment c'est qu'on pourrait s'y prendre pour régler notre problème ? Pasque c'est pas des farces quand je dis que je voudrais travailler à l'épicerie. J'sais pas si tu peux comprendre ça, mais c'est long, toute un hiver tuseule ici dedans. L'été je dis pas, je peux toujours aller me promener. Mais l'hiver… Avec mon amie Noëlla qui est rendue à l'autre boutte de la ville, avec les Dames de Sainte-Anne qui ont ben changé depuis que notre bon curé Ferland a été remplacé par un p'tit jeune, au point que les réunions sont rendues plates pis avec madame Anne qui travaille sans bon sens à la procure de son mari qui est toujours malade, je sais pus quoi faire de mes journées ! C'est ben beau la tivi, mais ça vient fatigant pour les yeux à la longue, ben fatigant. Penses-tu qu'on aurait plusse de chances si on parlait à ta mère ? Me semble qu'on risquerait pas grand-chose à le faire, rapport qu'est pas mal plusse parlable que ton père. Que c'est t'en penses, toé ?

Laura n'hésita pas une seconde.

— Ben je pense que t'as raison, grand-moman. On a toutes les deux du temps à donner et on est pas manchotes, il me semble !

— Bien parlé, ma Laura ! C'est en plein ce que je pense. Pis pas besoin d'être payées. Du moins, en ce qui me concerne. Juste le plaisir de voir d'autre chose que mes quatre murs, me semble que ça va me suffire amplement. Pour toé, par exemple, c'est pas pareil. Tu commences ta vie, pis à ton âge, c'est important, avoir sa paye. Je me rappelle, quand j'étais couturière au magasin pis que le jeudi arrivait, ben...

— Avant de parler de paye, grand-moman, coupa Laura, sans écorcher le bel enthousiasme de sa grand-mère au passage, on va commencer par sonder le terrain.

— T'as ben raison, ma belle fille ! Alors ? Qui c'est qui y parle, à ta mère ? C'est toé ou ben tu veux que je m'en charge ?

Finalement, les deux femmes convinrent qu'Évangéline, si elle y mettait un peu de tact, serait la meilleure personne pour discuter avec Bernadette. S'il y avait des confidences à faire, les chances étaient plus grandes que Bernadette les fasse à sa belle-mère plutôt qu'à sa fille.

— Mais je te tiens au courant, ma belle. Crains pas !

Cette petite conversation avait donné des ailes à Laura. Et tout en s'habillant, elle avait l'impression de sortir d'une longue hibernation.

— Tout ça, maudite marde, à cause d'une lettre insignifiante qui n'arrivait pas. Ça se peut-tu !

Bien sûr, elle était toujours aussi déçue. Elle avait entretenu ce beau rêve avec tellement de conviction, tellement d'espoir en l'avenir ! Mais comme l'avait si bien dit Elena, loin des yeux loin du cœur. Ça faisait maintenant plus de cinq mois qu'elle n'avait pas eu de nouvelles de Roberto et elle ne pouvait même pas appeler la situation une rupture.

— C'est bien assez pour se donner la peine de l'oublier. Même si c'est plate, j'ai pas le choix.

Brusquement, Laura se rendait compte qu'elle venait probablement de vivre les pires mois de sa vie, centrée sur elle-même, alors qu'à travers son nouvel emploi, la vie s'ouvrait à elle.

— Pis ma vie, c'est quand même celle que j'ai choisie. J'ai eu cette chance-là, alors à moi de ne pas la gâcher. J'ai négligé mes amis et je n'ai pas eu le courage de reparler à mon père. Je n'ai pas le droit de me plaindre de mon sort: j'ai couru après.

Où donc étaient passées les résolutions prises au moment où elle quittait Alicia ? Elle qui s'était juré de rencontrer Charlotte n'avait rien fait.

— En plus, j'ai négligé mon filleul. Ça fait combien de fois, au juste, que je refuse les invitations de Bébert pour me rendre à Québec ?

Laura regarda sa chambre tout autour d'elle.

— Je peux bien dire que ma vie est plate: j'ai tout fait pour en arriver là. Et ce n'est pas en restant enfermée ici que je vais arranger les choses.

L'instant d'après, elle mettait son manteau, une tuque et un bon foulard pour affronter le froid glacial qui sévissait depuis quelques jours, avec l'intention bien arrêtée de se rendre chez les Leclerc, les parents d'Alicia.

— Et tant pis si Charlotte n'est pas là, murmura Laura en ajustant ses gants. Ça va juste me faire du bien de prendre l'air. Et après, je vais passer au garage et proposer à Bébert d'aller à Québec dimanche prochain. J'ai le goût de voir Francine et Steve.

Tout en glissant les pieds dans ses bottes, Laura hocha la tête, curieusement réjouie à la perspective de faire la route entre Montréal et Québec.

— C'est fou ce qu'on peut jaser, Bébert et moi, quand on fait la route ensemble. Ça me manque et il faut que je lui dise merci. Dans le fond, si j'ai fini mon cours, c'est beaucoup grâce à lui, à son insistance. Ça serait bien la moindre des choses que je lui dise qu'il avait raison et que j'aime mon travail… à petites doses.

Puis elle ajouta en haussant la voix:

— Je sors, grand-moman! Une ou deux petites courses à faire. Des commissions plutôt urgentes que j'aurais dû faire depuis longtemps déjà. Toi, as-tu besoin de quelque chose?

* * *

La date qu'elle anticipait sans véritable raison était arrivée.

« Un an, pensa Anne Deblois, aussitôt qu'elle ouvrit les yeux en ce samedi 18 janvier. Ça fait un an aujourd'hui que Robert est parti. »

Remontant frileusement les jambes contre son ventre, entre les couvertures, elle se tourna sur le côté.

Par les rideaux entrebâillés, elle vit que la température d'aujourd'hui serait bien différente. De lourds flocons tombaient d'un ciel gris acier alors qu'à pareille date, l'an dernier, il faisait beau et très froid.

Jamais Anne n'oublierait le bruit sourd de la chute de

Robert. Jamais. Elle était au salon, elle l'attendait pour jouer du piano, heureuse qu'il soit revenu plus tôt du travail. Comme il n'y avait pas vraiment de clients à la procure, Robert avait décidé de fermer avant le souper, alors que le jeudi, il restait habituellement ouvert jusqu'à neuf heures.

— Je crois que je vais en profiter pour faire une petite sieste avant de manger, avait-il annoncé en entrant dans la maison. De toute façon, je n'ai pas très faim. Je ne sais pas ce que j'ai aujourd'hui, mais j'ai été fatigué toute la journée.

Anne avait levé un regard impatient vers son mari. Depuis quelque temps, c'était devenu l'échappatoire à tout! Monsieur était fatigué! Et dire que c'était ce même homme qui continuait d'insister pour avoir un bébé!

— Pourquoi irais-tu te coucher, là, maintenant? Il n'est pas cinq heures! avait répliqué Anne. Pour une fois que tu arrives tôt, il me semble qu'on pourrait en profiter pour faire un peu de musique, non? avait-elle alors rétorqué avec humeur. Ça fait une éternité que ce n'est pas arrivé. Je te ferais remarquer, aussi, que j'ai déjà préparé le souper. Tu n'auras pas à le faire. Tu n'auras qu'à te coucher plus tôt ce soir.

Robert avait regardé Anne avec une infinie tristesse dans le regard, mais celle-ci avait détourné la tête pour ne pas être confrontée à certaines tensions qu'il y avait entre eux depuis quelques mois. Alors, malgré cette incompréhensible fatigue qui le talonnait depuis quelque temps, Robert avait laissé tomber:

— Si tu insistes.

— Oui, j'insiste! On n'a plus de vie, nous deux! Si tu n'es pas à la procure, tu dors! Je commence à en avoir assez.

C'est à ces mots que Robert était monté à l'étage pour se choisir un instrument de musique et quelques partitions.

L'instant d'après, Anne l'entendait s'effondrer sur le sol, entraînant dans sa chute papiers et mobilier léger.

Depuis, Anne vivait avec sa culpabilité et sa détresse. Elle vivait sa solitude comme une sanction bien méritée.

Chaque fois qu'elle entendait l'appel lancinant d'une ambulance, elle sursautait et les larmes lui montaient aux yeux.

Un an déjà que Robert ne vivait plus ici. Un an qu'elle n'avait pas entendu le son de sa voix puisqu'il n'arrivait plus à articuler convenablement et qu'il refusait systématiquement de parler devant qui que ce soit, hormis la thérapeute avec qui il travaillait.

— Avec acharnement, madame ! Je vous jure que votre mari y met toute sa volonté et son énergie.

En attendant, tout se jouait dans les regards qu'Anne arrivait à échanger avec son mari.

Un an qu'elle n'avait pas touché au piano, non plus, s'interdisant de le faire puisqu'elle avait l'intime conviction qu'elle ne le méritait pas. Si elle avait été plus conciliante, Robert aurait pu se reposer comme il le voulait et il ne serait pas cloué à ce lit d'hôpital. La procure et la cuisine étaient devenues son seul univers. Elle n'avait pas le choix de travailler comme une forcenée si elle voulait arriver à payer la maison et les soins pour son mari.

Robert, qui aurait dû normalement quitter l'hôpital durant l'été, avait subi une autre attaque en juillet. Plus légère que la première, soit, mais suffisamment forte pour que tout le travail de réadaptation soit à recommencer. Cette fois-ci, comme s'il avait perdu la foi, les progrès n'étaient pas aussi rapides que l'an dernier.

Hier, la mort dans l'âme et les larmes aux yeux, Anne avait

refusé l'invitation de son demi-frère Jason à se joindre à toute la famille qui allait souligner les 100 ans de sa grand-mère paternelle, celle que tout le monde appelait affectueusement Mamie. En mai prochain, une grande fête serait donc célébrée au Connecticut sans Anne. Comment aurait-elle pu s'y rendre? Elle n'avait ni le temps ni l'argent pour entreprendre le voyage. Elle ne pouvait se permettre de fermer la procure, ne serait-ce que quelques jours.

Et elle était beaucoup trop orgueilleuse pour demander de l'aide à qui que ce soit. Pas plus pour s'offrir ce petit voyage que pour payer son épicerie!

Pourtant, Dieu sait que la moindre évasion serait la bienvenue.

Quelques jours sans penser à Robert, dont la simple évocation du nom, par moments, était envahissante au point de peser sur sa vie comme une chape de plomb, seraient une bénédiction pour elle. Anne n'en pouvait plus de le faire manger plusieurs soirs par semaine, de le laver parfois, de voir à ses besoins les plus intimes parce que le personnel de l'hôpital était débordé.

Oui, ce voyage au Connecticut aurait été un soulagement, une éclaircie dans sa vie lui permettant de reprendre son souffle.

Anne ferma les yeux, s'imaginant dans le train la menant là où elle avait passé les plus belles années de sa vie, au bord de la mer, en compagnie de son père, de sa compagne Antoinette et de Jason. Juste quelques jours…

Pouvoir oublier les obligations domestiques qu'elle avait toujours détestées.

Pouvoir se soustraire, aussi, à sa mère, la très chère Blanche, qui se sentait investie de la mission de lui remonter le moral et qui l'appelait trois ou quatre fois par semaine pour l'abreuver de ses recommandations.

— Pauvre homme! Je sais ce que c'est, que d'être condamné à l'hôpital. C'est d'un ennui mortel. Alors, n'oublie surtout pas d'aller le voir régulièrement, Anne. Même s'il pourrait être ton père, cet homme est ton mari. Tu n'as pas le droit de l'abandonner comme ce cher Raymond l'a fait avec moi. As-tu bien compris ce que je viens de te dire, ma fille? Ton devoir, c'est d'être auprès de ton mari. Si tu m'avais écoutée, aussi, tu n'en serais pas là. Voir que ça avait du sens, de marier un homme aussi âgé! On voit où ça t'a menée, aussi... Veux-tu que je passe te voir? Bien sûr, je ne suis pas assez forte pour t'aider au ménage — j'ai toujours eu une faible constitution — et je ne cuisine plus, je l'ai assez fait quand vous étiez jeunes, tes sœurs et toi. Mais je pourrais te tenir compagnie. À moins que j'aille voir ton mari? Après tout, lui et moi, on a sensiblement le même âge. Peut-être serait-il heureux de ma visite, qu'est-ce que tu en penses?

Anne n'en pensait rien de bon et d'une fois à l'autre, elle inventait mille et un prétextes pour éloigner sa mère, à la fois de chez elle et de l'hôpital. Heureusement, Blanche n'insistait jamais.

Depuis quelque temps, Anne évitait aussi ses sœurs. Charlotte n'était plus que l'ombre d'elle-même, se languissant toujours autant de sa fille Alicia. Anne n'espérait plus aucun réconfort de sa part. Quant à Émilie, son beau bonheur resplendissant lui faisait mal. Cette marmaille lui rappelait cruellement qu'elle avait refusé ce bonheur à Robert. S'ils avaient eu un enfant, peut-être n'aurait-il pas été malade. Peut-être...

Ne restait plus que sa filleule, la jeune Clara, qu'elle se faisait un devoir d'appeler régulièrement. Anne aurait bien aimé l'emmener au cinéma, au restaurant, au spectacle pour lui faire plaisir, mais comme les sous faisaient cruellement défaut…

— Promis, dès que Robert va un peu mieux, je t'invite et nous faisons la fête, toi et moi !

Parce que c'est toujours ce qu'Anne disait quand on lui demandait des nouvelles de son mari. La réadaptation suivait son cours et bientôt, tout rentrerait dans l'ordre. Comme ni Charlotte ni Émilie n'avaient ou le cœur ou le temps de visiter Robert, l'explication tenait la route.

À moins que l'on fasse semblant de la croire. Anne ne le savait pas et n'avait pas l'intention de creuser la question. Mais de voir qu'on accordait crédit à ses propos avec une certaine désinvolture la laissait d'autant plus seule avec ses remords, ses mensonges et sa lassitude de tout ce qui composait son quotidien.

Elle s'ennuyait de l'effervescence des tournées, des exigences de la télévision, de la camaraderie des autres musiciens avec qui elle avait partagé tant d'heures de répétitions et tant de fous rires.

Elle s'ennuyait d'une vie normale, sans histoire, d'une épaule où poser sa tête et d'une main où glisser la sienne.

Et par-dessus tout, elle s'ennuyait de la musique, car aujourd'hui, Anne Deblois se refusait toujours ce plaisir. Elle en vendait, sous forme de partitions, d'instruments, mais elle n'en faisait plus. C'était d'une désolation à pleurer.

Sur cette pensée plutôt sombre, Anne se décida enfin à se lever. Dans une demi-heure, après avoir sommairement déjeuné, elle devrait quitter la maison pour se rendre à la procure. Le samedi était toujours la journée la plus occupée de la semaine. Ensuite, quand elle fermerait boutique, elle irait directement à l'hôpital pour passer la soirée avec Robert. Ensemble, sans dire un mot, puisque Robert ne parlait plus, ils regarderaient la télévision. Une autre dépense qu'elle se sentait obligée de faire, cette location de télévision, pour que Robert ne trouve pas le temps trop long. Puis, à neuf heures, quand la cloche annonçant la fin des visites sonnerait, Anne se lèverait comme un automate, elle embrasserait son mari sur le front en lui souhaitant bonne nuit, elle ramasserait ses affaires et elle viendrait se coucher.

— Comme tous les samedis depuis un an, murmura Anne en ouvrant les tentures. Comme peut-être encore des tas de samedis à venir, soupira-t-elle. Et demain, en après-midi, je serai encore à l'hôpital. Que faire d'autre, à part le ménage et les courses ? Je n'ai pas d'amies et mes sœurs ont chacune leur vie.

Réglée comme un métronome, Anne ouvrit la porte menant au balcon à huit heures précises. Elle fut agréablement surprise de constater que la neige, qui tombait à gros flocons mouillés, avait chassé le froid mordant des derniers jours.

Déblayer les vitres du camion de la procure serait plus agréable que de gratter le frimas qu'une nuit glaciale y aurait déposé.

Quelques bonnes pelletées pour nettoyer l'entrée devant les roues du camion, puis Anne s'installa au volant. Il y avait eu une époque où elle avait peur de conduire ce lourd et encombrant véhicule. Plus maintenant.

Machinalement, dès qu'elle fut assise derrière le volant, Anne inséra la clé et donna un petit coup de gazoline en pesant rapidement sur la pédale.

Le moteur toussota poliment, sans plus.

Anne fronça les sourcils et répéta la manœuvre. Second toussotement avant qu'un bruit de ferraille inquiétant mette un terme à cette toux.

Un silence ouaté, s'accordant à merveille avec la neige qui tombait, enveloppa le camion.

— Manquerait plus que ça, grommela Anne en ouvrant la portière et en se laissant glisser en bas du camion. Je n'ai surtout pas besoin de ça ce matin. C'est samedi, il faut que je sois à la procure le plus rapidement possible.

Habituée aux caprices de cet antique véhicule, Anne ouvrit le capot. Depuis un an qu'elle devait se débrouiller toute seule, elle avait fait appel à Bébert à quelques reprises déjà pour faire démarrer le camion. Ce dernier lui avait appris à vérifier certains petits points avant de l'appeler.

— Des fois, c'est juste un peu de condensation sur les bougies. Regardez, madame, c'est juste icitte pis c'est vraiment pas dur à vérifier. Quand c'est le cas, juste une bonne guenille sèche peut faire la job, vous savez. Pas besoin de m'appeler pis de faire des frais pour ça.

Mais en ce moment, ce n'était pas les bougies. Ni un manque d'essence comme cela lui était déjà arrivé. Jamais elle n'avait été aussi mortifiée que ce jour-là alors que Bébert la regardait, goguenard.

— Ma pauvre madame Canuel. Ça marche pas à l'air du temps, ces machines-là. Ça prend du gaz pour faire ronronner un moteur. Attendez-moé quèques menutes. J'vas aller en chercher une canisse pleine au garage, pour que vous soyez capable de démarrer pis de vous rendre jusqu'à chez nous pour faire le plein.

Mais ça ne pouvait pas être cela non plus: Anne y avait vu jeudi matin en partant.

C'est ainsi qu'Antoine aperçut celle qu'il s'entêtait à appeler madame Anne, tout comme sa grand-mère. Elle avait la tête sous le capot de son vieux camion, tapant du pied dans la neige. Lui, il se dirigeait d'un bon pas vers l'épicerie où son père l'attendait pour faire les livraisons du samedi matin.

Antoine hésita.

Depuis son retour de voyage, jamais il n'avait osé venir voir sa voisine. Il ne se faisait pas confiance. Pourtant, ce n'était pas l'envie d'être avec elle qui manquait. Il aurait bien aimé savoir ce qu'elle devenait, ce que son mari devenait puisqu'il n'était toujours pas de retour à la maison. Être près d'elle, tout simplement, l'entendre parler, la voir sourire. Susciter un sourire, elle qui avait semblé si désespérée la dernière fois qu'il l'avait vue.

Mais Antoine avait tellement peur que la situation dérape, qu'il perde le contrôle de lui, de ses envies, de ses désirs.

En octobre dernier, il avait eu quelques nouvelles par sa grand-mère qui avait passé un petit moment avec Anne, mais ce n'était guère que des potins sans intérêt.

— Madame Anne m'a dit que la convalescence de son mari suivait son cours. C'est de même qu'a' l'a dit ça. J'aurais ben aimé qu'a' me joue un p'tit air de piano, comme a' faisait dans le temps, mais a' m'a dit qu'a' l'était trop pressée pour ça. Ça va être pour une autre fois, j'cré ben. A' devait avoir du lavage ou ben du ménage à faire pasque le camion, lui, y' a pas bougé de l'entrée de toute l'après-midi. Pauvre madame Anne ! A' doit trouver ça dur, par bouttes…

Antoine n'y avait pas cru, à cette convalescence qui allait bon train. Si tout avait été pour le mieux, même sans en avoir le temps, madame Anne aurait joué du piano pour faire plaisir à Évangéline. Anne jouait toujours du piano quand elle était

heureuse et que tout allait bien. Antoine la connaissait suffisamment pour savoir cela.

Et de toute évidence, en ce moment, elle avait des problèmes avec son auto. Antoine allait-il filer à l'anglaise et la
laisser se débrouiller toute seule au nom d'une peur panique
qui l'envahissait chaque fois qu'il pensait à elle?

— Maudit grand niaiseux! Voir qu'y' va se passer de quoi
icitte à matin dans le banc de neige! Envoye, grouille! Tu vois
ben qu'a' l'a besoin d'aide!

Tout en s'admonestant à voix basse, Antoine enjamba l'ac-
cumulation de neige qui bordait le trottoir puis il traversa la
rue. Au fur et à mesure qu'il se rapprochait d'Anne et du
camion, il sentait son cœur s'accélérer. Arrivé à quelques pas
de l'entrée des Canuel, il dut prendre une longue inspiration
avant de demander:

— Je peux-tu vous aider? On dirait ben que votre vieux
truck refuse de partir à matin.

Anne leva aussitôt la tête. Le sourire de soulagement
qu'elle adressa alors à Antoine fut la réponse la plus éloquente
aux quelques hésitations qui le retenaient encore.

— Antoine! C'est le ciel qui t'envoie!

— Qu'est-ce qui se passe?

— Cette antiquité refuse encore une fois de démarrer.

— Je peux-tu jeter un coup d'œil?

À ces mots, Anne éclata de rire. Un rire juvénile, rempli de
plaisir.

— Tu peux le regarder avec tes deux yeux si tu veux!

Cela faisait combien de temps qu'elle n'avait pas échangé
quelques banalités avec quelqu'un? Des banalités autres
qu'un régime d'hôpital ou des protocoles d'intervention pour
améliorer la condition de son mari.

Anne était presque contente que son camion soit en panne. Puis, elle repensa au fait qu'on était samedi et qu'elle devrait être en route pour le magasin.

Et que ça faisait un an, jour pour jour, que Robert avait eu son attaque. Elle s'écarta légèrement du camion en effaçant tout sourire.

— Je ne sais pas ce qu'il a. Le bruit était différent des autres fois.

— Je peux avoir les clés? Je vais essayer de le faire partir.

À l'oreille, Antoine crut détecter le problème.

— Sans être mécanicien, je dirais que c'est l'alternateur qui est brisé. Malheureusement, je peux rien faire.

Anne leva un regard impatient.

— Encore autre chose! Il ne me reste plus qu'à appeler Bébert pour lui demander de venir me...

— Bébert est pas là, ma... Anne. Y' est parti hier soir pour Québec avec ma sœur Laura. Y' sont allés voir Francine pis son p'tit.

— Mais qu'est-ce que je vais faire?

Anne savait fort bien qu'elle n'avait pas un sou en poche. Elle comptait sur une bonne journée à la procure pour chiper un ou deux dollars dans la petite caisse. Ça devrait suffire comme argent de poche jusqu'au jeudi suivant, jour où elle se prenait une modeste paye pour voir aux obligations de la maison. Elle poussa un long et bruyant soupir de contrariété.

— Il ne me reste qu'à marcher, constata-t-elle en jetant un regard désolé sur les trottoirs encombrés de neige. Et je n'ai pas de temps à perdre. C'est samedi, une grosse journée au magasin.

Anne n'eut pas besoin de donner d'explication pour qu'Antoine comprenne. Seule, sans mari depuis un an —

parce que lui aussi avait retenu la date —, Anne Deblois était probablement aux limites de ses ressources. Évangéline avait sans doute raison quand elle prétendait que la vie de la jeune musicienne était tout ce que l'on voulait sauf facile.

Sans plus réfléchir, Antoine plongea la main dans la poche de son pantalon.

— J'irais ben vous reconduire, expliqua-t-il, mais pour astheure, j'ai pas le temps. Mon père m'attend à l'épicerie pour les livraisons. Chus pressé. Mais tenez, prenez ça. Pour vous rendre, ça devrait suffire.

Antoine tendit un billet de deux dollars que, d'un vigoureux hochement de tête, Anne refusa catégoriquement.

— Pas question, Antoine. Une bonne marche ne me fera pas de tort.

— C'est ça ! Si vous marchez, vous allez être en retard pour ouvrir votre magasin, pis moé avec, j'vas être en retard si ça continue. Allez ! Prenez ça.

Anne secoua la tête dans un grand geste de négation. Si Antoine avait été avec Bébert, ou même avec Laura, il aurait probablement glissé le billet de force dans leur poche.

Mais il était avec madame Anne. L'approcher à plus de deux pas lui semblait aussi difficile à faire que d'escalader l'Everest.

Puis il se souvint…

C'était un soir d'automne, il faisait froid et sa grand-mère Évangéline était hospitalisée à Québec, de telle sorte que lui, le jeune Antoine, ne pouvait aller à ses cours de musculation puisque c'était Évangéline qui les payait et que le tout se déroulait en cachette des autres membres de sa famille. C'est ce qu'il avait expliqué à Anne quand il était venu la voir pour lui donner des nouvelles de sa grand-mère. Et Anne, sans la moindre hésitation, lui avait prêté de l'argent, au grand soulagement d'Antoine, pour qui les cours de musculation étaient sacrés. C'était grâce à eux qu'il arrivait à exorciser, tant bien que mal, sa peur du noir et des gens.

Aujourd'hui, le balancier avait fini sa course de son côté et il entendait bien aider Anne coûte que coûte. À défaut d'approcher la jeune femme pour lui mettre le billet dans une main, il se mit à le secouer du bout des doigts.

— Allez! Prenez ça, répéta-t-il d'une voix catégorique. Je me rappelle qu'y a eu un jour où c'est vous qui m'avez aidé. Pour mes cours de musculation. Pis je vous avais remboursé. Ben, vous ferez pareil quand ça vous adonnera. Astheure, rentrez dans votre maison pis appelez un taxi. Comme ça, vous serez pas trop en retard pour ouvrir votre magasin pis moé, j'vas pouvoir aller faire mes livraisons.

Anne était subjuguée par la voix autoritaire d'Antoine. C'était bien la première fois qu'elle ressentait une certaine assurance chez lui. De toute façon, elle savait fort bien qu'Antoine avait raison. Pour arriver à s'en sortir, elle n'avait pas le choix d'être au magasin le plus vite possible. Pilant sur son orgueil, Anne tendit enfin la main.

— D'accord, je vais prendre ton argent. Hier, je n'ai pas eu le temps d'aller à la banque, bredouilla-t-elle en guise d'explication tout en glissant précieusement le billet dans le fond de la poche de son manteau. Mais je vais te rembourser. Promis!

— J'espère ben que vous allez me remettre ce deux piastres-là! En attendant, allez! Rentrez vite chez vous. J'espère juste que vous allez en avoir assez.

— Ça devrait. Le magasin n'est pas si loin que ça... Merci, Antoine.

Comédien comme jamais, Antoine intensifia la bonhomie

qu'il croyait être le juste ton d'une conversation anodine entre deux voisins, mais son cœur battait tellement fort qu'il avait la certitude que madame Anne devait l'entendre.

— Ben, de rien, fit-il en se dandinant. Si on est pus capables de s'entraider entre voisins... Astheure, faut que je file, sinon mon père va me sonner les cloches pis j'aime pas vraiment ça quand y' est de mauvaise humeur.

Sur ce, Antoine tourna les talons et poursuivit son chemin, se retenant pour ne pas se mettre à courir.

Heureux ! Il était si heureux d'avoir pu aider Anne.

Arrivé au coin de la rue, il jeta un dernier regard par-dessus son épaule et il la vit, les deux bottes enfoncées dans la neige fraîche, qui le suivait des yeux. Alors, il s'arrêta et lui fit un grand signe de la main.

— Que c'est vous attendez ? demanda-t-il d'une voix forte, sans se soucier des quelques passants qui le regardaient. Dépêchez-vous, mautadine ! Y' doit ben être proche neuf heures... Pis faites-vous-en pas pour votre camion ! J'vas en parler à Bébert quand y' va arriver de Québec, plus tard après-midi, pis à soir, si ça vous dérange pas, je viendrai chez vous pour vous en donner des nouvelles.

Antoine se surprenait lui-même. Était-ce bien lui qui venait de s'inviter chez sa voisine ?

Alors, Anne esquissa un sourire. Aujourd'hui, grâce à un vieux camion poussif qui refusait de démarrer, elle avait l'impression d'être encore en vie. Levant le bras à son tour, elle salua Antoine.

— D'accord, Antoine. Je vais t'attendre. À partir de neuf heures, je suis toujours chez moi. Bonne journée et merci encore !

À suivre...

Tome 10

Évangéline, la suite
1969 –

À Paule, avec toute mon amitié

NOTE DE L'AUTEUR

Évangéline !

Si quelqu'un m'avait dit en 1954 qu'un jour, j'aimerais cette femme désagréable, je lui aurais répondu qu'il ment. Jamais je n'aurais pu imaginer qu'un cœur aussi généreux se cachait derrière cette mauvaise humeur chronique.

Pourtant, c'était bien le cas: encore aujourd'hui, Évangéline, c'est un cœur d'or bien camouflé par un dehors bourru.

Je le sais que cette vieille dame a des idées bien arrêtées sur une foule de sujets, qu'elle a la langue bien pendue et un vocabulaire passablement imagé au service de son franc-parler. Mais je m'en accommode. Tout le monde a le droit d'exprimer ses opinions à sa façon et si Évangéline le fait aussi directement, aussi brusquement parfois, ça lui appartient. Cependant, au-delà de ce trait de caractère on ne peut plus personnel, Évangéline a surtout le cœur à la bonne place et un sens peu commun de l'observation. Vous me direz que quarante ans passés à la fenêtre de son salon à scruter son voisinage, ça aide à forger un bon sens de l'observation, c'est vrai. N'empêche que d'être capable de s'en servir, par la suite, pour améliorer le quotidien des choses, c'est une belle qualité. C'est peut-être le bon côté de la médaille de cette curieuse, pour ne pas dire de cette fouineuse patentée !

De toute façon, avec une famille comme la sienne, d'Adrien à Charles, en passant par la petite Michelle, ce n'est peut-être pas si mauvais d'être curieuse.

De prime abord, les Lacaille ressemblent à de nombreuses familles de chez nous. À cette époque du moins. Parents, enfants et grands-parents, sous un même toit, tentent, tant bien que mal, de vivre en harmonie les uns avec les autres. Pour préserver un semblant d'intimité, il faut parfois mentir, parfois se taire.

C'est le cas d'Antoine qui n'espère qu'une chose: arriver à oublier un grand pan de son passé pour pouvoir aller de l'avant. Côté profession, pas de problème. Son talent est bien réel, reconnu, et sans vouloir s'en vanter, Antoine en est conscient. C'est tout le reste, pour le jeune homme qu'il est devenu, qui va à vau-l'eau. Arrivera-t-il à contrôler ses pulsions, à annihiler ses peurs ?

Laura, en apparence, n'a pas vraiment de problèmes, sinon, selon Bernadette, qu'elle est toujours célibataire. Par contre, après de nombreuses années d'études, Laura est enfin psychologue. Sans déborder d'enthousiasme, elle aime son travail. Ne reste plus, selon elle, qu'à le compléter par autre chose. Une autre chose qui ressemblerait à un petit emploi à l'épicerie familiale. Le «dossier» est présentement entre les mains d'Évangéline. Malheureusement, jusqu'à maintenant, Bernadette s'entête à dire qu'elle n'a pas le temps de former de nouveaux employés, sachant qu'en réalité, elle n'a pas l'argent pour les payer. Mais ça, personne ne le sait encore, bien que Marcel commence à s'en douter. Par contre, je crois que pour l'instant, il n'a pas envie de se le faire confirmer.

Au milieu de tout cela, il y a Charles. Bientôt treize ans, grand comme un homme, laissé trop souvent à lui-même, il déteste l'école et adore le sport. Rien de bien surprenant! Avec Marcel qui l'initie depuis son plus jeune âge à tous les jeux de balles possibles, Charles ne voit que le sport comme alternative acceptable à la perte de temps qu'est l'école. Malheureusement pour ce jeune homme, ni Bernadette ni Évangéline ne voient la chose du même œil que lui. D'où, depuis quelque temps, des disputes et des tensions qui vont croissant.

De sa fenêtre, en plus de surveiller les allées et venues des siens, Évangéline ne se gêne pas pour épier aussi celles de ses voisins.

En premier lieu, il y a madame Anne qu'elle observe de près parce que la pauvre femme vit toujours seule. En effet, plus d'un an après son attaque, son mari, Robert Canuel, est toujours hospitalisé. La rumeur veut qu'il ne sorte jamais du milieu hospitalier. Même de loin, malgré une vue qui s'en va baissant, Évangéline s'est aperçue que la jeune femme avait beaucoup maigri et cela l'inquiète.

En diagonale de la maison des Canuel, il y a celle des Gariépy. Ces derniers lui donnent toujours autant de démangeaisons, aucun doute là-dessus, d'autant plus que Laura a repris la très mauvaise habitude de se rendre régulièrement à Québec en compagnie de Bébert. Aux yeux d'Évangéline, ces longues heures de route où les deux jeunes gens sont seuls en tête-à-tête n'augurent rien de bon.

Puis il y a les Veilleux, à quelques maisons de chez elle, de

l'autre côté de la rue. Gérard et Marie Veilleux, respective-
ment le frère et la belle-sœur de Cécile la docteure. Eux, par
contre, Évangéline les aime bien. Quand Charles joue avec le
jeune Daniel, elle le sait en sécurité et à ses yeux, cela n'a pas de
prix. Avec ses jambes percluses d'arthrite, Évangéline n'est
plus capable d'arpenter le quartier pour rapatrier son petit-fils
à la maison, comme elle le faisait quand ses deux garçons,
Adrien et Marcel, étaient plus jeunes et avaient besoin de se
faire rappeler à l'ordre. À l'âge où Évangéline est rendue, une
petite marche journalière au parc voisin suffit amplement.

Et bien qu'elle ne puisse le faire *de visu*, Évangéline
continue de voir à sa chère petite Michelle, en pensée et dans
son cœur. Même si les visites se font rares et brèves, Évangéline
a vite compris que sa petite-fille n'est pas pleinement heureuse
au Texas. Mais comment intervenir, avec toute cette distance
entre elles ? Ce n'est pas par téléphone qu'elle peut y voir
comme elle aimerait le faire.

C'est pourquoi, alors qu'elle est devant sa fenêtre ce matin,
c'est encore à elle qu'elle pense. Tous les jours, Évangéline a
une petite pensée pour Michelle. Viendra-t-elle la voir cet été ?
Sa grand-mère maternelle, Elizabeth Prescott, est atteinte
d'un cancer. Mais alors que l'été dernier, les médecins lui
donnaient à peine quelques mois à vivre, un an plus tard, Eli
est toujours là. De plus en plus faible, de plus en plus souf-
frante, mais toujours vivante. Cela suffira-t-il pour qu'Adrien
lui annonce qu'il annule son voyage annuel à Montréal ? Déjà
que l'an dernier, celui-ci avait été passablement écourté…

Et c'est à cela qu'elle pense, Évangéline, le nez entre les
pans de ses rideaux. Je le sais, elle me l'a dit en arrivant dans le
salon tout à l'heure.

— Tu vas voir, viarge ! m'a-t-elle lancé par-dessus son

épaule, au moment où je la rejoignais pour notre rencontre quotidienne. Adrien va finir par me téléphôner pour m'annoncer que lui pis Michelle, y' viendront pas pantoute cet été ! Déjà que le mois de juillet achève...

Encore de mauvaise humeur ! Ça arrive de plus en plus souvent, depuis quelque temps. Par contre, aujourd'hui, je sais que sa maussaderie ne durera pas. Un miracle est en train de se produire, et Évangéline s'est bien promis d'y assister.

Claudine Paquet:
Le temps d'après
Éclats de voix, nouvelles
Une toute petite vague, nouvelles
Entends-tu ce que je tais?, nouvelles

Éloi Paré:
Sonate en fou mineur

Geneviève Porter:
Les sens dessus dessous, nouvelles

Patrick Straehl:
Ambiance full wabi sabi, chroniques

Anne Tremblay:
Le château à Noé, tome 1: *La colère du lac*
Le château à Noé, tome 2: *La chapelle du Diable*
Le château à Noé, tome 3: *Les porteuses d'espoir*
Le château à Noé, tome 4: *Au pied de l'oubli*

Louise Tremblay-D'Essiambre:
Les années du silence, tome 1: *La Tourmente*
Les années du silence, tome 2: *La Délivrance*
Les années du silence, tome 3: *La Sérénité*
Les années du silence, tome 4: *La Destinée*
Les années du silence, tome 5: *Les Bourrasques*
Les années du silence, tome 6: *L'Oasis*
Entre l'eau douce et la mer
La fille de Joseph
L'infiltrateur
« Queen Size »
Boomerang
Au-delà des mots
De l'autre côté du mur
Les demoiselles du quartier, nouvelles
Les sœurs Deblois, tome 1: *Charlotte*
Les sœurs Deblois, tome 2: *Émilie*
Les sœurs Deblois, tome 3: *Anne*
Les sœurs Deblois, tome 4: *Le demi-frère*
La dernière saison, tome 1: *Jeanne*
La dernière saison, tome 2: *Thomas*
Mémoires d'un quartier, tome 1: *Laura*
Mémoires d'un quartier, tome 2: *Antoine*
Mémoires d'un quartier, tome 3: *Évangéline*
Mémoires d'un quartier, tome 4: *Bernadette*
Mémoires d'un quartier, tome 5: *Adrien*
Mémoires d'un quartier, tome 6: *Francine*
Mémoires d'un quartier, tome 7: *Marcel*
Mémoires d'un quartier, tome 8: *Laura, la suite*

Visitez notre site: www.saint-jeanediteur.com

L'utilisation de 44 500 lb de Rolland Enviro 100 Édition plutôt que
du papier vierge a réduit notre empreinte écologique de:
378 arbres;
21 109 kg de déchets solides;
1 393 607 litres d'eau;
54 872 kg d'émissions atmosphériques.

C'est l'équivalent de:
3 patinoires de hockey couvertes d'arbres;
3 982 jours de consommation d'eau d'un Nord-Américain;
les émissions atmosphériques de 18 voitures dans une année.

Imprimé sur Rolland Enviro100, contenant
100% de fibres recyclées postconsommation,
certifié Éco-Logo, Procédé sans chlore, FSC
Recyclé et fabriqué à partir d'énergie biogaz.